Dwaalspoor

Loes den Hollander

Dwaalspoor

Karakter Uitgevers B.V.

Omslag: Mark Hesseling, Ede
Omslagbeeld: Corbis
Opmaak: ZetSpiegel, Best

ISBN 978 90 6112 229 6
NUR 305

Voor Paul, die mijn derde broer is.

I

Ik vind lijken al mijn hele leven interessant. Boeiend.
Intrigerend.

Als je ze eenmaal hebt schoongemaakt, worden ze niet meer vuil.

Ik hou niet van vuil. Ik verafschuw viezigheid. Ik word onpasselijk van vette vingerafdrukken op deuren, spinrag aan een lamp, stofsporen op de televisie.

Maar ik ben niet vies van lijken. Een lijk is een omhulsel. Als de geest het lichaam heeft verlaten, reduceert een mens tot dat omhulsel.

Een dood lijf is minder dan niets. Het heeft geen enkele waarde meer en tegelijk heeft niets nog waarde voor een lijk. Wat moet een dode met rijkdom? Met talent? Met toekomst? De stem verstomt. De warmte vloeit weg. De eigen lichaamsgeur verandert in de geur van de dood.

Ik werk altijd heel secuur, als ik een lijk moet wassen en aankleden. Ik neem de tijd. Ik praat, ik kijk, ik ruik.

Ook als ik lijken aan het wassen ben, voel ik de drang. Het is een verraderlijke drang. Een dwangmatige lust, waaraan niet te ontkomen valt. Vroeg of laat dwingt die lust me tot daden waar ik later niet meer aan wil denken.

Mijn nieuwe slachtoffer is een Boogschutter. Dit jaar stond de maan van Boogschutter tot en met oktober in Jupiter en dat be-

tekende voorspoed, succes en erkenning. En als klap op de vuurpijl zou de financiële positie van Boogschutter in de tweede helft van het jaar aanzienlijk verbeteren.

Ik heb niet zo'n mazzel als die Boogschutters. Voor hen is het succes of kans op succes wat de klok slaat. Ze gaan als een speer; er kan hen niets gebeuren.

Ik zou het lef willen hebben van die Boogschutters. Het levede-loltalent. Ik zou hun onoverwinnelijke uitstraling willen overnemen, hun optimistische kijk op het leven en hun irritante zelfvertrouwen willen bezitten.

Ze handelen direct als het nodig is. Ze zien hun doel, spannen de boog en schieten de pijl er recht op af.

Raak! Altijd raak. Klaar. Volgende zaak.

Ik haat Boogschutters.

Deze week gaat het gebeuren. Ik heb al talloze scenario's bedacht en ze stuk voor stuk afgekeurd vanwege onhaalbaarheid, te veel risico's, verkeerde tijdstip en domme angst.

Ik durfde niet. Ik wilde niet. Ik was tot nu toe niet in de juiste stemming. En het kon niet schoon genoeg gaan. Het moet schoon, er mag geen druppel bloed vloeien.

Dinsdag gebeurt het. Dinsdag pak ik een Boogschutter.

Ze hebben hun maan in Jupiter. Het is hun geluksjaar. Het jaar is bijna voorbij.

Het geluk is op.

Ik wil weer rust in mijn hoofd.

2

Op het moment dat Lilian door de draaideur de hal van het ziekenhuis binnenkomt, slaat de warmte boven op haar. Ze deinst er een kort moment van terug. Ze doet direct haar wollen sjaal af, maakt haar jas open en kijkt om zich heen. Het is hier spitsuur. Alle stoelen in het restaurant dat vlak achter de supermarktachtige ziekenhuiswinkel ligt zijn bezet, ziet ze. De stemmen uit die ruimte gonzen de hal in en ze worden vergezeld door vette etensgeuren. Lilian ruikt het direct: frituurvet. Oud vet. Het stinkt. Ze heeft een paar dagen geleden al gezien dat er hier heel ongezonde happen te koop zijn. Toen ze daar iets over opmerkte tegen Rob zei hij dat het ziekenhuis op die manier de hart- en vaatziekten stimuleert, zodat de productie op peil blijft. Hij noemde het restaurant een patiëntenkwekerij.

Rob doet niets anders dan flauwe grapjes maken sinds hij hier is opgenomen. Ivo zegt dat hij op die manier de angst bedwingt. De angst voor een slechte uitslag na de operatie. De chirurg heeft duidelijk gezegd dat hij pas kan zien wat er in de buik aan de hand is, als die openligt. Pas op dat moment weet hij of de tumor wérkelijk alleen in een deel van de darmen zit en dat er verder nergens een spoor van een andere maligniteit te ontdekken valt. Hij heeft goede hoop maar sluit niet uit dat hij meer vindt dan op de röntgenfoto's te zien is. Het is dus afwachten. Rob praat hier alleen met Ivo over. Lilian staat aan de zijlijn. Rob sluit haar buiten. Ze weet het. Hij heeft meer vertrouwen in zijn zoon dan in zijn vrouw.

Tegenwoordig raakt haar dat niet meer.

Toch had ze de dag voor de operatie de indruk dat Rob iets tegen haar wilde zeggen. Hij zei een paar keer dat hij haar wat wilde vertellen. Maar er kwam steeds iemand binnen en ten slotte gaf hij het op. Ze had hem vragen moeten stellen. Ergens in haar achterhoofd zit een spijtig gevoel. Het heeft iets te maken met een gemiste kans.

Er staat iemand op tussen de etende mensenmassa en ze ziet dat het Ivo is. Hij zwaait naar haar en komt snel op haar toelopen. Zijn lange armen smoren haar bijna. 'Dag, mam, goed nieuws, hè? Ben je niet opgelucht?'

Ze knikt en nestelt zich nog even extra tegen hem aan. Ik hoor me opgelucht te gedragen, denkt ze. Ze huivert.

'Je gaat me toch niet vertellen dat je het koud hebt? Het is hier om te stikken,' zegt Ivo.

Ze maakt zich van hem los. 'Het zal wel met emoties te maken hebben, denk je niet?'

Haar zoon kijkt haar peinzend aan. 'Zie ik het goed? Komen jullie door deze ellende weer wat dichter bij elkaar te staan?'

Dat hoopt hij, flitst het door haar hoofd. Het maakt niet uit hoe oud kinderen zijn, zelfs niet dat ze een eigen leven leiden en al zelfstandig wonen. Kinderen blijven wensen dat hun ouders samen gelukkig zijn. Ze glimlacht. 'Zullen we maar snel naar boven gaan?'

Rob ligt op de zesde etage. De lift schiet als een speer omhoog. Je merkt niet dat hij beweegt. 'Wat een techniek, hè?' probeert Lilian zo normaal mogelijk te doen. Ivo kijkt haar vragend aan. 'Ik bedoel die lift. Snel. Geluidloos.' Dit gaat nergens over, denkt ze. Prietpraat. Ik kan tegenwoordig niets anders meer verzinnen dan loze tekst.

Ivo knikt. 'Dat heb je met die techniek, hè?' Het klinkt een beetje lacherig. Een beetje sussend. Mam heeft even niet meer in de gaten dat een lift een heel normaal verschijnsel is. Ze is natuurlijk een beetje de weg kwijt. Laten we maar lollig doen. Hij grijpt haar vast. 'Nou zeg, ik vergeet je te feliciteren. Gefeliciteerd met je man. Je weet toch wel dat hij vandaag jarig is?'

Ze voelt dat ze geïrriteerd raakt, maar ze wil Ivo niet afsnauwen. Hij bedoelt het goed. Hij kan er niets aan doen dat zij zo overgevoelig reageert. Ze dwingt haar gezicht in een glimlach. 'Natuurlijk weet ik dat. Dank je. En jij gefeliciteerd met je vader.'

'Volgend jaar wordt hij zestig. Dan komt hij niet onder een stevig feest uit. En daarna gaan we iedere verjaardag van hem extra goed vieren. Dat worden weer gezonde verjaardagen, nu ze ontdekt hebben dat de hele buik schoon is, denk je ook niet?'

De lift stopt en de deur gaat geruisloos open. Lilian stapt als eerste naar buiten. 'Ja, het is gelukkig schoon,' beaamt ze. Ze gaat niet in op Ivo's wens voor de verjaardagen van Rob. Wat haar betreft kan hij wensen wat hij wil, Rob mag van haar nog wel veertig keer gezond jarig worden. Als zij er maar niet meer bij aanwezig hoeft te zijn. Als hij voldoende is opgeknapt, ga ik stappen ondernemen om te scheiden, denkt ze. Eerst afwachten of hij toch niet moet worden bestraald. Ik ga hem niet in de steek laten als dat het geval is. Dan wacht ik tot dat achter de rug is.

'Kijk,' zegt Ivo. 'Daar is Marjo ook al.'

Robs secretaresse zit met een grote bos bloemen in haar armen op een stoel in de gang. 'Ik wilde niet als eerste naar binnen gaan,' zegt ze. Ze kust eerst Lilian en daarna Ivo. 'Proficiat. Hij is jarig en de buik is schoon. Dubbel feest.'

'Je weet het al?' Lilian kijkt haar verbaasd aan.

'Hij heeft me een uur geleden zelf gebeld.'

3

Rob slaapt. Hij is na de operatie naar een eenpersoonskamer gebracht. Naast de deur zit al een naambordje, ziet Lilian vlak voordat ze naar binnen stapt.

De heer R.E.R.M. Dijkman.

'Ik heb vier doopnamen,' zei Rob bij hun eerste afspraak. 'Roberto Eduard Reinier Maria. Echt katholiek.'

'Ik ben van huis uit niks,' antwoordde Lilian. 'Ik heb ook maar één naam.'

'Dat wordt knokken met mijn ouders,' grinnikte Rob. 'Die rekenen erop dat ik met een katholieke maagd thuiskom.' Hij sprak bij hun eerste afspraakje al over kennismaken met zijn ouders. Ze bloosde ervan. Hij dacht dat ze van kleur verschoot omdat hij het over een maagd had.

Dat was de eerste keer dat ze elkaar verkeerd begrepen. De eerste van vele keren.

'Waar denk je aan?' vraagt Ivo. 'Volgens mij zit je in gedachten op een andere planeet.'

In een ander leven, zou Lilian willen zeggen. In een leven toen ik nog in je vader geloofde. En in ons.

'Hij slaapt diep, zeg,' merkt Marjo op. 'Zou dat van de narcose komen?'

De deur zwiept open en er komt een verpleegster binnen. 'O, er is al bezoek. Ik kijk even en dan ben ik weer weg.' Ze loopt op Rob af en controleert het infuus. 'Gaat allemaal goed.' Ze werpt een blik naast het bed. Lilian ziet dat daar een plastic zak hangt die gevuld is met geel vocht. De verpleegster volgt haar blik. 'Hij heeft nog even een katheter maar ik denk dat die er snel uit mag. Hij slaapt diep, hè? Een uurtje geleden was hij wel wakker en toen zei ik al tegen hem dat hij zich rustig moest houden. Hij wilde direct mensen bellen. Is hij altijd zo druk?' Ze wacht het antwoord niet af en haast zich weer naar de deur. 'We hebben twee zieken op de afdeling en we kunnen geen uitzendkrachten inhuren. Bezuinigingen. We moeten roeien met de riemen die we hebben. Onverantwoord, als je het mij vraagt. Ik ga snel verder. We hebben over tien minuten een gesprek met het sectorhoofd. We gaan extra personeel eisen. Maar we houden meneer in de gaten, hoor.'

De deur valt achter haar dicht. Het is opeens doodstil in de kamer.

'Wat een wervelwind,' zegt Ivo. 'Met zulke types om je heen lig je niet voor je rust in een ziekenhuis. Maar ik vind het geen prettig idee dat er zo weinig personeel is.'

Marjo is naast het bed gaan zitten. 'Hij merkt niets van die drukte. Hij is ver weg, zeg. Ben je niet opgelucht, Lilian, dat het allemaal meevalt?'

Lilian trekt ook een stoel in de richting van het bed en gaat aan de andere kant zitten. 'Ja, natuurlijk. Ik had er een hard hoofd in.'

Marjo kijkt haar indringend aan. 'Nu kun je met een gerust hart je zilveren huwelijksfeest gaan organiseren.'

'Geven jullie een feest?' Ivo veert verrast overeind. 'Leuk. Ik ben beschikbaar als ceremoniemeester. Heb je al een locatie op het oog?'

Soms vindt ze haar zoon reageren als een kip zonder kop. Hij weet heel goed dat er weinig te feesten valt en dat ze nooit hun trouwdag vieren. Waarom stelt Marjo die vraag eigenlijk? Heeft Rob iets in die richting tegen haar gezegd? Ze weet niet wat Marjo over haar huwelijk weet. Marjo werkt al jaren voor Rob. Ze is zijn steun en toeverlaat in het bedrijf. Secretaresses weten vaak meer dan echtgenotes, heeft Lilian wel eens ergens gelezen. Maar Marjo kan nooit weten wat Rob zélf niet weet. 'We hebben het nog niet over een feest gehad,' zegt ze stroef. 'Het is pas in augustus. Het duurt nog acht maanden.'

Er komt geen feest, denkt ze er achteraan. Er komt ook geen vijfentwintigste huwelijksdag.

Er komt een scheiding. Ik kies voor Bram.

Een week geleden heeft hij het haar gevraagd. 'Ik wil niet langer je stiekeme vriendje zijn,' zei hij. 'Daarvoor zit het écht te diep bij mij. Ik wil alles of niets. En jij? Wat wil jij? Wil je voor mij kiezen?'

'Ik denk erover na,' heeft ze beloofd.

Misschien gaat Rob gewoon dood door die kanker, heeft ze gedacht. Ze durft zich bijna niet te herinneren dat ze dit werkelijk dacht. Ze vindt het grof en laf van zichzelf. De dood moest haar probleem maar oplossen, leek het. Maar het zit anders. Een scheiding voelt aan als falen. Ze hebben het niet gered. Ondanks alle energie die ze in de relatie gestoken heeft, ondanks iedere keer na een afwijzing van zijn kant met frisse moed een nieuwe poging wagen, ondanks haar acceptatie dat het kind op de eerste tot en met de tiende plaats kwam en zij mogelijk ergens op de dertigste maar misschien ook op geen enkele plaats, ze hebben het niet gered. Nu is Bram er. Hij geeft alles wat ze mist bij Rob. Hij ziet haar. Hij erkent haar. Hij vertelt haar onomwonden dat hij van haar houdt. Hij vrijt met haar zoals Rob ooit deed in een ver verleden.

Wanneer zou haar verlangen naar dat verleden nu eindelijk eens ophouden te bestaan?

Ze verwacht niet eens tegenwerking van Rob als ze zegt dat ze wil scheiden. Hij gaat gewoon door met zijn leven, vermoedt ze. Hij zal een hulp in de huishouding zoeken die ook zijn overhemden strijkt. Hij eet vaker buiten de deur en het zal haar niet verbazen als hij binnen de kortste keren gaat daten met een van de beschikbare vrouwen op de zaak. Keuze genoeg. Marjo vertelt haar vaak dat die meiden om hem heen zwermen. Ze jaagt ze weg als ze te dichtbij komen. Rob is een aantrekkelijke man om te zien. Hij heeft een vlotte babbel en kan heel charmant zijn. Nee, Rob blijft niet lang alleen.

'Dat is een goed plan, denk ik,' zegt Ivo. Lilian schrikt op. Ze heeft geen idee waar ze het over hebben. 'We gaan beneden iets drinken en ook iets eten,' stelt Ivo voor. 'Ik heb trek in een hartige hap. Laten we maar naar beneden gaan. Hij slaapt toch maar door.'

Ze staat op en ze ziet dat Marjo even teder over Robs wang strijkt. Ze denkt opeens iets vreemds. Zouden Rob en Marjo...? Welnee. Rob zegt altijd dat hij Marjo op het paard van de schillenboer vindt lijken. Ze is hem te grof gebouwd. Te groot. Ze heeft geen borsten. Rob is een liefhebber van borsten. Lilian weet nog dat hij niet van die van haar kon afblijven toen ze zwanger was. Haar grote borsten drongen zelfs zijn woede over die zwangerschap naar de achtergrond.

Marjo is zo plat als een dubbeltje, volgens Rob. Hoe weet hij dat eigenlijk? Ze draagt altijd mantelpakken met bloezen die ruim zitten vanboven. Ze heeft ook haren op haar kin en boven haar lippen die ze niet vaak genoeg weghaalt. Nee, Marjo...

Lilian glimlacht.

Ivo slaat een arm om haar schouders. 'Zie je wel, het gaat weer goed met hem. Jij denkt het ook, hè?'

Er klinkt een geluid in haar tas.

'Je wordt gebeld,' meent Ivo.

Ze kijkt snel op de display. Het is Bram. Die spreekt wel iets in.

'Niet interessant?' informeert Ivo.

4

De geur van gebakken spek overheerst de andere etensgeuren in het restaurant. Lilian ziet de ene na de andere bezoeker voorbijkomen met een bord vol kapucijners met spek, waar ook een enorme klodder piccalilly op ligt. Marjo heeft daar wel zin in, meldt ze. Ivo kiest voor de patat met hachee en een bakje groenvoer voor de vitamines. Hij stimuleert Lilian om dat ook te nemen. 'Het ruikt lekker pittig, mam. Na al die emoties kun je wel een opkikkertje gebruiken. En we nemen er een lekker glaasje wijn bij, proosten we op pap.'

Ze weert alles af. 'Ik heb niet veel trek. Neem maar een tosti voor me mee. Met een glas sinas.' Ze excuseert zich en zegt dat ze naar het toilet moet. Maar ze loopt de toiletten voorbij en haast zich naar buiten. Het regent. Ze zoekt een plaats onder de overkapte ingang, waar ze ongestoord het bericht van Bram kan afluisteren. Er staat een man vlakbij te roken. Er waait rook in haar gezicht. Wat een stank.

Ze keert zich van hem af.

'Hoi, met mij. Ik heb zin om samen met je te slapen. Lukt het om naar me toe te komen? Wat denk je van een heet bad en een lekkere massage? En champagne? Ik hoor wel of het lukt. Kus.'

Bram kan goed masseren. Als hij dat doet draait het altijd uit op vrijen. Ze verlangt naar hem. 'Ik moet ophouden met aarzelen,' mompelt ze in zichzelf. 'Rob gaat niet dood. Ik wel, als ik op deze manier doorga. Het sloopt me.' Ze toetst het nummer van Bram in. Hij neemt direct op. 'Ik ben er om een uur of acht,' zegt ze zonder haar naam te noemen. 'Ik kan niet lang praten, we zijn nog in het ziekenhuis.' Bram is gewend aan korte mededelingen van haar kant. Ze halen de schade later wel in.

Ik ga het eerst aan Ivo vertellen, van Bram, neemt ze zich voor als ze terugloopt naar het restaurant. Hij moet het weten, zodat hij Rob eventueel kan opvangen. Nu doet ze het weer: Rob beschermen. Ze schudt geërgerd haar hoofd. Wanneer gaat ze hier nu eens mee ophouden? Rob moet binnenkort voor zichzelf gaan zorgen. Hij zoekt het maar uit. Hij heeft haar niet nodig als vrouw, hooguit als huishoudster. En een huishoudster is gemakkelijk te vervangen.

Nu niet sentimenteel worden. Goed beschouwd ziet het leven er niet eens slecht uit. Rob gaat genezen, daardoor kan zij vertrekken. Er is een man in haar leven met wie ze graag samen is. Een aantrekkelijke, leuke, slimme man. Een tedere man. Wat wil ze nog meer?

Omkijken dient nergens toe. Ze moet vooruitkijken. Genieten.

Vertrouwen.

Waarom zou ze er niet op vertrouwen dat het leven er beter gaat uitzien als ze een keuze maakt?

Ivo en Marjo zijn druk in gesprek, ziet ze al uit de verte. Ze lachen. Marjo vertelt iets en Ivo schatert het uit. Vast een verhaal over kantoor. Marjo kan smeuïge verhalen vertellen over de zaak. Ze praat met iedereen en peutert de meest intieme details tevoorschijn. Maar ze weet dat Lilian daar niet voor openstaat. Lilian vindt het een vreemde trek in Marjo, dat ze er genoegen in schept om net iets meer te weten te komen dan de ander je wil vertellen. Ze begrijpt niet goed waarom Marjo daar zo van geniet.

Eigenlijk weten ze heel weinig van Marjo, peinst ze. Zij komt bij hen thuis maar zij zijn nog nooit in háár huis geweest. Rob vindt dat te ver gaan. Net te weinig afstand. Ze nodigt Rob en Lilian ook nooit uit.

Marjo leeft alleen, dat weet Lilian zeker. Ze heeft een oude moeder die in een verpleeghuis woont. Ze is haar zaakwaarneemster. Marjo is vroeger verpleegster geweest, maar ze heeft zich moeten omscholen toen ze rugklachten kreeg. Daardoor werd ze secretaresse. Maar veel meer weet ze niet over Marjo. Vreemd, eigenlijk.

'Wat bleef je lang weg,' moppert Ivo. 'Je tosti is koud geworden.'

'Hindert niet.' Lilian eet de tosti zo snel mogelijk op. Ze spoelt de droge hap weg met de sinas. Marjo kijkt haar nadrukkelijk aan. 'Gaat het wel goed met je?'

'Ik ben moe. Ik wil vroeg naar bed. De spanning sloopt me.'

'Dat begrijpt iedereen,' sust Ivo. 'Ga jij maar lekker naar huis. Ik loop zo nog even langs papa. Hij zal voorlopig wel slapen. Morgen wordt hij wakker en dan valt er weer met hem te praten.'

Marjo zegt niets.

Lilian heeft opeens het idiote vermoeden dat Marjo weet waar zij nu naartoe gaat. Maar ze verjaagt die gedachte onmiddellijk.

Ivo wil haar naar haar auto begeleiden. Als ze de portier passeren, groet hij de man nadrukkelijk. 'Ik heb vanmiddag een tijdje met hem staan praten,' legt hij uit. 'Geschikte kerel.'

De portier wenkt hen. 'Heeft die dame de weg nog gevonden?' wil hij weten. Ze kijken hem verwonderd aan. 'Er was hier een dame die vroeg waar uw vader lag,' legt de portier aan Ivo uit. Hij kijkt langs hen heen en ziet Marjo aankomen. 'Ze had lang, blond haar. Dat was zíj toch? Of niet? Nou weet ik het niet meer. Was u dat die mij vroeg waar de vader van meneer hier ligt?' vraagt hij aan Marjo. Die kijkt hem verbaasd aan. 'Ze leek op u.'

Er valt een ongemakkelijke stilte.

'Wij waren het enige bezoek,' zegt Lilian. Haar stem is schor. Ze hoort dat ze bijna niet te verstaan is.

'Vreemd, zeg. Wat moeten we daarvan denken?' Ivo wendt zich tot Lilian. 'Misschien was het iemand van de zaak en wilde ze alleen weten waar hij ligt. Om een kaartje te sturen of zo.'

'Dan bel je toch gewoon?' Marjo klinkt scherp. 'Ik ga nog even terug. Zie ik je zo?' Ze groet Lilian. 'Ga jij maar eens lekker vroeg slapen,' adviseert ze. Dat meent ze, denkt Lilian. Ik heb me vergist. Ze weet niet waar ik vanavond naartoe ga.

5

Dit is de vijfde keer dat ze bij Bram slaapt en ook deze keer droomt ze over alles wat er gebeurde vanaf het moment dat ze binnenkwam. Lilian droomt thuis vrijwel nooit; ze is zich er althans niet van bewust. Ivo beweert dat ieder mens droomt in zijn slaap maar dat niet iedereen het zich later herinnert. Laat mij me het maar bij uitzondering herinneren, denkt ze vaak. Ik geniet in ieder geval dubbel.

Ze was heftig. Wild.

Onverzadigbaar.

'Allemachtig,' zei Bram. 'Wat heb je gegeten? Iets met een kilo peper erin of zo?'

Ze heeft in haar eentje bijna een hele fles rosé leeg gedronken. Koude rosé met extra ijsblokjes. Ze slokte het op als limonade.

Ze ging los. Helemaal los. Gisteravond heeft ze Rob voor eens en voor altijd naar het verleden gevreeën.

Zo voelt het.

Het was al bijna halfvier toen ze eindelijk gingen slapen. En nu droomt ze alles nog eens opnieuw. Ze is heel ver weg van de wereld. Ze ligt op de bodem van een put. Een diepe put, die haar onbereikbaar maakt. Zelfs voor Bram. Als ze droomt wil ze niemand voelen, niets weten, nergens over piekeren.

Er kriebelt iets over haar gezicht. Ze mept het weg. Het grijpt haar vingers vast.

Ze doet haar ogen open.

Bram ligt naar haar te kijken. Er valt een lok haar voor zijn oog. Ze pakt die lok en speelt ermee. Bram kust haar hand. 'Zo, langslaper, hoe denk je erover? Het is al elf uur.'

Ze kijkt verschrikt naar de wekker. 'Wát? Allemachtig, heb ik zó lang geslapen? En jij ook?'

'Ik werd tien minuten geleden wakker. Ik schrok me ook een ongeluk. Maar ik heb gelukkig pas om twee uur vanmiddag een afspraak. En jij nam toch vrij? Er is dus niets aan de hand.'

'Ik wilde vandaag mijn huis schoonmaken,' mompelt ze.

'Nou, dat kan toch ook wel op een andere dag? Of is het zo'n bende bij jou thuis?'

'Ik wilde wat extra klussen doen. Nee, het is bij mij geen bende. Maar ik heb het graag schoon.'

Ze gaat zich nu even niet druk maken over de schoonmaak van haar eigen huis. Misschien heeft Ivo al gebeld om te informeren hoe laat ze naar het ziekenhuis gaat. Ze zal zeggen dat ze al vroeg naar de stad is gegaan om inkopen te doen. De winteropruiming is een paar dagen geleden begonnen. Die begint de laatste jaren steeds vroeger. Het is pas begin december. Maar niemand zal haar horen protesteren. Ivo weet dat Lilian graag door kledingzaken struint met de opruiming. Ze wil een nieuwe winterjas hebben, het liefst van Erich Fend. In de zomeropruiming heeft ze een schitterende regenjas van dat merk gescoord. Er zat zeventig procent korting op. Ze heeft een scherp oog voor fors afgeprijsde dure merken. Dat is een eeuwig strijdpunt tussen haar en Rob. Rob gruwt van dat koopjes jagen. Hij vindt het een armoedeverhaal. Ze hebben geld genoeg om alles gewoon voor de vaste prijs te kopen. Lilian heeft hem nog nooit goed kunnen uitleggen dat het een sport is. Snuffelen, zoeken, ontdekken waar de buit zich bevindt. Thuiskomen met een superchique rok van Mart Visser, waar je maar een derde van het oorspronkelijke bedrag voor hebt betaald. Of met zo'n typisch colbert van Léon. Die colberts herken je direct aan de perfecte afwerking. Ze kickt erop als ze een Léonjasje vindt voor de helft van de helft van de oorspronkelijke prijs. Geen tweehonderd maar vijftig euro betalen. Dat is het échte uitverkoopwerk. Of drie T-shirts van Cane & Cane op de kop tikken voor de prijs van één. Op het juiste moment toeslaan. Het is vooral leuk als het laatste exemplaar van een kledingstuk juist haar maat is.

'Waar denk je aan?'

'Niets. Zullen we opstaan?'

Bram kust haar. Zijn handen omklemmen haar gezicht. Ze voelt zijn lijf.

Ze geeft zich over.

'My God,' hijgt ze een kwartier later.

'Heb je al een besluit genomen?' vraagt Bram. Hij kijkt haar ernstig aan.

Ze knikt. 'Ik kies voor jou.'

6

Bram heeft verse stokbroodjes gebakken en ze belegd met roomboter en roquefortgeitenkaas. Lilian merkt dat ze trek heeft. Het is ook al een behoorlijke tijd geleden dat ze een fatsoenlijke maaltijd naar binnen werkte, bedenkt ze. Gisteren kreeg ze vanwege de spanning geen hap door haar keel. Ze vertelt over de goede uitslag na Robs operatie en over de gunstige prognose.

'Komt het daardoor dat je nu je besluit hebt genomen?' wil Bram weten.

'Ook. Ik wilde hem niet ziek alleen laten.'

'Nu word ik nieuwsgierig naar de andere redenen. Of is dat staatsgeheim?'

'Het komt door alles.'

'Juist. Dat is een duidelijk antwoord. Dat verklaart een hoop.' Bram lacht geamuseerd. Hij knuffelt haar. 'Dat is het leuke aan jou. Jij kunt je zo lekker uitgebreid uitdrukken.'

'Niet pesten.'

'Ik pest niet, ik plaag. Kun je er vandaag niet tegen?'

Ze weet niet goed hoe ze hier op moet reageren. Ze voelt zich niet helemaal senang. Ze heeft de neiging om er snel vandoor te gaan maar ze weet niet waar ze naartoe wil. Ze zal vandaag in ieder geval in het ziekenhuis moeten verschijnen. Zou alles daar wel goed gaan? Waarschijnlijk wel, anders had ze wel een telefoontje gekregen. Ze zal toch geen oproep gemist hebben toen ze zo diep sliep? Ze vist haar mobiele telefoon uit haar tas. Hij staat uit. 'Ik heb mijn telefoon uitgezet,' mompelt ze.

'Dat deed je vlak voor we gingen slapen,' brengt Bram haar in herinnering.

De rosé heeft blijkbaar het een en ander uit haar geheugen gewist.

Ze toetst de code in en ze ziet direct dat ze een hele rits oproepen heeft gemist. 'Er zijn heel veel oproepen,' meldt ze. 'Zou er iets aan de hand zijn?'

Bram schrikt. 'Luister ze eens af. Of wil je dat ík het doe?'

Maar Lilian heeft de code voor het afluisteren al ingetoetst. Er zijn zes nieuwe berichten, hoort ze. Het eerste bericht is ingesproken om kwart over acht. *'Mevrouw Dijkman, u spreekt met Erna Dubois, hoofdverpleegkundige van de afdeling Chirurgie. Ik bel u in verband met uw man. Er is iets ernstigs gebeurd. Wilt u zo spoedig mogelijk komen? Ik bel ook uw zoon."*

Lilian heeft het gevoel dat ze stikt.

'Wat is er?' vraagt Bram. 'Wie is het? Waar gaat het over?'

'Over Rob. Er is iets niet goed.'

Het tweede bericht is van Ivo. *'Mam, met mij. Ik ga direct naar het ziekenhuis. Het is niet goed, denk ik. Waar ben je? Slaap je nog? Ik bel je opnieuw als ik er ben."*

Ze staat op en grist haar tas van de bank. 'Het tweede bericht is van Ivo. Hij is al naar het ziekenhuis gegaan. Ik moet daar ook naartoe.'

'Ik breng je. Pak snel je spullen. Ik start de auto.' Bram rent weg.

Het derde bericht. Weer Ivo. *0, mam, het is verschrikkelijk.'* Hij huilt, hoort ze. *'Ze vonden hem te laat. Waar zit je toch? Ben je aan het winkelen? 0, mam, zet alsjeblieft je mobieltje aan."*

Ze staat verstijfd van schrik midden in de kamer. Ze staart naar het broodje waar ze net aan was begonnen. Het ruikt niet meer lekker, het ziet er niet meer verleidelijk uit. 'Ze vonden hem te laat.'

Rob is dood.

'Ik wist het,' zegt ze hardop tegen zichzelf. Tegelijk vraagt ze zich af hoe ze het dan wist. Wát ze wist. Ze probeert te denken. Maar haar gedachten schieten een onmetelijke lege ruimte in en lossen daarin op.

Bram komt weer binnen. 'Ben je klaar?' Hij kijkt naar haar, ze ziet dat hij schrikt. 'Wat is er? Weet je al iets meer?'

'Rob is dood,' zegt ze toonloos.

'Hebben ze dat gezegd?'

'Niet met die woorden.'

'Misschien is het niet zó erg.'

Ze staat op. Ze is opeens heel kalm. 'Breng me maar.'

Ik ben vrij, denkt ze.

Ze staat versteld van haar eigen gedachte. Van de ongeïnteresseerde kalmte die bezit van haar neemt.

7

Op weg naar het ziekenhuis blijft ze zich verbazen over haar eigen reactie. Dit ben ik niet écht, denkt ze. Ik ben geen meedogenloos, kil en berekenend wezen. Dat was ik nooit en dat zal ik nooit worden. Maar achter het bestrijden van het ongewenste gevoel dat ze niet wil toelaten, zit een triomfantelijk duveltje dat zich niet laat wegduwen. Dat duveltje brengt voortdurend die gedachte naar boven: ik ben vrij.

Ze wordt er wanhopig van.

Bram streelt haar arm. 'Rustig maar. Probeer kalm te blijven. Als het wérkelijk waar is wat je denkt, als Rob écht dood is, kun je er toch niets meer aan doen. Misschien was het een complicatie na de operatie. Trombose of zoiets. Dat hoor je vaak. Blijf nu maar rustig. Er zal een heleboel op je afkomen. Dit was niet wat je wilde. Op deze manier had het niet moeten gaan. Toch?'

Ze schudt langzaam haar hoofd. 'Nee.' Ze heeft het gevoel dat ze stikt. Haar ademhaling zit te hoog, merkt ze. Ze wordt duizelig.

Bram ziet het. 'Normaal ademhalen,' adviseert hij. 'Anders heb je dadelijk een barstende hoofdpijn.'

Hij kent haar. Hij ziet direct aan haar hoe ze zich voelt, of haar iets dwarszit, hoe ze ademt. Hij is attent. Hij schenkt aandacht aan haar. Hij vult alles in waar ze al jaren naar verlangt. Wat Rob liet liggen.

Hij straft haar niet, zoals Rob deed.

Lilian gaat rechtop zitten. 'Hij bleef me maar straffen, omdat ik toen zwanger werd van Ivo. Hij heeft het me nooit willen vergeven. Ik maakte een dekhengst van hem, zei hij altijd. Ik had hem belazerd.'

Bram knikt bedachtzaam. 'Dat deed je toch ook?' zegt hij.

Ze kijkt hem verwonderd aan. 'Pardon?'

'Ik ben even advocaat van de duivel. En ik herhaal: dat deed je toch ook? Jij wilde een kind en hij wilde het niet. Je vergat zogenaamd de pil te slikken maar in werkelijkheid was het opzet en waagde je een gokje. Zo ging het toch?'

'Aan wiens kant sta jij?'

'Ik sta aan de zijlijn en ik kijk en luister. Ik heb me vanaf de eerste keer dat je dit vertelde verdiept in wat jouw zwangerschap voor Rob betekend moet hebben. Ik bekeek de zaak als man. En eerlijk is eerlijk: ik kan me zijn gevoel dat hij is gebruikt en tot een dekhengst is verheven voorstellen. Maar ik begrijp niet dat hij nooit is bijgedraaid. Vooral niet omdat hij idolaat is van zijn zoon. Ik keur het ook af. Ik vind dat je niet iemand jarenlang moet straffen voor een onbesuisde fout. In mijn ogen was hij een kerel geweest als hij je had verlaten.'

'Ik heb hém ook niet verlaten.'

Bram knijpt even in haar knie. 'Jij hebt je verantwoordelijkheid genomen, lieve schat. Maar daarin ben je wel een beetje ver gegaan. Wat maakt het nog uit? Je kind is volwassen, je hebt een nieuwe liefde gezocht en gevonden. Je nam het besluit om Rob te verlaten en zelfs in dat besluit hield je nog rekening met zijn belang. Het was niet je bedoeling dat hij zou sterven. Hier ben jij niet verantwoordelijk voor.'

Ze naderen de ingang van het ziekenhuis.

'Ik zet je bij de ingang af,' zegt Bram, 'maar ik rij direct door. Bel me alsjeblieft zodra het mogelijk is. Goed?'

Hij parkeert de auto een paar meter voor de hoofdingang en klemt zijn handen om Lilians gezicht. 'Hou je taai, meisje. En denk eraan: je staat er niet alleen voor. Je zult er nooit meer alleen voor staan.'

Hij kust haar. 'Ga maar gauw.'

Lilian heeft het gevoel dat er iemand naar haar kijkt. Ze speurt de oprit die naar de ingang leidt af.

Niemand.

Als ze is uitgestapt en Bram wegrijdt ziet ze haar.

Marjo.

Ze staat in de hal en staart met een verbeten trek op haar gezicht naar Lilian. Ze bekijkt haar van top van teen en trekt haar mondhoeken nadrukkelijk naar beneden.

Lilian haalt diep adem.

Goed, denkt ze. Marjo. Ik hoef geen verantwoording af te leggen aan de secretaresse van mijn man. Dat moet er nog bijkomen. Ze gaat rechtop staan, trekt haar schouders naar beneden en loopt de hal in.

Marjo is weg. Lilian laat haar blik snel door de ruimte gaan.

Geen Marjo.

Stond ze er eigenlijk wel? 'Ik zag haar toch écht,' mompelt ze in zichzelf.

8

Ivo staat bij de lift. Hij rent naar haar toe en grijpt haar vast. 'Hij was al dood toen ze hem vonden. Waarschijnlijk een hartstilstand. Ze willen met ons praten over een sectie. Dat sta je toch niet toe, mam? Je laat hem toch niet nog een keer opensnijden?'

Lilian kan geen woord uitbrengen. Ze wil hier weg. Naar buiten rennen. Niet horen en vooral niet zien wat hier aan de hand is.

Ivo laat haar los. 'Kom mee naar de familiekamer. Daar kunnen we rustig zitten. Marjo is er ook al. Ik heb haar direct gebeld. Waar zat je toch?'

Ze geeft geen antwoord. Ze laat zich naar de familiekamer leiden. Er komt een verpleegster op hen af. 'O gelukkig, u bent er. Ik zal de dokter roepen.'

'Ik wil hem zien,' zegt Lilian.

'Praat eerst met de dokter,' pleit Ivo. 'Laat hem eerst vertellen wat er is gebeurd.'

Ze blijft staan waar ze staat. 'Ik wil hem zien,' herhaalt ze.

Er staat plotseling een man in een witte jas voor haar neus. 'Justin Meyer,' stelt hij zich voor. 'Chirurg. Ik heb uw man gisteren geopereerd. Mijn oprechte deelneming. Dit is een drama.'

'Is hij echt dood?' Ze kan haar eigen stem nauwelijks verstaan.

De chirurg legt een hand op haar arm. 'Het spijt me, mevrouw, het spijt me zeer. Maar het is waar.'

'Ik wil hem zien.'

Ivo trekt aan haar arm. Ze rukt zich los. 'Waar is hij?'

'Hij ligt nog in zijn kamer,' zegt de chirurg. 'Komt u maar mee.'

Hij leidt haar behoedzaam naar de kamer waar Rob is. Bij de deur aarzelt hij. 'Wilt u dat ik mee naar binnen ga?'

Ze knikt. Hij duwt de deur open. Op hetzelfde moment ziet Lilian het bordje op de deur. VERBODEN TOEGANG.

Ze staan in de kamer. Op het bed ligt iemand onder een laken.

Het infuus is weg. De katheterzak is ook verdwenen. Ze ziet het direct. De figuur onder het laken beweegt niet. Hij is kleiner dan Rob, volgens haar.

Het is Rob niet. Ze hebben zich vergist. Rob lag niet in deze kamer. Er hing geen bordje op zijn deur. Wat een klungels zijn het hier. Wat een stupide bende!

De chirurg slaat het laken terug en stapt opzij.

Ze houdt haar adem in. Ze kijkt. Het kan niet waar zijn.

Het is Rob.

'Wilt u even zitten?' vraagt de chirurg. Hij trekt een stoel onder het bed vandaan. Maar ze blijft staan. Ze kan haar ogen niet van het dode gezicht afhouden. Hij is dood. Geen twijfel mogelijk. Zo ziet dood eruit. Ze heeft het eerder gezien. Toen haar moeder stierf en later met haar zus. Een strak gezicht zonder mimiek. Een eindeloze leegte. Het lichaam is alleen nog een omhulsel. De mens die erin zat is weg.

Hij heeft een stoppelbaard. Ze hebben hem blijkbaar nog niet geschoren. Hij heeft een zware baardgroei. Als hij 's avonds ergens naartoe moet, scheert hij zich altijd nog een keer extra. Zijn borst, armen en benen zijn ook zwaar behaard. En zijn rug. Vroeger vond ze dat sexy. Later niet meer. Toen ze Bram voor de eerste keer zag, viel het haar direct op dat hij nauwelijks behaard was. Ze heeft er vannacht nog iets over gezegd. 'Wat ben je toch lekker glad.' Toen heeft ze zelfs nog iets onaardigs in de richting van Rob gedacht.

Ze slaat haar hand voor haar mond. 'Hoe heeft dit kunnen gebeuren?' De vraag klinkt als een aanval, hoort ze zelf.

'We zouden graag een sectie willen doen,' zegt de chirurg. 'We hebben hier eerlijk gezegd wel enige vraagtekens bij.'

'Hoe bedoelt u?'

De chirurg trekt zijn schouders op. 'We willen bij een acute dood altijd graag weten wat er aan de hand is geweest.'

'Ik dacht een moment dat u iets anders bedoelde.'

'Wat dacht u precies?'

'Dat u... u denkt toch niet dat hij is vermoord of zo?'

'Zou iemand daar reden toe hebben?' De chirurg kijkt haar onbewogen aan. Wat denkt die man precies? Ze voelt zich onbehaaglijk onder zijn blik. Straks ontdekken ze dat ik een ander heb, flitst het door haar heen. Dan kunnen ze gaan denken dat ik van hem af wilde. Ik zit hier maar van alles te roepen wat tegen me gebruikt kan worden. Haar adem stokt. Ze schudt snel haar hoofd. 'Mijn man heeft geen vijanden,' zegt ze beslist. 'Integendeel. Hij is juist erg geliefd in zijn bedrijf. Dat kan zijn secretaresse beamen. Die is hier ook.'

De chirurg zwijgt.

'Ik denk dat sectie niet nodig is,' beslist ze. 'Hij is dood. Een sectie verandert daar niets aan.'

De chirurg blijft zwijgen. Wat wil die man eigenlijk? Wat wil hij horen? Is het soms zo'n type dat graag in lijken snijdt? Krijgt hij daar een kick van? Ze probeert aan andere dingen te denken. Ik sla op hol, denkt ze. Het komt door die zwijgende man voor haar. En door die dode man in bed.

Rob. Hij is Rob niet meer.

Hij had niet dood hoeven gaan. Hij had gewoon verder kunnen leven.

Hij was al jaren boos op haar.
En hij heeft haar ook heel kwaad gemaakt.
'Geen sectie,' herhaalt ze koel. Ze loopt snel de kamer uit.

9

Het is een vreemde gewaarwording. Ze zitten nog steeds in de familiekamer, drinken koffie en praten over Rob. Ivo vertelt van alles over zijn vader. Hij zoekt steun bij Lilian en wil weten of zij zich de verhalen herinnert. Marjo zit erbij alsof ze verdoofd is. Ze zegt weinig en staart voortdurend voor zich uit.

Lilian vraagt zich af wat ze hier nog doen. Ze zullen naar huis moeten om dingen te regelen. Rob heeft al jaren geleden hun uitvaarten verzekerd, ze weet waar de papieren liggen en wat ze moet doen. Ze peinst erover. Toevallig heeft hij haar er een paar weken geleden nog op gewezen. Dat was toen ze hoorden dat er mogelijk een kwaadaardig gezwel in zijn darmen zat en hun wereld op zijn kop stond. Rob had geen enkel vertrouwen in een goede afloop. 'Ik denk dat het mijn tijd is,' somberde hij.

Ze werd er kriegelig van. 'Waarom zit je jezelf nu al direct zo op te fokken?' snauwde ze. 'En mij erbij?'

'Dan ben je in ieder geval van me af.' Het klonk treiterig en uitdagend tegelijk. Ze weet nog dat ze zich afvroeg of dit een hint van hem was. Of hij iets wist over haar relatie met Bram. Het moment was een kans om er iets over te zeggen. Maar ze deed het niet. Ze wilde hem niet extra belasten. Hij rommelde in de kast waar alle papieren lagen en viste daaruit een A4-envelop tevoorschijn. 'We zijn goed verzekerd,' zei hij kort. 'Hier zitten de polissen in en ook een centraal nummer dat je moet bellen als er iets gebeurt. Ik heb de lijst met muziek die ik mooi vind al aangepast. Laat Ivo dat maar regelen. En voor alle duidelijkheid: Ik wil bij mijn ouders begraven worden.'

Dat is een graf met drie plaatsen, flitste het door haar heen. Daar kan ik niet meer bij.

Hij deed koel maar toch meende ze iets onzekers in zijn stem te bespeuren. Ze aarzelde of ze daarover een vraag aan hem zou stellen. Zijn houding verwarde haar.

Ze heeft hoofdpijn. Ze krijgt altijd hoofdpijn als ze aan dingen denkt die haar raken of als ze ergens over piekert. Ik had verder moeten vragen, wijst ze zichzelf in gedachten terecht.

Ivo is wat rustiger geworden. De gemaakte vrolijkheid is nu vervangen door paniek, ziet Lilian. Hij begint door de kamer te lopen. Het wordt tijd dat ze naar huis gaan, stelt ze vast. Ze grijpt Ivo vast. 'Ik denk dat we naar huis moeten. Er is het een en ander te regelen. We moeten iets laten weten aan de medewerkers van het bedrijf. Of heeft Marjo dat al gedaan?'

Marjo staat voor het raam en lijkt niet te horen wat Lilian zegt.

Ivo loopt opeens de deur uit. Hij loopt precies als Rob, ziet ze. Even driftig, even onrustig, even snel. Ze voelt zich weerloos. En vreemd.

Het lijkt of ze hier niet volledig aanwezig is. Of er een deel van haar is afgesneden en ergens anders zit te wachten tot de rest terugkeert.

Ze staat op en wendt zich tot Marjo. 'We moeten naar huis. Kom je met ons mee, Marjo?'

Er is iets met Marjo. Ze zegt niets, kijkt niemand aan, lijkt hen niet te horen. Lilian legt een hand op haar schouder. 'Kom je mee, Marjo?' herhaalt ze.

Alsof ze door een wesp gestoken wordt, zó plotseling en heftig reageert Marjo. Ze vliegt overeind. 'Denk maar niet dat je hier zonder meer van afkomt,' valt ze aan. 'Denk maar niet dat ik mijn mond houd.'

Het was Marjo wél die in de hal stond te kijken toen Bram me afzette, weet Lilian op dit moment heel zeker. Ze heeft ons wel degelijk samen gezien.

'Je bent in de war,' werpt ze tegen.

'Ik ben helemaal niet in de war. Ik weet precies wat er gaande is. Mij maak je niets wijs,' bijt ze Lilian toe.

Er komt een verpleegster binnen.

'We staan op het punt om te vertrekken,' zegt Lilian zo beheerst mogelijk. Ik ga me niet door een gestoorde secretaresse op stang laten jagen, neemt ze zich voor. Wie weet wat Marjo zich allemaal in haar hoofd heeft gehaald over Rob. Maar wat maakt het uit? Hij is dood. Hij noemde Marjo het paard van de schillenboer.

De verpleegster schraapt haar keel. 'Er is een probleem,' hapert ze.

Lilian zet zich schrap. Er hing al steeds iets in de lucht, weet ze. Iets wat ze wilde negeren. Maar dat gaat niet lukken.

De deur zwiept weer open en de chirurg komt binnen. Hij kijkt ernstig. 'Het spijt me maar ik heb na overleg met de leidinggevende van de afdeling besloten om geen verklaring van een natuurlijke dood op te stellen.'

Lilian heeft het gevoel of de grond onder haar wegzakt. Ze gaat snel zitten.

'Dat betekent dat ik de zaak in handen geef van de officier van justitie en het lichaam van meneer Dijkman in beslag wordt genomen, totdat een autopsie de doodsoorzaak heeft aangetoond,' gaat de chirurg verder.

'Justitie? Autopsie? Wat denkt u dat er aan de hand is?' Lilian perst de vraag uit haar keel.

'Het is niet mijn bevoegdheid om uitspraken over mijn vermoedens te doen.' De chirurg is kortaf. 'We zullen het snel gaan regelen. Maar dat betekent dat u zult moeten wachten met het plannen van de uitvaart tot het lichaam wordt vrijgegeven. En dat de kamer waar mijnheer ligt wordt afgesloten. Is afgesloten, moet ik zeggen. We hebben uw zoon naar buiten gestuurd.'

Marjo staat te grijnzen, ziet Lilian.

10

Er moeten toch wat dingen geregeld worden. Zodra ze thuiskomen belt ze Dolf Biesheuvel, de bedrijfsleider, en brengt hem op de hoogte van de dood van Rob. Dolf blijkt het al te weten. Daar zal Marjo wel voor gezorgd hebben. Lilian rept met geen woord over de inbeslagname van Robs lichaam. Ze belooft dat ze Dolf zo spoedig mogelijk zal terugbellen met informatie over de uitvaart. Vanuit haar ooghoeken ziet ze Ivo voor het raam staan. Hij tuurt naar de straat. 'Ik wil hem zien thuiskomen,' zegt hij.

Het gaat niet goed met Ivo. Lilian vraagt zich af of ze haar huisarts moet bellen.

Marjo is niet met hen meegegaan. Na haar uitbarsting liep ze de kamer uit zonder te groeten. Lilian vindt het best. Die koelt wel weer af, denkt ze. Ze heeft aan Ivo alleen verteld dat Marjo nogal geschokt leek en de beschuldiging die ze eruit knalde achterwege gelaten.

Ivo zei toen iets opmerkelijks. 'Ze is haar beste vriend kwijt.'

Was Rob de beste vriend van Marjo? Hij was haar baas. Maar haar beste vriend? Heeft Marjo verder geen sociaal leven? Ze is vaak bij haar moeder, dat is bekend. Die moeder is oud en woont in een verpleeghuis. Het is een mopperpot. Ontevreden, claimend, narrig. Marjo heeft het altijd over haar moeder als Lilian haar spreekt. De zorg voor haar moeder is een blok aan haar been. 'De mensen worden tegenwoordig veel te oud,' heeft Marjo nog niet zo lang geleden tegen Lilian gezegd. 'Ze houden hen in die tehuizen veel te lang in leven. Ieder pijntje wordt bestreden, elke infectie de kop ingedrukt. Ik vraag me af waar mijn moeder aan dood moet gaan. Ze eet als een kaassjouwer, ze heeft nergens zorgen over en ze hoeft maar met haar vingers te knippen of ze staan voor haar klaar. En ik draaf lustig mee.'

Lilian had toen willen zeggen dat ze er een lieve cent voor over zou hebben als ze nog voor haar moeder kon zorgen. Of voor haar zusje. Maar dat zei ze niet.

Marjo moppert graag. Ze is soms fel, op het onaangename af. Maar ze kan ook heel gezellig zijn. Op onverwachte momenten binnenvallen met gebak en kletsen over de laatste mode. Marjo wil altijd zien welke nieuwe kleren Lilian heeft gekocht. Dan klaagt ze over haar logge lijf en zegt dat ze jaloers is op Lilians kleine maat. Marjo is altijd op dieet maar ze wordt nooit slank. Ze zegt glashard dat ze te gezond is en dat ze waarschijnlijk pas dun kan worden als ze een ziekte krijgt, maar dat ziekte nu eenmaal niet in haar familie zit. Ze weet dat Lilian haar moeder en zusje veel te vroeg is kwijtgeraakt en dat er daarbij sprake was van een erfelijk ziek gen. Maar daar denkt ze niet over na.

Marjo is vaak bot.

Lilian is eraan gewend om op zo'n botte manier benaderd te worden. Terwijl ze dit denkt, corrigeert ze zichzelf onmiddellijk. Met zulke gedachten doet ze Bram tekort. Ze heeft Bram. Die maakt veel goed. Ze heeft dat onlangs nog tegen hem gezegd. Hij wuifde dat luchtig weg. 'Vergeet niet dat je zelf op zoek bent gegaan. Je hebt de situatie op eigen kracht doorbroken.'

Hij heeft gelijk. Waarom voelt ze zich er dan niet trots over? Waarom kan ze dan nog steeds niet besluiten om er helemaal voor te gáán? Waarom houdt ze vol dat het niet bekend mag worden?

Rob is dood. Hij is weg. Het is over. De woorden galmen als een echo in haar oren.

Dood. Wég. Over! Ze schudt driftig haar hoofd.

'Waar denk je aan?' vraagt Ivo. Hij gaat op de bank zitten. Hij mompelt niet meer in zichzelf maar kijkt naar zijn moeder. 'Dit gebeurt niet echt,' zegt hij.

Lilian voelt dat ze geëmotioneerd wordt. Ze haalt diep adem. 'Ik ben bang dat het wel degelijk gebeurt,' spreekt ze hem tegen. 'Het heeft geen enkel nut om het te ontkennen.'

'Maar ze denken dat hij vermoord is,' werpt Ivo tegen.

Lilian schudt resoluut haar hoofd. 'Ze vertrouwen het niet. Dat betekent volgens mij dat ze niet precies weten hoe het komt dat hij plotseling is overleden. Ze willen voorkomen dat wij hen gaan aanklagen en gaan beweren dat ze fouten hebben gemaakt. Ze nemen het zekere voor het onzekere.'

'Denk je dat écht? Denk je écht dat ze zichzelf alleen maar willen indekken?'

'Ja, wat zou er anders aan de hand zijn? Je denkt toch niet dat hij wérkelijk is vermoord? Waarom? Door wie? Ik vind het een belachelijk idee.'

Ivo kijkt haar op een vreemde manier aan. Hij zal toch niet weer gaan zitten beweren dat zijn vader elk moment de straat in kan komen lopen? Lilian glimlacht geruststellend. Maar hij lacht niet terug. Hij kijkt haar aan op een manier die niet goed voelt. 'Wat bedoelde Marjo precies, toen ze zei dat je eraan kwam maar dat je eerst nog even afscheid moest nemen van je liefje?'

Er valt een diepe stilte. Ze slikt. Marjo heeft haar gezien. Ze stond dus wel degelijk in de hal. En ze is direct naar boven gegaan om de boel op te jutten. Het serpent.

Rob was haar beste vriend. Nou, hartelijk gefeliciteerd met hem. En nu maar hopen dat zijn opvolger die plaats kan innemen.

Ze is misselijk. En kwaad. Ze wil dit niet. Ze wil geen onverklaarbare sterfgevallen in de familie, ze wil niet geconfronteerd worden met secretaresses die wraakplannen hebben, ze wil voorkomen dat ze verantwoording moet afleggen aan haar zoon. Maar ze heeft niets te willen. De feiten liggen op tafel.

Ze strekt haar rug. 'Ik denk dat we het daar op dit moment beter niet over kunnen hebben. Er zijn nu heel andere dingen belangrijk. Wij moeten elkaar steunen inplaats van lastigvallen met kritische vragen.'

Maar Ivo laat zich niet afschepen. Hij blijft Lilian aankijken op een manier die haar onaangenaam treft.

Hij kijkt laatdunkend.

'Ik denk dat het een goed moment is om deze vraag te stellen. We hebben toch even niets anders te doen. We kunnen nog geen begrafenis gaan regelen en geen uitgebreide uitspraken doen tegen onze werknemers. We moeten de tijd op een zinnige manier zien door te komen. Het is natuurlijk heel goed mogelijk dat Marjo uit haar nek kletste.' De laatste woorden klinken hoopvol, hoort Lilian.

'Marjo kletste niet uit haar nek,' antwoordt ze.

Nu kijkt hij grimmig. 'Had je niet genoeg aan papa? Of wilde je de naderende ouderdom op een afstand houden met een jonge minnaar?'

Ze kan niet voorkomen dat ze zichtbaar rilt. 'Het was gewoon over tussen ons. Al jaren, eigenlijk. Ik wilde het heel lang niet toegeven. Ik wilde vasthouden aan wat er was toen het begon.' Ze zucht diep. 'Ik zocht geen compensatie. En zeker niet bij een jonge man. Hij is van mijn eigen leeftijd.'

II

Soms droomt ze nog wel eens van de dag dat ze Rob voor de eerste keer zag. Ze was negentien. Groen als gras op het gebied van de liefde. Door de wol geverfd op het gebied van overleven. Ze had toen al vier pleeggezinnen achter de rug en was in een project voor begeleid wonen beland. Ze had een kamer bij een aardige hospita en werkte drie maanden in het bedrijf waar Rob waarnemend directeur was. Het was de bedoeling dat hij zijn vader ging opvolgen in het familiebedrijf. Dijkman Meubelen. Betaalbare meubelen en huishoudelijke accessoires. Toen Lilian Rob leerde kennen, zaten ze net een paar maanden in een nieuw pand. En er stond toen ook al een uitbreiding van de zaak op het programma. Binnen vijf jaar hadden ze niet alleen de nieuwe zaak opnieuw uitgebreid, maar openden ze in twee andere steden ook een filiaal. Lilian was aangenomen om de magazijnchef te assisteren, maar die werd een maand nadat zij in dienst kwam langdurig ziek en daardoor moest ze het maar in haar eentje zien te redden. Ze protesteerde niet. Ze zorgde ervoor dat de goederen die binnenkwamen op de juiste plek belandden, hield de magazijnvoorraad bij en noteerde de bestellingen. Ze sjouwde mee als er dozen verzet moesten worden, ze sleepte meubelen van de ene naar de andere kant van de zaak en ze zorgde er vooral voor dat ze nooit zei dat ze iets te zwaar vond. Ze was veel te bang dat ze haar zouden wegsturen. Ze wilde haar eigen geld verdienen, voor zichzelf zorgen en een avondopleiding volgen. Ze dacht aan een opleiding voor pedicure maar ook voor schoonheidsspecialiste. Haar persoonlijke begeleidster moedigde haar aan om de opleiding voor pedicure en manicure te gaan doen. 'Dat soort werk kun je later ook blijven doen als je kinderen hebt,' zei ze. 'Op die manier kun je altijd je eigen geld verdienen en hoef je nooit afhankelijk te worden.'

Lilian dacht in die tijd totaal niet na over kinderen krijgen. Ze dacht ook niet na over een relatie. Over mannen. Ze vond mannen raar. Ze kende maar weinig mannen. Er waren een vader en een zoon in het pleeggezin waar ze aanvankelijk samen met haar zusje was opgenomen. Maar waar ze werd weggestuurd, omdat ze door haar gedrag niet te handhaven was. De pleegmoeder kon haar niet aan. Volgens die vrouw haalde Lilian haar het bloed onder de nagels vandaan met haar onberekenbare gedrag en treiterige opmerkingen. Haar vader woonde regelmatig in een ander land. Hij was technisch ingenieur en werkte bij Shell. Toen haar moeder nog leefde was hij al vrijwel nooit thuis. Hooguit twee maanden per jaar. Maar in die twee maanden zette hij het hele gezin op zijn kop. Het was nooit goed wat je deed. Het kon altijd mooier, beter, sneller. Hij was nooit hetzelfde gestemd. En niet consequent. Wat hij de ene dag geweldig vond, keurde hij de dag erna af. Het was iedere keer als hij thuis was twee maanden op je tenen lopen. Daarna verdween hij weer naar een andere bestemming. Haar moeder wilde niet mee naar het buitenland. Toen haar moeder stierf, liet Lilians vader de kinderen in een pleeggezin plaatsen.

Bij Dijkman Meubelen wist niemand iets van haar achtergrond. Ze wilde voorkomen dat men erachter kwam dat ze zich een paar jaar nogal onaangepast had gedragen. Als iemand naar haar achtergrond vroeg, zei ze dat haar ouders gescheiden waren, ze enig kind was en ze na de dood van haar moeder geen contact meer had met haar vader. Dat was een verhaal dat ze goed kon vasthouden. Meestal hield men direct op met vragen als de dode moeder tevoorschijn kwam. Die bleek verschrikkelijk genoeg te zijn om terug te deinzen en over iets anders te beginnen.

Ze zat heel geconcentreerd een lijst in te vullen en ze had niet in de gaten dat er iemand naar haar keek. Toen hij iets zei, stootte ze van schrik de beker koffie om, die op tafel stond. Hij ging direct een doek halen en maakte de boel schoon. 'Het is mijn schuld dat je zo schrok,' verontschuldigde hij zich. 'Ik zie dat je verdiept bent in je werk en toch begin ik zomaar te kletsen. Sorry. Ik ben Rob Dijkman.' Hij stak zijn hand uit.

Lilian drukte die hand. Ze wist niet wat ze moest zeggen.

'Heb jij geen naam?' Hij lachte.

'Lilian,' stamelde ze. 'Lilian van Duin.' Ze wist niet waar ze kijken moest. De man kwam kamerbreed bij haar binnen.

Ze schatte hem midden dertig maar later bleek hij jonger te zijn. Hij was negenentwintig, tien jaar ouder dan zij zelf. Hij zag er ouder uit dan hij was, doordat er al grijze haren te zien waren in zijn volle zwarte bos haar en ook doordat hij een zware baardgroei had. Maar dat nam niet weg dat hij knap was. Ze kon haar ogen niet van hem afhouden.

Ik staar, dacht ze. Ik moet niet zo nadrukkelijk naar hem kijken.

Hij had donkerbruine ogen. Een volle mond. Een kuiltje in zijn kin. Prachtig haar. Een slank maar toch gevuld lijf. Ze had nog nooit zo intens en geïnteresseerd naar een man gekeken.

Hij keek ook naar háár. Later vertelde hij dat het ook voor hem liefde op het eerste gezicht was. 'Ik vond je,' zei hij steeds. 'Ik vond je, terwijl ik niet zocht. Dat werkt het beste. Gewoon tegen elkaar aanlopen.'

'Zit je hier helemaal in je eentje?' vroeg Rob.

'De magazijnchef is ziek. Het gaat een hele tijd duren, zeggen ze. Daarom doe ik het alleen.'

'Hoe lang werk je hier al?'

'Drie maanden.'

'En hoe lang is die man al ziek?'

'Twee maanden.'

Rob schudde zijn hoofd. 'Zo werkt dat niet,' zei hij.

'Ik kan het echt wel alleen af. Ik leer snel, het maakt me niet uit als ik moet overwerken.' Ze hoorde de lichte paniek in haar eigen stem. Straks sturen ze me weg, dacht ze. Omdat ik geen papieren heb voor dit werk.

'Ik zorg ervoor dat je hulp krijgt,' besliste Rob. 'Er loopt op kantoor een stagiair rond die de hele dag niets te doen heeft. Hij kan jou wel helpen. En je krijgt een toeslag voor de vervanging van de chef. Zo hoort dat. En zo doen we dat.'

Nog dezelfde middag stond er een jongen van een jaar of zeventien voor haar neus. 'Ik moet jou helpen,' zei hij. Het klonk niet enthousiast en dat bleek ook te kloppen. Hij was niet vooruit te branden en Lilian merkte dat ze meer last dan gemak van hem had. Ze aarzelde of ze daar iets over zou gaan zeggen. Een week later trof ze Rob bij de eetkamermeubelen, toen ze daar een stoel bracht die was nagezonden. Hij begroette haar enthousiast. 'Ik was al van plan om vandaag even langs te komen. Ik ben met mijn vader naar Spanje geweest. Voor de inkoop. Mooie dingen ingeslagen. Voor de najaarscatalogus. Hoe gaat het met de hulp die ik geregeld heb?'

Ze aarzelde. Hij zag het direct. 'Kom even mee naar mijn kantoor,' stelde hij voor. 'Daar kunnen we rustig praten.'

Hij wond er geen doekjes om. 'Als je niets aan die jongen hebt, haal ik hem terug. Ik praat vanavond met mijn vader over de situatie in het magazijn. Jij krijgt een nieuwe hulp. En ik vind dat we eens moeten nadenken over een opleiding voor jou, die aansluit bij het werk dat je doet. Wat vind je daarvan?'

Ze durfde niet te zeggen dat ze schoonheidsspecialiste of pedicure wilde worden. Ze knikte alleen.

'Jij bent geen grote prater, hè? Het geeft niet, dat komt nog wel. Heb je zaterdagavond iets te doen? Ik word zaterdag dertig en ik geef een feest. Heb je zin om te komen?'

Ze staarde hem aan.

'Heb je een vriend?' vroeg Rob. Er was een aarzeling in zijn ogen te zien. Heel kort. Een flits. Een onzeker moment.

'Nee, nee, ik heb geen vriend.'

'Dat is dan afgesproken.'

Toen ze zijn kantoor verliet, hield hij haar nog even tegen. 'Zeg er hier op de zaak maar niets over, dat ik je heb uitgenodigd. Er wordt al genoeg gekletst.'

12

'Ga je me nog iets vertellen over de relatie die je schijnt te hebben?' wil Ivo weten. 'Of ben je van plan om de rest van de dag in gedachten verzonken te blijven?'

'Wat wil je weten?' Lilian kijkt haar zoon recht aan. Hij kan het krijgen zoals hij het wil hebben, beslist ze opeens. Hij zal ervan lusten. Ze is kwaad. Zomaar. Zómaar?

Er wordt gebeld. Er staan een man en een vrouw op de stoep. Lilian ziet meteen dat ze van de politie zijn.

'Mevrouw Dijkman? Christina van Leeuwen en Ronald Kras, rechercheurs. We zouden u graag een paar vragen willen stellen over uw man. Mogen we binnenkomen?'

Lilian stapt opzij.

De vrouw steekt haar hand uit. 'Gecondoleerd.'

Gecondoleerd. Lilian herhaalt het woord in gedachten.

Dat zeg je als er iemand dood is.

Rob is dood. Het wil op de een of andere manier nog steeds niet helemaal tot haar doordringen.

Christina van Leeuwen raakt even haar arm aan. 'Gaat het wel? Zullen we naar de kamer gaan?'

'Mijn zoon is binnen. We proberen samen te praten.' Het klinkt volkomen belachelijk, hoort ze. Het slaat nergens op. Hoe komt het dat ze geen zinnige dingen meer kan zeggen?

De rechercheurs duwen haar zachtjes in de richting van de kamer. Ivo staat in de deuropening. Hij steekt een hand naar haar uit en pakt haar vast. 'Kom maar. Ik ben niet boos. We moeten niet boos zijn op elkaar.'

Ze wil iets aardigs terugzeggen. Maar het enige geluid wat ze kan uitbrengen is schreeuwend huilen.

Ze herinnert zich dat ze ooit, één keer in haar leven, op dezelfde manier schreeuwde. Dat was toen haar moeder werd begraven.

Er spoelt een golf van verlangen naar haar moeder door haar heen. Het verlangen sleurt haar mee, een tomeloze diepte in. Ze heeft het gevoel dat ze stikt.

Iemand trekt haar armen omhoog. 'Rechtop zitten, beter ademen, ophouden met huilen,' gebiedt een stem. 'Kijk me maar aan.'

Ze opent haar ogen. Het is die mannelijke rechercheur. Hij glimlacht vriendelijk. 'U raakte even buiten uzelf maar nu bent u er weer.'

Er staat een glas water voor haar op tafel. 'Drink maar iets.'

Ze gehoorzaamt. Haar tanden klapperen tegen het glas. Ze trekt snel haar mond terug. Haar ogen ontmoeten de blik van Ivo. Hij is bezorgd, ziet ze. Geschrokken.

'Sorry,' zegt ze.

Sorry, denkt ze, voor alles. Vooral voor het feit dat je bestaat.

13

Rob is er vanaf het allereerste moment dat ze serieus met elkaar in gesprek raakten duidelijk over geweest. Hij wilde geen kinderen. 'Ik weet dat van mij wordt verwacht dat ik voor nageslacht ga zorgen,' vertelde hij haar een week na zijn dertigste verjaardag. Hij had haar uitgenodigd voor een dinertje in zijn favoriete restaurant. Het Biefstukkenpaleis. Lilian geloofde aanvankelijk niet dat er een restaurant met die naam bestond. Rob zag de ongelovige blik in haar ogen. 'Wat een naam, hè? Klinkt superordinair. Dat is het ook. Er is weinig subtiels aan de tent te ontdekken. Maar ik zweer je dat je nergens anders zulke lekkere biefstukken eet als in Het Biefstukkenpaleis. Het is een beetje uit de buurt, een dik uur rijden. Maar daar zullen we in de eerste plaats niet betrapt worden en in de tweede plaats kunnen we dan lekker kletsen in de auto.'

Rob wilde de eerste tijd voorzichtig zijn. Er kon geroddel ontstaan in de zaak en hij verwachtte ook dat zijn vader moeilijk zou gaan doen als hij iets begon met een medewerkster. Er was al eerder iets gaande geweest tussen hem en iemand die bij Dijkman Meubelen werkte en dat had voor onverkwikkelijke situaties gezorgd, omdat zijn vriendin het in de zaak ging rondbazuinen. De vrouw werkte er niet meer.

'Ik ben enig kind,' zei Rob. 'Mijn ouders zijn streng katholiek. Ze hadden een groot gezin willen hebben, maar mijn moeder werd pas zwanger toen ze al eenenveertig was en na mijn geboorte kwam ze direct in de overgang. Ze beschouwt het als een straf. Ergens in haar leven moet ze ernstige zonden hebben begaan. Maar ik zou niet weten wat die lieve ziel ooit verkeerd heeft gedaan.'

Zijn ouders zouden niet staan te trappelen voor een schoondochter die als een heiden was opgevoed, vertelde Rob. Dat ging geheid protesten opleveren. Maar Rob was niet bang voor spanningen. Rob was nergens bang voor. Hij zei wat in hem opkwam, hij pakte alles wat gebeuren moest op een kordate en doeltreffende manier aan en hij stapte op alles en iedereen af zonder ook maar een spoor van onzekerheid, laat staan van angst. 'Ik ben een Boogschutter,' legde hij uit. 'Dat zijn van die doordouwers. Niet kapot te krijgen.'

Lilian ontdekte al snel dat tegenspreken weinig zin had als ze het ergens niet mee eens was. Rob dreef altijd zijn zin door. Hij was een leider. Hij duldde geen tegenspraak. Dat gold ook voor zijn besluit om geen kinderen te nemen. 'Je bent je vrijheid kwijt,' legde hij uit. 'Het is keihard werken met een eigen bedrijf. Daar moet iets tegenover staan. Mooie reizen maken, goede auto's rijden. Maar vooral kunnen gaan en staan waar je wil. Kinderen moeten aandacht hebben. Op tijd naar school. Ze zijn er altijd en ze nemen je volledig in beslag. Ze janken. Ze dreinen. Ze gaan puberen, ze komen met de verkeerde vrijer thuis. Ik wil die ellende niet. Het is mij te benauwend. Dus als je met mij verder wil, zul je dat moeten accepteren.'

Hij kuste haar. Hij nam haar gezicht tussen zijn handen en streelde met zijn vingertoppen langs haar wagen. Hij likte het puntje van haar neus. Ze vond het heerlijk.

Hij verleidde haar op een zondagmiddag, toen ze samen zouden koken in zijn huis. Lilian wist dat het ervan zou gaan komen maar ze drong iedere gedachte in die richting naar de achtergrond. Ze was bang om zich aan iemand over te geven. Ze was bang dat het pijn deed. Haar lijf zat al jaren op slot. Al vanaf het moment dat haar moeder stierf en ze met haar zusje bij een pleeggezin werd gedumpt. Ze had vaak een stijve nek doordat ze haar schouders zo optrok. Rob zag het en masseerde met zijn duimen de pijnlijke plekken in haar hals. Op de bewuste zondagmiddag dwaalden zijn vingers naar haar borsten. Hij kuste haar hele gezicht. Zijn handen kleedden haar uit, midden in de kamer. Hij trok haar mee naar de grote vierzitter en legde haar daarop neer.

Ze wist niet wat haar overkwam, toen zijn vingers werden vervangen door zijn mond. Ze raakte alle controle over zichzelf kwijt toen zijn tong haar haar eerste orgasme bezorgde. Daarna kwam hij in haar. Het deed nauwelijks pijn. Ze wilde niet dat hij ophield. Later, veel later, vroeg hij opeens: 'Je gebruikt toch wel de pil?'

Ze schoot overeind. 'Eh, ja.'

Hij keek fronsend. 'Zeker weten?'

'Ik slik hem nog maar kort.'

'Ik wil geen kinderen, dat weet je.'

'Dat weet ik. Er kan niets gebeurd zijn. Het was veilig.'

'Dan doen we het nog een keer. Je gaat me smeken om op te houden, omdat je denkt dat je het niet overleeft,' zei hij met een sensuele grijns op zijn gezicht. Ze suste de onrust in haar hoofd met de gedachte dat ze elk moment moest gaan menstrueren en het waarschijnlijk dus veilig was. De volgende dag bleek dat ze gelijk had. Nog dezelfde week startte ze met de pil.

Ik krijg geen kinderen, dacht ze. Ook goed. Het maakt niet uit. Ik wil deze man. Een man die er goed uitziet, bij wie ik me veilig voel, die er is. Een man die voor me zorgt.

Ze had in één klap status. Ze was de vriendin van Rob Dijkman. De partner van een knappe man, die erfgenaam was van een groot bedrijf.

Ze moest met de familie mee naar de kerk. Ze ging mee. Ze moest trouwen in de kerk. Ze deed het. Ze moest beloven dat ze de kinderen die Gods voorzienigheid haar ging schenken een katholieke opvoeding zou geven. Ze rilde van die tekst maar ze beloofde het. Het maakte allemaal niet uit. Ze wilde Rob. Ze had er alles voor over om hem te krijgen. Hij besliste dat ze op huwelijksreis gingen naar Zuid-Afrika. Ze vond het prima. Ze zou het ook hebben geaccepteerd als hij een voettocht naar Rome had georganiseerd.

Ze liet Lilian van Duin achter zich.

Ze werd Lilian Dijkman.

14

Er hangt een vreemde sfeer in de kamer. De beide rechercheurs doen moeite om een gesprek tot stand te brengen. Maar ze lopen tegen onzichtbaar afweergeschut op dat door Lilian is neergezet. Zodra Ivo aanstalten maakt om een vraag te beantwoorden, kapt zij het af met een tegenvraag. Ze wil weten of de politie hen nu aan het verhoren is. Of hun eventuele antwoorden later tegen hen gebruikt kunnen worden. Of ze een advocaat nodig hebben. Of ze ergens van verdacht worden. Wat die lui eigenlijk komen doen?

Ze hoort de woede en het venijn in haar stem.

Ivo heeft een paar sandwiches gemaakt en aarzelt om er een te nemen. Hij houdt zijn ogen op Lilian gericht. Ze knikt bijna onmerkbaar met haar hoofd. Maar ze ziet dat Christina van Leeuwen het in de gaten heeft. Die zal nu dus wel denken dat Ivo bij zijn moeder onder de plak zit. Ze denkt maar.

Ze heeft zin in ruzie.

Ronald Kras heeft tot nu toe gezwegen. Maar op het moment dat Ivo in zijn sandwich hapt, richt hij het woord tot Lilian. 'U weet dat de behandelend arts van uw man weigert om een verklaring van een natuurlijke dood te tekenen. Dat betekent niet in alle gevallen dat er sprake is van een misdaad. Het gaat er juist om dat de doodsoorzaak duidelijk wordt en misdaad kan worden uitgesloten. Wij zijn hier om van u te weten te komen hoe u tegen het plotselinge overlijden van uw man aankijkt. Om van u te horen of u rekening houdt met de mogelijkheid van een onnatuurlijke dood. En waarom dat zo zou zijn. We willen alleen zoveel mogelijk informatie krijgen en geven. U hebt een verschrikkelijk verlies geleden. U wilt de zaken regelen die geregeld moeten worden. Wij proberen u daarbij niets in de weg te leggen. Dit is geen verhoor. U wordt nergens van beschuldigd. U hoeft niets te bewijzen. We willen graag alleen antwoord krijgen op enkele vragen.' Hij is vriendelijk. En correct. Hij kijkt haar recht aan en praat op een rustige manier. Hij heeft aardige ogen.

Lilian aarzelt. Ze zou op dit moment met Bram willen overleggen wat ze moet doen. Maar de naam Bram mag hier niet vallen, zeker niet waar de politie bij is. Ze voelt en hoort haar maag borrelen. En ze ziet dat de anderen het ook horen. Ivo tikt haar op haar arm. 'Nu écht eerst iets eten,' maant hij. 'Met een rustige maag kun je veel beter praten en denken.'

Lilian accepteert een sandwich. Hij smaakt goed, ontdekt ze. En het lukt haar zonder moeite om hem op te eten. Ze neemt er nog een. Ivo knikt goedkeurend in haar richting. Hij begin te praten tegen de rechercheurs. 'Ik kan me niet voorstellen dat er sprake is van opzet. Ik denk dat mijn vader gewoon een hartstilstand heeft gehad. Hij leefde niet gezond. Hij rookte, hij dronk, hij was altijd aan het werk en hij kreeg te weinig lichaamsbeweging. En hij hield van lekker eten. Hij zei altijd dat lekker eten de beste remedie is tegen zorgen en stress.'

'Waren er veel zorgen?' wil Ronald weten.

'Nee,' zegt Lilian snel.

'Geen geldzorgen,' vult Ivo aan.

'Maar wel andere zorgen?'

Die vraag kon je natuurlijk verwachten na het antwoord dat Ivo gaf. Lilian voelt dat ze weer geïrriteerd raakt. Niet laten merken. Alles kan tegen je gebruikt worden, denkt ze. Hoe krijgt ze die lui met goed fatsoen de deur uit? Maar Christina en Ronald maken nog geen aanstalten om te vertrekken. Ze gaan er juist eens uitgebreid voor zitten. Ronald richt zich op Lilian. 'Had u samen zorgen?'

'We waren samen getrouwd. Denk je dat er een echtpaar bestaat dat alles het hele jaar door honderd procent voor elkaar heeft?'

'Mam,' valt Ivo haar in de rede. 'Zeg nu gewoon wat er aan de hand was. Je hebt toch niets te verbergen?'

'Nee, ik heb niets te verbergen. Maar sommige dingen zijn privé, zeker als je ze nog niet eens in de eigen familiekring hebt besproken. Dus ik wil het hierbij houden. Je vader is dood. Ik weet niet hoe dat kan. Ik wil het wél graag weten. En als blijkt dat hij geen natuurlijke dood is gestorven, zal ik alle mogelijke medewerking aan een onderzoek verlenen.' Ze richt zich tot beide rechercheurs. 'Ik wilde niet dat hij doodging. Er waren zorgen, zeker. Relatieproblemen. Maar niet van dien aard dat we elkaar dood wensten. Ik vind het verschrikkelijk dat hij niet meer leeft. Hij genoot van het leven. Hij wilde oud worden, net als zijn ouders. Die werden allebei bijna negentig. Dat was ook zíjn bedoeling. Hij was nog lang niet van plan om ermee te stoppen.' Ze hoort dat haar stem het bijna begeeft. Het lijkt nú pas tot haar door te dringen.

Rob is dood.

Het hoort haar niet te raken. De liefde tussen hen is al jarenlang voorbij, er is totaal niets meer van over. Lilian heeft het heel lang volgehouden om nog van hem te houden, terwijl het niet meer wederzijds was. Ze is erin geslaagd om de buitenwereld te laten geloven dat het goed zat tussen hen. Dat ze een sterk koppel waren met een leuk kind. Rob speelde het spel mee, zolang ze bij anderen in beeld waren. Op feesten, recepties en gelegenheden waar zaken moesten worden gedaan was hij de galante, interessante en bevlogen echtgenoot en Lilian de vrouw die door de andere vrouwen met jaloerse blikken werd gevolgd. Ze is al lang de tel kwijt van de keren dat zo'n vrouw haar toefluisterde dat ze er een lieve cent voor over had als ze met haar kon ruilen.

Als er een zakelijke deal gesloten moest worden nam hij haar mee. Een man die zich voorkomend en geïnteresseerd opstelt naar zijn vrouw maakt een betrouwbare indruk. Ze weet nog goed dat ze vaak hoopte dat het écht zou zijn. Dat hij, als ze weer thuis waren, zou doorgaan met haar aanraken op de manier waarop hij dat tijdens een receptie deed. Dat zijn vingers weer even speels in haar nek kriebelden en tersluiks een kort moment langs haar borsten streken. Achteraf voelde ze zich iedere keer opnieuw gebruikt. Het was een smerig gevoel. Ze nam het zichzelf kwalijk dat ze er weer was ingestonken.

Maar ze kon er niets aan doen. Ze kreeg het heel lang niet voor elkaar om haar verlangen naar Rob de kop in te drukken. Totdat ze op het marktplein in Haarlem stond en haar ogen ontdekten wat ze nooit had willen weten.

15

Lilian vraagt zich wel eens af of ze beter geen vriendschap had kunnen sluiten met Madeleine. Ze ontmoette haar op de sportschool.

Het klikte. In de pauzes tussen de lessen en de trainingen dronken ze vaak samen iets in de kantine en ze spraken al heel snel vertrouwelijk met elkaar. Madeleine was meer dan een vriendin, ontdekte Lilian. Madeleine voelde aan als een zus. De zus die ze miste. Madeleine kon goed luisteren. Ze stelde de juiste vragen. En ze oordeelde niet. Ze trok doodeenvoudig heldere conclusies. 'Je bent eenzaam in je huwelijk,' stelde ze vast. 'Doe er wat aan.'

Het was Madeleine die haar stimuleerde om op zoek te gaan naar een vriend. Ze bracht Lilian op het idee om, net als zij, te gaan daten via internet. 'Schrijf je in op Relatie Planet,' adviseerde ze haar. 'Daar ontmoet je de meest uiteenlopende types. Ze zijn niet allemaal even fris, dus kijk goed uit en ga niet direct iets afspreken. En stuur geen foto. Je weet nooit wat iemand daarmee doet.'

Lilian viel van de ene verbazing in de andere toen ze hoorde hoe Madeleine leefde en vooral hoe ze zich in dat leven schikte. Haar man Rinus bleek al bijna tien jaar in een verpleeghuis te wonen, omdat hij totaal invalide was door de ziekte van Parkinson. Madeleine bezocht hem trouw maar haar huwelijk stelde verder niets meer voor. Ze ging naar hem toe vanuit plichtsgevoel, er was geen diepgaand contact, nauwelijks contact zelfs. De Parkinson nam niet alleen het lichaam van haar man in beslag, de ziekte confisqueerde ook zijn geest. Madeleine was niet alleen heel openhartig over haar eigen gevoelens, ze stelde ook erg directe vragen, waar Lilian in het begin nogal van terugdeinsde. Maar dat weerhield haar vriendin er totaal niet van om gewoon verder te vragen. 'Als je geen antwoord wil geven, is dat ook goed,' zei ze luchtig. 'Ik ben een nieuwsgierige kletskous, ik vraag altijd gewoon wat ik wil weten. Maar voel je niet verplicht om overal op te antwoorden en zeg het gerust als ik te ver ga.'

Madeleine vroeg niet alleen, ze ging ook serieus in op wat Lilian zei. En daardoor begon Lilian zelf dieper na te denken over haar eigen woorden en haar eigen ideeën. Op die manier kwam ze erachter dat door de dood van haar moeder en zes jaar later haar zusje het verlangen naar familie heel intens was geworden en een kind de enige mogelijkheid leek om dat verlangen te compenseren. Maar ze ontdekte ook haar eigen doodsangst en haar eigen weerstand tegen de ziekte die zowel haar moeder als haar zusje had geveld.

Borstkanker. Een sluipende vijand die plotseling zichtbaar werd maar op het moment van zijn verschijning al overal in het lichaam van zijn slachtoffer woekerde. Alle weggestopte herinneringen en emoties rondom het ziekbed en het overlijden van haar moeder kwamen met een verpletterende kracht over haar heen. En het verdriet dat ze zorgvuldig in een onbereikbare hoek van haar gevoel had geparkeerd toen ze hoorde dat haar zusje aan dezelfde ziekte was overleden, knalde naar buiten. Lilian ontdekte dat haar bijna grimmige kinderwens van jaren geleden vooral te maken had met haar angst om ook ziek te worden. Nieuw leven was in haar onderbewustzijn de enige mogelijkheid geweest om aan een noodlot te ontsnappen. Om het kankergen dat mogelijk ook in háár lijf zat het hoofd te bieden. Om de dood een streek te leveren.

Het was een verpletterende ontdekking.

Madeleine bleek niet alleen een scherpe vragenstelster te zijn maar ook een goed klankbord en een echte vriendin. Ze ving Lilian op toen die de overdonderende emoties nauwelijks kon verwerken. Ze liet haar vertellen wat er allemaal was gebeurd in de jaren nadat Lilians moeder was overleden. Ze zorgde ervoor dat Lilian aan Rob vertelde wat ze over haar eigen drijfveren had ontdekt en waarom ze hem tegen zijn zin een kind had gegeven. Door alle gesprekken met Madeleine kwam Lilian zover dat ze Rob vroeg om haar te vergeven wat ze had gedaan.

Rob luisterde, dat moest ze hem nageven. Hij leek geïnteresseerd te zijn in haar verhaal. Hij wilde erover nadenken. Later zei hij dat hij haar begreep. En dat hij zich kon voorstellen hoe panisch ze was geworden toen ze ook haar zusje verloor. Maar hij vergaf het haar niet dat ze hem had voorgelogen. Hij kon het gevoel dat hij door haar gebruikt was niet van zich afzetten, ondanks het feit dat hij dol was op zijn zoon. 'Ik kan het je niet vergeven,' legde hij uit. 'Ook al zou ik de jongen voor geen goud willen missen, het neemt niet weg dat jij iets in me kapot hebt gemaakt en dat komt nooit meer goed. Ik zie hoe hard je werkt voor het bedrijf, ik weet dat je een geweldige moeder bent, ik zal nooit ontkennen dat je een prima mens bent maar ik kan je niet meer volledig vertrouwen. Het is kapot. We zitten samen tot onze nek in het bedrijf, dus laten we daar wat van maken. Voor onze zoon. Dáár doe ik het voor. Jij toch ook?'

'Niet alleen voor onze zoon,' antwoordde ze en ze voelde een strakke band om haar maag zitten. Die band produceerde een treiterige pijn. 'Ik verlang ook naar een maat.'

'Die zul je elders moeten zoeken,' zei Rob glashard. Hij keek haar niet aan toen hij dit zei.

'Goed idee,' vond Madeleine. 'Heb je wel eens van Relatie Planet gehoord? Daar kun je leuke kerels ontmoeten, die behoefte hebben aan een maat, omdat hun eigen vrouw dat niet is. Of niet meer is.'

'Ik wil geen andere maat. Ik wil Rob.'

'Waarom blijf je je vastklampen aan een illusie? Hij geeft je nota bene toestemming om iemand anders te ontmoeten. Doe dat dan. Laat hem zien dat hij niet de enige is die jij de moeite waard vindt. Maak hem jaloers. Er moet beslist nog iets van zijn gevoel voor jou over zijn. Anders had hij toch allang een scheiding geregeld?'

Daar zat wat in, dacht Lilian. Ze zocht op internet de site van Relatie Planet op en schreef zich in.

'Wél een nickname nemen,' waarschuwde Madeleine. 'Let goed op. Geen foto en niet je eigen naam. Afstand bewaren. Jezelf niet onnodig kwetsbaar maken.'

Lilian noemde zich Lia. Ze presenteerde zich als een gescheiden vrouw zonder kinderen, die op zoek was naar een goede vriend. Een vriend om mee te praten. Meer niet. Ze meende het. Haar enige doel was Rob jaloers maken. Hoe ze dat precies moest aanpakken, wist ze nog niet. Dat kwam later wel. Eerst kijken of ze iemand kon vinden.

Ze geloofde niet dat het zou lukken.

De eerste reactie op haar presentatie was meteen raak. Hij heette Boris.

16

Boris stelde al heel snel voor om privé te gaan chatten. Ze besloten om een eigen chatkamer te reserveren op Relatie Planet, waar ze elkaar digitaal konden spreken zonder dat er iemand meelas. Ze kletsten daar urenlang met elkaar maar ze lette wel heel goed op wat ze over zichzelf vertelde. Ze verzon een ander leven dan ze in werkelijkheid leidde. Het leek haar een goed idee om te melden dat haar man invalide was en in een verpleeghuis woonde, zoals de man van Madeleine. Dat was een bekend verhaal, daar kon ze zich geen buil aan vallen. Ze sprak niet over haar zoon. En niet over het bedrijf. Ze vertelde dat ze al jarenlang directiesecretaresse was bij een grote bank en dat ze daardoor, ondanks de invaliditeit van haar man, financieel geen zorgen had. Ze creëerde een dubbelleven en ze begon iedere dag meer in dat leven te geloven. In plaats van een zoon introduceerde ze een neef op wie ze erg gesteld was. De zoon van haar zus. Ze aarzelde of ze iets zou zeggen over de ziekte die zowel haar moeder als haar zus had geveld. Beter van niet, besloot ze. Misschien had Boris geen trek in verhalen over ziektes die eventueel erfelijk waren. Grote kans dat het woord kanker hem zou afschrikken. Ze vertelde dat haar moeder en haar zus waren omgekomen bij een vliegramp. En dat ze het kind van haar zus had opgevoed en hij nu getrouwd was. Een mooi verhaal, dacht ze. Een aannemelijk verhaal.

Boris had geen kinderen. Dat was een bewuste keuze van zijn vrouw. Hij had zelf wel kinderen willen hebben maar hij had zich bij haar weigering neergelegd. Maar dat besluit bleek achteraf toch een hoge prijs te hebben. Hij hield niet meer van zijn vrouw. Hij gaf om haar als een vriend, ze leefden al jaren als broer en zus samen. Boris was niet van plan om van haar te scheiden. Dat lag ingewikkeld, in verband met hun gezamenlijke bezit. Een scheiding zou onverkwikkelijke financiële gevolgen kunnen hebben en daar zat hij niet op te wachten. Maar zijn vrouw liet hem volkomen vrij om te gaan en staan waar hij wilde en met wie dat was maakte voor haar ook niet uit. Zij ging zelf ook haar eigen gang.

Ze spraken al snel heel vertrouwelijk met elkaar. Lilian verbaasde zich over het gemak waarmee ze haar chatvriend van alles vertelde over haar eenzaamheid en haar verlangen naar iemand die haar zag staan. Ze vertelde hem zelfs dat ze al heel lang niet meer was aangeraakt, ondanks het feit dat ze nog steeds van plan was om het alleen bij chatten te houden. En natuurlijk kwam op een dag zijn vraag tevoorschijn. De vraag die ze niet wilde horen en waar ze desondanks tot in de toppen van haar tenen naar bleek te verlangen. 'Zullen we elkaar ontmoeten?'

Ze aarzelde. Ze sprak er met Madeleine over. Die vroeg haar waar precies haar twijfel zat.

'Ik denk dat hij wil vrijen,' antwoordde Lilian.

'En jij? Wil jij dat ook?'

'Nog niet. Misschien ook nooit. Ik denk nooit. Maar ik weet natuurlijk niet wat er gebeurt als we tegenover elkaar staan. Wat ik voel als ik hem zie.'

'Dat zou je dan gewoon kunnen ontdekken op het moment dat je hem in werkelijkheid ontmoet. Hou er rekening mee dat hij een totaal andere man kan zijn dan jij je voorstelt. Ik heb al heel wat keren met dit bijltje gehakt. Ik ben zelfs een paar keer weggerend toen ik iemand voor de eerste keer zag. Gênant, dat was het. Maar ik heb ook meegemaakt dat de vonk ter plekke oversloeg. Je weet het niet. Laat het toch gebeuren.'

'Ik wil Rob niet kwijt.'

'Spreek nu maar iets af,' adviseerde Madeleine. 'En zoek je verstand op, want dat heb je blijkbaar ergens onderweg verloren.'

Ze maakte een afspraak met Boris. Café Brinkmann op de Grote Markt in Haarlem leek haar een geschikte locatie. Een ruime zaak, niet te intiem. Boris zei dat hij zou proberen om een tafeltje bij het raam te bemachtigen en dat hij een bos rode rozen op tafel zou leggen. Ze kon hem herkennen aan die bos rode rozen.

Ze bleef twijfelen of ze zou gaan. Wat kun-je verwachten van een afspraak via een datingsite, piekerde ze. Wie weet, bleek die Boris een gevaarlijke gek te zijn. Of een onooglijk flutmannetje met haren op zijn neus. Of een gruwelijke macho. Het ene moment besloot ze dat ze de ontmoeting zou afzeggen, het volgende moment wist ze zeker dat ze hem wilde zien. Ze spraken af op een woensdagmiddag om vier uur. Rob was de hele dag de stad uit, die had iets te doen in Groningen.

Toen ze café Brinkmann naderde, ging ze steeds langzamer lopen. Dit is niet goed, dacht ze. Dit wil ik eigenlijk niet.

Het was een warme lentedag. Het terras vóór Brinkmann zat vol. Daardoor kon Lilian toen ze op het marktplein liep tamelijk onopgemerkt het terras naderen en met haar ogen de grote ramen van het café afspeuren.

Ze zag eerst de bos rode rozen, die op het tafeltje lag. En daarna zag ze de man.

Ze stond stokstijf, midden op de markt. Er botste een vrouw tegen haar op. Ze mopperde dat Lilian niet zo stom in de weg moest gaan staan.

Lilian keek. Ze voelde het zweet op haar rug. Ze staarde naar de man.

Het was Rob.

17

Hij keek op. Lilian dook achter een vrouw die een enorme plant droeg. De vrouw liep schuin langs café Brinkmann, recht op de draaideur af die de toegang was tot de winkelpassage. Lilian bleef haar volgen en glipte daarna direct de grote boekhandel binnen die naast de bioscoop lag. De boekhandel had een tweede ingang in de Barteljorisstraat. Via die deur rende ze weer naar buiten en ze stond pas stil toen ze weer bij haar auto was. Ze kreeg bijna geen lucht door het rennen en ze stond zwaar ademend naast haar auto een beetje bij te komen. Haar hele borstkas deed pijn van het hijgen. Toen ze de autosleutel in het slot wilde steken merkte ze dat haar handen hevig trilden. Ze kreeg de sleutel niet in het slot.

Ze vloekte hardop. En nog eens. Ze schreeuwde. Het interesseerde haar niets of er mensen in de straat liepen die haar konden horen. Ze schreeuwde haar wanhoop en haar woede uit. In die volgorde. In eerste instantie voelde ze wanhoop. Direct daarna zat de woede. Hij raasde door haar heen. Ze kon zich niet herinneren dat ze zich ooit eerder in haar leven zo verneukt had gevoeld. Ze wist woord voor woord wat die zogenaamde Boris allemaal over zijn vrouw had verteld. Hij had de geschiedenis naar zijn hand gezet en van háár het afwijzende monster gemaakt dat hij in werkelijkheid zelf was. Hij had het bestaan van de zoon op wie hij zo dol was glashard verzwegen. Zelf had ze in ieder geval nog een neef opgevoerd maar hij deed net of er geen kind bestond waarvoor hij zich het vuur uit de sloffen liep. Hij loochende alles wat belangrijk voor hem was. Hij speelde de afgewezen partij, de echtgenoot die naar kinderen verlangde maar ze niet kreeg. Het slachtoffer.

Rób het slachtoffer?

Ze krijste het uit. Ze bleek later zó hard gekrijst te hebben dat ze drie dagen lang keelpijn had.

Ze heeft het nooit aan iemand verteld. Toen Madeleine vroeg hoe de eerste ontmoeting was verlopen, zei Lilian dat er geen enkele klik was. Ze hield daarbij haar gezicht strak in de plooi. Ze was de eerste weken nadat ze had ontdekt dat het onderwerp van haar voorzichtige fantasieën iedere nacht naast haar sliep, bevroren en kil.

Strak.

Rob leek haar te ontwijken. Dat deed hij meestal als zij slecht gestemd was. Hij kwam laat thuis en zat uren achter zijn computer, zonder een woord te zeggen.

Lilian logde op Relatie Planet niet meer in op Boris. Ze deed helemaal niets meer op die site. Ze had het helemaal gehad met chatten. Maar Madeleine drong erop aan om het nog eens te proberen. 'Er zitten echt wel leuke kerels tussen,' pleitte ze. 'Ik heb zelf sinds kort contact met een ongelooflijk lekker stuk. Hij is netjes getrouwd, precies wat ik moet hebben. Geen verwachtingen die te maken hebben met deel willen uitmaken van elkaars sociale omgeving, niets in de richting van samenwonen en voorgesteld worden aan de familie. Gewoon lekker eten samen, borrelen, bomen opzetten, naar elkaar luisteren en de engelen uit de hemel vrijen. Deze man heeft een hoge amusementswaarde. Daar moet je ze op selecteren, meid. Op hun amusementswaarde.' Ze dirigeerde Lilian in de richting van de computer. 'Er zit er een op je te wachten, ik vóél het. Niet tegenstribbelen. Inloggen, nú. Ga maar gewoon eens kijken wat er langskomt. Neem een andere nickname, zodat je niet te herkennen bent voor die Boris. Neem bijvoorbeeld de naam van iemand die veel voor je betekent, dat is al een goede start. Een beetje magisch denken kan geen kwaad.'

'Irene,' zei Lilian.

'Wie is Irene?'

'Mijn zusje. Ze is dood. Maar haar naam komt direct in me op.'

'Dan is ze bij je.'

'Geloof jij daar in?' Lilian keek bedenkelijk.

'Ik wél. Er is veel meer tussen hemel en aarde dan wij in de gaten hebben. Als jij zo spontaan aan de naam van je zusje denkt, geloof ik zeker dat zij je nu stuurt. En dat ze je beschermt. Ga de site maar op. Je hebt een beschermengel. Het zal mij niet verbazen als je nu de goede vindt.'

Lilian bleef aarzelen. Maar Madeleine hield vol. Ze ontkwam er niet aan: ze moest inloggen.

Toen vond ze Bram.

18

Christina van Leeuwen staat op. 'Het lijkt me verstandig om de familie vandaag verder met rust te laten,' zegt ze in de richting van Ronald Kras. 'Het is de bedoeling dat de sectie zo spoedig mogelijk plaatsvindt. Misschien nog vandaag, anders morgen. Zodra we de uitslag hebben, komen we weer naar u toe. Maar het is nog niet mogelijk om al een uitvaart te plannen. Het lichaam van uw man moet eerst officieel worden vrijgegeven.'

'Ik begrijp het,' zegt Lilian. Als de rechercheurs vertrokken zijn, komt Ivo tegenover haar zitten. 'Waarom doe je zo vijandig, mam? Wat is er precies aan de hand? Weet jij iets wat ik niet mag weten?'

Ze kijkt hem verwonderd aan. 'Wat bedoel je daarmee?'

'Is er iets wat niet klopt? Had papa vijanden? Is het mogelijk dat hij is vermoord?'

Ze deinst een kort moment terug van zijn vraag. Dan schudt ze resoluut haar hoofd. 'Voor zover het mij bekend is heeft niemand ook maar enige reden om hem te vermoorden. Vond jij dat ik vijandig deed? Misschien heb je gelijk. Het zint me niet, wat er gebeurt. Het is al erg genoeg dat je vader dood is. Ik zit niet te wachten op ook nog een potje verdachtmakingen en onzekerheden.'

'Nu ben je ook vijandig tegen mij,' zegt Ivo. Lilian wil protesteren maar hij heft zijn hand op. 'Laat maar. Vertel me liever hoe het zit met de relatie die je schijnt te hebben.'

Lilian gaat rechtop zitten.

Ze heeft nooit iets tegen Ivo gezegd over het feit dat zijn vader geen kinderen wilde. En ze denkt dat Rob daarover ook nooit mededelingen heeft gedaan. Maar ze weet het niet zeker. Daarom aarzelt ze nu sterk over wat ze zal zeggen. Als Ivo niets weet van de omstandigheden rondom zijn geboorte, kan de wetenschap dat hij door zijn vader niet gewenst was rauw op zijn dak vallen. Heeft het zin om daar iets over te vertellen, vraagt ze zich af.

Ivo ziet dat ze aarzelt. 'Mam, ik wil dat je me alles vertelt wat er te vertellen valt. Het maakt niet uit. Ik wil het weten.'

Hij denkt dat het niets met hem te maken heeft, vermoedt ze.

'Waar is het fout gegaan? Jullie waren toch in het begin een goed stel? Je blijft toch niet voor niets zoveel jaren bij elkaar?'

Hij weet echt van niets, concludeert ze. 'Wij waren al heel lang geen goed stel meer,' zegt ze zacht. 'Wij spéélden dat we nog voldoende samen hadden om bij elkaar te blijven. We hielden de schijn van een goede relatie overeind. Voor jou. Voor je grootouders. Voor de buitenwereld. Dijkman Meubelen was niet alleen een geslaagde onderneming op zakelijk gebied. Het bedrijf had niet alleen grote aantrekkingskracht voor jonge gezinnen door het grote en betaalbare meubelaanbod. Het was ook heel belangrijk dat de baas en zijn vrouw iets knus en kneuterigs uitstraalden. Samen met hun kind. Het ging erom dat klanten zich konden spiegelen aan de familie. Een gelukkige familie nodigt uit om te kopen. Iedereen wil zo'n gelukkige familie zijn en de leuke meubelen hebben die ook bij die familie in huis staan. Zo werkt dat.'

'Maar het was niet echt,' stelt Ivo vast. 'De laatste jaren in ieder geval niet. Maar vroeger toch wel?'

Lilian aarzelt opnieuw. 'Je vader wilde geen kinderen,' begint ze.

'Gelukkig is hij van gedachten veranderd.' Ivo klinkt opgewekt. Vrolijk, bijna.

'Hij is niet van gedachten veranderd,' houdt ze vol. 'Je maakt het me niet gemakkelijk. Ik zou je dit eigenlijk liever niet vertellen. Ik wil de nagedachtenis aan je vader niet vertroebelen. Hij hield zielsveel van je. Ook al wilde hij geen kinderen, hij heeft je vanaf de eerste keer dat hij je zag geaccepteerd en in zijn hart gesloten. Ik zag het gebeuren.'

'Toen ik geboren werd.'

'Toen hij je voor de eerste keer zag. Hij wilde niet bij je geboorte zijn. Hij heeft me naar het ziekenhuis gebracht en hij is pas tevoorschijn gekomen toen je twee dagen oud was. Maar toen was het ook direct raak.'

De verbijsterde blik in Ivo's ogen doet bijna pijn. 'Ik wil dat je me alles vertelt, mam.'

19

Rob verbood Lilian om tegenover zijn ouders iets te laten blijken van hun besluit om geen kinderen te krijgen.

'Ons besluit?' Dat ging haar net iets te ver.

'Ja, ons besluit. Je kende mijn voorwaarden en je hebt ja gezegd.'

Als het gesprek die kant opging, kreeg ze een onbestemd gevoel in haar maag. Een misselijkmakend gevoel dat zuur speeksel produceerde. Ze kon niet ontkennen dat hij gelijk had. Ze wist welke consequenties er aan haar jawoord vastzaten. En ze had desondanks ja gezegd. Maar ze vond het toch moeilijk om tegen de ouders van Rob te liegen. Het waren aardige mensen. Hard werkende, gelovige mensen. Ze hadden graag een groot gezin gehad. Lilians schoonmoeder vertelde haar tot in de kleinste details wat ze allemaal had moeten meemaken en welke onderzoeken ze had moeten ondergaan. Er werd geen enkele afwijking bij een van haar schoonouders gevonden. Volgens de specialisten die hen beiden onderzochten stond niets het krijgen van kinderen in de weg. Toen bedacht de moeder van Rob dat ze ergens voor gestraft was. Ze wilde het goedmaken met God en ze verzon van alles wat een beloning kon opleveren. Ze sjouwde de hele dag achter mensen aan die hulp nodig hadden, gaf geld aan goede doelen, ving kinderen van broers en zussen op als hun moeders weer eens in het kraambed lagen en zei nooit nee als er door wie dan ook een beroep op haar werd gedaan. Toen kwam Rob. Maar hij bleef haar enige kind. Toen hij met Lilian trouwde, begon haar schoonmoeder iedere dag kaarsjes in de kerk te branden bij de Heilige Maagd Maria. Ze bad volgens Rob Onze Lieve Heer bijna van het kruis af voor kleinkinderen. Lilian schaamde zich. Ze had grote moeite met de act die ze van Rob moest opvoeren. Daarom gaf ze zo weinig mogelijk rechtstreeks antwoord als haar schoonmoeder informeerde of ze misschien... of er toch niets mis was... of ze liever eerst nog een tijdje wilden genieten... of ze al eens naar een dokter was geweest...

De voortdurende aandrang van haar schoonmoeder maakte in haar een verlangen los dat ze niet wilde voelen. Ze bestreed dat verlangen door hard mee te werken in de zaak en samen met Rob een druk sociaal leven te hebben. Als ze jonge moeders achter een kinderwagen tegenkwam keek ze snel de andere kant uit. Als er kinderen werden geboren bij mensen die in het bedrijf werkten ging ze met een stoïcijns gezicht namens de directie een pakje brengen en zorgde ze ervoor dat niemand een baby in haar armen legde.

Rob nam haar mee naar Zuid-Afrika, naar Australië en naar Canada. Hij wilde samen met haar verre reizen maken en de hele wereld zien. Ze hadden plezier als ze samen waren. Rob organiseerde vaak verrassingstrips op zaterdagavond met een overnachting in een luxe hotel. Hij hoorde haar uit over haar voorkeur voor films of theater en nam haar onverwacht mee naar een voorstelling. Hij verwende haar met sieraden, mooie schoenen, dure parfums en prachtige lingerie. Ze vreeën vaak en heftig. Rob hoefde alleen maar naar haar te kijken en ze voelde al dat ze opgewonden werd. Hij zei regelmatig dat hij van haar hield en ze zei hetzelfde tegen hem. Soms kon ze van verliefdheid bijna geen adem meer halen.

Een enkele keer stuurde ze een gesprek tussen hen in de richting van kinderen krijgen. Ze gaf hints. Maar hij hapte niet.

Nooit.

Ze durfde niet aan te dringen. Je hoorde wel eens dat een vrouw zwanger werd, terwijl ze toch de pil slikte. Het gebeurde zelden maar het kón gebeuren. Als Lilian met haar schoonmoeder meeging naar de kerk om kaarsjes bij Maria op te steken, bad ze soms in gedachten om zo'n uitzondering te zijn. Maar haar gebed hielp niet.

Later heeft ze heel vaak geprobeerd om zich te herinneren in welke periode haar verlangen naar een kind zich niet langer meer opzij liet schuiven. Maar er wás geen bepaald moment, geen indrukwekkende gebeurtenis, geen opborrelende gedachte. Het verlangen ontstond niet ergens, wist ze later. Het was er altijd al geweest. Ze had het genegeerd en onderdrukt.

Ze besloot heel bewust dat ze een kind wilde krijgen. Het had geen enkel nut als ze erom vroeg. Rob zou weigeren, dat wist ze zeker. Maar ze was ervan overtuigd dat hij zich erbij zou neerleggen als ze zwanger bleek te zijn en dat hij haar zou vergeven dat ze hem voor een voldongen feit stelde.

Ze was drieëntwintig. Ze overzag de consequenties van haar besluit totaal niet. Ze zat op een roze wolk en fantaseerde over liefde en geluk. Ze rekende er wél op dat Rob boos zou reageren als hij erachter kwam dat ze was opgehouden met de pil te slikken, maar ze kon zich niet voorstellen dat hij boos zou blijven.

Iedereen smelt voor een baby, geloofde ze. Rob was een emotionele man. Een gevoelige man. Een man die van zijn hart geen moordkuil kon maken. Ze stelde zich voor dat hij 's morgens in bed met zijn rasperige kin heel zachtjes een babyvoetje zou strelen. Het kind hikte van het lachen. Het stootte opgewonden klanken uit.

Niemand wordt boos op een baby, dacht ze.

Dat klopte.

20

'Hij was niet bij je geboorte,' herhaalt Lilian. 'Maar daar kun jij niets aan doen.'

'Nee, natuurlijk niet. En welke duistere geheimen heb je verder nog te melden?'

'Je hebt lang genoeg hier in huis gewoond om te kunnen weten dat je vader en ik al jaren geen spetterende relatie meer hadden. Hij wilde me niet vergeven dat ik hem als dekhengst had gebruikt.' Ze denkt aan de reactie van Bram toen ze hem hetzelfde vertelde. Die kon het zich als man voorstellen dat Rob op die manier had gereageerd. Hoe zou Ivo hierover denken?

'Een dekhengst nog wel. Wat een vergelijking, zeg. Waarom bleef je eigenlijk bij hem?'

Lilian slikt de emotie weg die haar stem opeens probeert te blokkeren. 'Hoe banaal het misschien ook mag klinken, ik hield van hem. Ik kan me zelfs niet voorstellen dat ik ooit nog eens van iemand zoveel zal kunnen houden.'

'Ook niet van die knakker die je er tegenwoordig op nahoudt?'

Dat was een schot voor open doel. Ze glimlacht. 'Zo, we zijn eindelijk aangekomen bij het onderwerp van gesprek. De knakker. Hij heeft een naam, Ivo. Hij heet Bram Hendriks. En hij is meer dan een knakker. Hij is een soulmate.'

'Waar je mee vrijt.' Ivo geeft nog niet op.

'Waar ik inderdaad mee vrij. Die me ook heeft teruggebracht bij mijn eigen gevoel. Die de moeite waard is om voor te kiezen. Ik had het besluit genomen om je vader te verlaten. Maar toen werd hij ziek en ik wilde hem niet in zo'n desolate toestand achterlaten. Ik was van plan om weg te gaan als alles achter de rug was.'

'Hoe heb je die soulmate leren kennen?'

'Via internet. Relatie Planet. Dat is een datingsite.'

'En papa wist van niets.'

'Volgens mij niet.'

Ivo zwijgt nadrukkelijk.

'Waarom zeg je niets?' Lilian vindt de stilte die opeens gevallen is erg geladen. Gespannen.

Afwijzend.

'Er valt niets te zeggen. Behalve dat ik dit allemaal een klerezooi vind. Dat ik vind dat jullie er een puinhoop van hebben gemaakt. Dat ik me kapot schaam. Vooral voor jou.'

Ze zitten al minstens een kwartier samen te zwijgen. Ivo's laatste woorden zijn nogal aangekomen bij Lilian. Ze voelt zich er het ene moment geschokt door en wordt het volgende moment kwaad. Hij heeft niet het recht om haar zonder meer te veroordelen, denkt ze. En tegelijk heeft ze de neiging om zich te verontschuldigen.

Ivo zit naar haar te kijken, merkt ze. Zijn ogen staan anders. Niet meer boos. Eerder verdrietig. 'Denk jij dat het een natuurlijke dood was?' wil hij weten.

'Ja, ik kan me niet voorstellen dat er iets anders aan de hand is.'

Ivo zwijgt weer.

Lilian voelt de bekende onaangename sensatie in haar slokdarm borrelen, die aankondigt dat ze zure, pijnlijke oprispingen gaat krijgen. Ze slikt het weg.

'Ik kan nog niet geloven dat hij dood is,' gaat Ivo verder. 'Ik heb het gevoel dat hij hier elk moment weer kan binnenstappen. Dat hij weer gezond is. Dat we naar Boedapest gaan. We zouden samen naar Boedapest gaan. Dat heeft hij beloofd.' Zijn stem breekt. Hij duikt in elkaar.

Ze streelt zijn rug en knuffelt hem. 'Je was ook veel te koel,' sust ze.

'Ik wil dit niet,' brult Ivo.

Lilian laat hem los en haalt een glas water uit de keuken. 'Hier, drink even iets. Word maar weer rustig.'

Ivo drinkt. Het snikken neemt af. Hij haalt diep adem. 'Het is opeens écht,' legt hij uit. 'Ik kan er opeens niet meer omheen. Als het in ieder geval toch maar een natuurlijke dood is. Ik zal me geen raad weten als blijkt dat hij vermoord is.'

Lilian wil alleen zijn. Ik neem een slaappil, denkt ze. Ik wil van de wereld zijn. Niets meer weten, niets meer voelen. Me nergens door laten pakken. Ze besluit dat ze in het logeerbed gaat slapen. Ze wil nooit meer in het bed liggen waar ze samen met Rob in heeft geslapen. Ze is verbaasd over haar eigen gedachten. Er komt een beeld voor haar ogen waar ze van terugdeinst. Het beeld van een dode Rob. Een koude, dode Rob. Een strak lijf. Het is Rob niet meer. 'Een omhulsel,' mompelt ze.

'Wat zeg je, mam?'

'Laat maar. Ik wil slapen.'

Ivo klemt zijn armen om haar nek. 'Als je het niet trekt, bel me dan. Sorry, dat ik zo tegen je uitviel.'

Lilian kust hem. 'Geeft niet. En als jij het in je eentje moeilijk krijgt, geldt hetzelfde aanbod.'

Als Ivo vertrokken is doet ze de voordeur en de achterdeur op het nachtslot, controleert of de knoppen van de keramische kookplaat ingedrukt zijn, knipt de schemerlampen en de stand-byknop van de televisie uit en loopt de trap op. Het lijkt een gewone avond, denkt ze. Ik doe de gewone dingen. Ik voel nauwelijks iets. Maar halverwege de trap realiseert ze zich dat ze het koud heeft. Dat de kou tot in haar botten doordringt. Ze laat het bad vollopen met heet water.

21

Er is een geluid in huis waar Lilian wakker van wordt. Ze weet niet direct waar ze is. Het duurt even voordat ze beseft dat ze in het logeerbed ligt.

Er wordt beneden gebeld. Er staat iemand bij de voordeur.

Ze schiet snel in haar peignoir en rent de trap af. De klok die in de gang op de secretaire staat wijst aan dat het acht uur is. Ze ziet door het luikje in de voordeur wie er voor de deur staat. Het is Dolf. Wat komt die op dit achterlijke tijdstip doen?

Hij begint zich direct te verontschuldigen. 'Het is erg vroeg, ik weet het. Sorry, Lilian.' Hij drukt haar tegen zich aan en condoleert haar. 'Ik heb er niet van geslapen. Ik móést naar je toe.'

Dolf werkt al tien jaar voor Dijkman Meubelen. Hij is Robs steun en toeverlaat, Rob is erg op hem gesteld.

Wás op hem gesteld, moet ze denken. De omstandigheden zijn veranderd. Ze schudt haar hoofd. 'Ik kan nog nauwelijks geloven dat hij dood is.'

Dolf neemt haar bij de arm en loopt met haar naar de woonkamer. 'Ik ook niet. Maar wat is er eigenlijk aan de hand? Waarom moet er een sectie worden verricht? Ik werd gisteren niets wijzer van Marjo. Ze deed raar. Zat steeds Engels te praten. *"My lips are sealed. Disgusting case."* Van die dingen. Ze was volgens mij nogal de kluts kwijt. Ze wilde aan het werk gaan maar ik heb haar naar huis gestuurd. Het nieuws is hard aangekomen op de zaak. Iedereen is van slag. Ik heb de vlag halfstok gehangen.' Ze zijn samen op de bank gaan zitten. 'Wat is er gebeurd, Lilian?'

'Ik denk dat het zijn hart was. Zijn vader is ook overleden aan een hartstilstand.'

'Die was negenentachtig.'

'Dat weet ik. Maar Robs vader leefde een stuk gezonder dan Rob. Hij dronk niet, rookte niet, was matig met eten. Hij was in alle opzichten matig. Behalve met bidden.' Lilian schrikt van haar eigen woorden. 'Sorry. Dat schoot er zomaar uit. Ik bedoel het niet kwaad. Ik was erg gesteld op Robs vader. En op zijn moeder. Toen ik eenmaal met Rob getrouwd was waren ze goed voor mij.'

'Er gaat nu waarschijnlijk van alles door je heen,' oppert Dolf. 'Als er iemand in je naaste omgeving overlijdt, komen er allerlei herinneringen naar boven. Ik weet het.'

Lilian grijpt zijn hand. 'Dit herinnert jou weer aan de dood van je vrouw.'

'Ja. Maar ik heb afscheid kunnen nemen. Jij niet. Dat spijt me voor je.'

Ze biedt aan om koffie te zetten. Dolf loopt met haar mee naar de keuken. Ze heeft de indruk dat er iets broeit. Hij is nerveus, beweegt zich voortdurend. Terwijl de koffie doorloopt gaat ze tegenover hem zitten. 'Wat is er aan de hand, Dolf?'

'Marjo,' zegt hij kort.

'Wat is er met Marjo?'

'Ik heb haar niet alleen naar huis gestuurd. Ik heb haar ook verboden om met iemand van het bedrijf contact te hebben, tot ik de zaak met jou en Ivo heb besproken.'

'Welke zaak?'

'Ze beweerde dat Rob vermoord is en dat jij daar meer van afweet.'

Ivo staat een halfuur nadat Lilian hem gebeld heeft op de stoep. Hij heeft dikke ogen en ziet eruit als een vaatdoek. 'Ik heb vannacht geen oog dichtgedaan. Heb jij een beetje kunnen slapen, mam?'

'Nauwelijks,' liegt ze. Het voelt bijna onbeschoft om nu te gaan vertellen dat ze sliep zodra haar hoofd het kussen raakte en pas wakker werd toen Dolf aanbelde. Ze is op haar hoede. Er hangt iets in de lucht. Iets onbestendigs. Iets gluiperigs. Iets dreigends.

Ze gluurt voortdurend naar de telefoon. Ze wil dat er wordt gebeld en iemand vertelt dat Rob een natuurlijke dood is gestorven. Hoe eerder dit bericht hen bereikt, hoe beter. Wat haar betreft gaan ze verder niet moeilijk doen tegen Marjo. Die is geschrokken. Ze weet niet precies wat Rob voor Marjo betekende, maar ze hoeft het ook niet te weten. Ze wil actie ondernemen. Een uitvaart regelen. Vreemde praatjes negeren. Met Ivo en Dolf de lopende zaken regelen. Nadenken hoe het verder moet met het bedrijf. Officieel is Ivo de waarnemer van zijn vader. Maar Ivo is jong. Hij heeft pas een jaar geleden zijn studie bedrijfskunde afgerond. Hij heeft een mentor nodig. Dolf zal een prima mentor zijn. Maar zij kan zich niet van de directievoering distantiëren. Ze kent het bedrijf van haver tot gort. Ze heeft altijd met Rob samengewerkt. Ze konden prima samenwerken. Veel beter dan samen leven.

Bram heeft een tijdje geleden laten doorschemeren dat hij liever niet had dat Lilian zich met het bedrijf zou blijven bemoeien als ze eenmaal officieel samen zouden zijn. Maar toen lagen de zaken anders. Ze moet Bram straks even bellen. Maar eerst wil ze weten wat de uitslag van de sectie is.

Dolf en Ivo zitten serieus te praten. Ze hebben het nog steeds over Marjo. Ze luistert met een half oor naar het gesprek. Ze is niet erg onder de indruk van Marjo's uitspraken. En ze gelooft totaal niet dat die iets met haar beschuldigingen zal bereiken. Dolf schijnt zich al een hele tijd zorgen te maken over Marjo. Hij vindt haar overspannen. Volgens hem heeft ze te weinig overzicht en leeft ze in een droomwereld. Lilian hoort het, terwijl ze in de keuken een ontbijt klaarmaakt.

'Kunnen we haar in dienst houden?' vraagt Ivo.

Lilian is verbaasd over deze vraag. Ze loopt de woonkamer weer in. 'Waarom zou Marjo niet kunnen blijven?'

De mannen zwijgen.

'Wat is er toch met Marjo?'

'Ze is een paar maanden geleden verhuisd naar Amersfoort,' zegt Ivo.

'Dat weet ik. Ze heeft een penthouse gekocht toen het geld van de erfenis van haar vader vrijkwam. Ik heb haar nog geadviseerd om iets dichter in de buurt van haar werk te zoeken. Je moet er maar zin in hebben om elke dag twee keer anderhalf uur te rijden om op je werk te komen.'

'De vriend van mijn oudste dochter is kapper. Hij heeft een zaak in de buurt waar Marjo woont. Daar is Marjo klant geworden,' meldt Dolf.

'Wat is daar vreemd aan?'

'Ze noemt zich in die zaak mevrouw Dijkman.'

22

Lilian vindt het aan de ene kant gênant en aan de andere kant zielig. Maar ze weigert om er verder bij stil te staan. Ze heeft tegen Dolf en Ivo gezegd dat ze het aan de mannen overlaat om te beslissen wat ze met Marjo doen. Ze is een ervaren secretaresse die het bedrijf goed kent en zo iemand heb je hard nodig op die plek. Ze verwacht niet dat Marjo problemen gaat opleveren, nu Rob dood is. Haar vreemde uitspraken over moord en schuld zijn terug te voeren op haar schrik. Rob betekende blijkbaar heel veel voor haar. Als ze de schrik te boven is, zal ze wel bijtrekken. En hoe je het ook wendt of keert: Marjo is niet mevrouw Dijkman. Maar als ze daar in Amersfoort een act over wil opvoeren, mag ze wat Lilian betreft haar gang gaan. Het kan geen kwaad; het is in haar ogen een meelijwekkende situatie.

Ze wil Bram even horen en ze loopt naar boven om hem te bellen. Ze heeft dat ook al geprobeerd toen ze gisteren ging slapen maar hij nam niet op. Hij neemt wéér niet op. Hij is waarschijnlijk al naar kantoor. Ze belt zijn mobiele nummer. Maar terwijl ze het nummer intoetst, bedenkt ze dat het vandaag woensdag is. Op woensdagmorgen is hij altijd onbereikbaar, dan werkt hij zijn rapportages bij. Ze stopt.

Beneden is iets aan de hand. Er dringen onrustige geluiden tot haar door. Iemand roept iets onder aan de trap. Ivo.

Lilian loopt naar beneden. Ivo kijkt ernstig. 'Die vrouwelijke rechercheur heeft net gebeld. Ze hebben de uitslag van de sectie. Daar willen ze direct met ons over komen praten. Ze zijn onderweg.'

Ze staart haar zoon aan. 'Wat heeft dat te betekenen?'

'Ik weet het niet, mam. Maar ik vind het niet goed klinken.'

Dolf is naar de zaak gegaan. Hij hield haar weer stevig vast toen hij gedag zei. 'Als je behoefte hebt om te praten, bel me dan. Het maakt niet uit hoe laat het is. Blijf er niet alleen mee zitten.' Ze had de neiging om zijn arm te ontwijken, merkte ze. Hij hield haar iets te nadrukkelijk vast.

Te intiem.

Ze vraagt zich af hoe Dolf zal reageren als hij ontdekt dat Bram bestaat. Of zijn aanbod om als luisterend oor en praatpaal te fungeren dan ook nog geldt. Ze weet dat Dolf geen hoge pet op heeft van mensen die het niet zo nauw nemen met de huwelijkstrouw. Dat heeft hij meerdere malen tegen haar gezegd, tijdens feestjes of borreluurtjes op de zaak. Nu ze daar dieper over nadenkt, ontdekt ze dat hij daar het laatste halfjaar heel nadrukkelijk over was.

Zou Dolf iets weten van haar relatie met Bram? Maar hoe zou hij daar dan achter zijn gekomen? Ze verwerpt deze mogelijkheid. Dolf weet niets. Hij weet niet eens hoe de situatie tussen Lilian en Rob precies was. Dolf denkt dat die ideaal was. Lilian heeft hem er nooit iets over verteld, zeker niet toen de vrouw van Dolf ongeneeslijk ziek werd. Op zulke momenten ga je het uiteraard niet over je eigen zorgen hebben en zeker niet over je verlangen naar een man die je nauwelijks ziet staan. En Rob zal ook echt niet over hun huwelijk met hem gepraat hebben. Rob drong altijd erg aan op een bepaalde mate van distantie tussen de directie en het personeel.

Ze verlangt naar Bram. Ze gaat hem aan het begin van de middag bellen en iets afspreken. De komende nacht slaapt ze niet in dit huis. Hier hangt Rob nog te veel rond. Hier voelt ze zich nog iedere minuut schuldig en neemt ze dat zichzelf hoogst kwalijk. Ik heb ervan gemaakt wat ervan te maken viel, bestrijdt ze haar eigen schuldgevoel voortdurend. Aan mij heeft het niet gelegen.

Maar het werkt niet.

Christina van Leeuwen kijkt ernstig als ze door Ivo wordt binnengelaten. Ronald Kras doet er nog een schepje bovenop, zijn ogen staan boos. Lilian zet zich schrap.

'Geen goed nieuws,' meldt Christina. Ze zwijgt.

Er hangt een loodzware stilte in de kamer. Lilian zou acuut willen vluchten. Hoe kan ze tegenhouden wat er nu gaat komen?

'De sectie heeft aangetoond dat uw man is overleden door een te hoog kaliumgehalte in het bloed. Er moet hem in de vroege ochtend een hoge dosis kaliumchloride zijn toegediend, die direct zijn dood heeft veroorzaakt.'

'Hoe is dat gebeurd?'

'Vermoedelijk is het rechtstreeks in de infuusslang gespoten.'

'Dat moet hij toch hebben gemerkt? Hij moet toch hebben gezien dat er iemand bij zijn bed kwam die niet in het ziekenhuis thuishoorde?' Ivo's stem slaat een beetje over.

Christina knikt geruststellend in zijn richting. 'We vermoeden dat de persoon die de vloeistof in de infuusslang spoot een verpleeguniform droeg en dat uw vader dit daardoor zonder tegen te werken heeft toegestaan.'

'Welk iemand?' wil Lilian weten. 'Je loopt toch niet zonder op te vallen zomaar een verpleegafdeling op, terwijl je er niet werkt?'

'Tussen halfacht en acht uur is er een verpleegoverdracht in het kantoor. Daar verzamelen zich dan alle verpleegkundigen die ochtenddienst hebben. Het is mogelijk dat het onopgemerkt blijft als iemand in die dertig minuten een verpleegkamer binnengaat.'

Lilian staart Christina verbijsterd aan. 'En iemand doodspuit? Is dat gebeurd? Heeft iemand hem doodgespoten?'

'Vermoedelijk wel. Ik heb begrepen dat een hoge dosis kaliumchloride die rechtstreeks in een ader wordt gespoten een acute hartstilstand veroorzaakt.'

'Maar waarom mijn man? Of was hij een toevallig slachtoffer?'

'Dat zal het onderzoek moeten uitwijzen.'

Ivo steekt zijn hand op. 'Die portier zei dat er iemand had gevraagd waar papa lag.' Hij wendt zich tot Lilian. 'Toen ik met jou meeliep naar buiten, weet je nog? Hij wenkte ons en vroeg of die mevrouw de weg nog had kunnen vinden. En toen dacht hij dat het Marjo was geweest, maar dat wist hij niet zeker meer.'

'Hij zei dat ze op Marjo leek,' vult Lilian aan. 'Dat ze ook lang, blond haar had.'

Christina haalt een notitieblok uit haar tas. 'Vertel me eens exact hoe dat is gegaan,' zegt ze kalm.

23

Hij keek naar me.

Ik hield mijn gezicht zoveel mogelijk van hem afgewend.

De pruik kriebelde. De bril zakte steeds naar beneden.

Zijn ogen waren nog een beetje troebel van de slaap en ik zag dat hij zich probeerde te herinneren waar hij was en hoe hij hier was terechtgekomen.

Zijn ogen stonden vragend. Hij wilde overeind komen. Maar ik duwde hem terug. 'Ik spuit even een medicijn in het infuus. Je merkt er niets van. Je voelt er ook niets van.' Dat was een leugen. Maar ik wist ook dat de pijn maar een enkele seconde zou duren en hij daarna niets meer zou weten. Het gaat altijd heel snel.

'Werkt u hier?' vroeg hij. Zijn ogen dwaalden over het uniform. 'Ik ken u ergens van.'

'Nee,' antwoordde ik en ik spoot in één keer de hele dosis in de slang. 'Ik werk hier niet. Ja, je kent me ergens van.'

Ik zag de kramp verschijnen. De kramp waar ik op wachtte. Die ik wilde zien. Zijn lijf kwam pijlsnel recht overeind, zijn hele lichaam verstijfde.

Ik vond het een geil gezicht.

Hij zakte terug in de kussens. Ik plaatste de beschermhoes weer over de naald, trok de naald met hoes van de spuit af en stopte alles in de zak van het uniformjasje. Ik wilde ook de handschoenen weer van mijn handen afstropen maar ik bedacht me. Ik moest de deurknop nog aanraken en de liftknop.

Zijn lichaam was weer normaal. Zijn gezicht trok al bij. Er zou niets aan hem te zien zijn. Ik stelde me voor hoe hij gevonden ging worden. Hoe een nietsvermoedende verpleegkundige zou binnenkomen. Hoe die verpleegkundige opgewekt 'Goedemorgen, lekker geslapen?' zou galmen en vervolgens zou ontdekken dat er nooit meer een antwoord uit deze patiënt kwam.

Een humoristische gedachte.

Toen ik weer bij de deur stond, luisterde ik scherp of ik niemand hoorde aankomen. Maar het was stil op de gang.

Het was een prettige bijkomstigheid dat de kamer van het slachtoffer direct rechts na de toegangsdeur tot de afdeling lag. Het was een kwestie van naar binnen en daarna naar buiten glippen.

Toen ik de kamer verliet, keek ik nog een keer om.

Hij lag stil. Zijn ogen staarden naar niets. Hij was een mooie, stille dode.

De mooiste, tot nu toe.

24

Lilian is met Christina achtergebleven in de woonkamer, terwijl Ivo in de keuken met Ronald praat.

Ze voelt zich vreemd. Er zit een pijnlijke plek in haar borstkas, die ze bij iedere ademhaling voelt. Haar handen trillen. Haar keel is droog.

Christina maakt aantekeningen op een notitieblok. 'Vertel me eens precies wat er bij die portier gebeurde,' zegt ze. 'Wat zei hij? Wat vond jij daarvan? Vind je het goed dat we gewoon je en jij zeggen?'

Ze probeert zich te herinneren wat de man zei en ze herhaalt wat ze een paar minuten geleden al gezegd heeft. 'Meer dan dat de vrouw op Marjo leek was het niet. En dat ze had gevraagd waar Rob lag. Wij hebben geen bezoek gezien bij Rob. Alleen Marjo was er, maar die heeft volgens haar niets aan de portier gevraagd.'

'Denk je dat Marjo de waarheid spreekt?'

'Ik zou niet weten waarom ze zou liegen. Waarom zou ze de weg vragen? Ze was al eerder bij Rob geweest, al de eerste dag dat hij in het ziekenhuis lag. Elke dag dat hij er lag.'

'Wat vind jij daarvan?'

'Je bedoelt dat Marjo zo vaak kwam? Daar vind ik niets van. Ze is heel close met Rob. Wás. Ze was heel close met Rob. Volgens Ivo. Ik heb me daar nooit mee beziggehouden. En Rob vertelde er nooit iets over.'

'Denk je dat ze een verhouding hadden?'

'Nee.'

'Waarom niet?'

Lilian bedenkt dat ze nu over het paard van de schillenboer zou kunnen beginnen maar dat voelt indiscreet ten opzichte van Marjo. Ze vond deze uitspraak van Rob nogal respectloos. Zeker als je bedacht dat Marjo altijd voor Rob klaarstond. Hoe ver ging dat klaarstaan? Was het tóch klaarlíggen? Haar maag rommelt onaangenaam. 'Ik kan niet precies zeggen waarom ik denk dat Rob niet met zijn secretaresse vrijde. Het is een gevoel. Maar daar heb jij weinig aan.'

'Vrijde hij volgens jou wél met een andere vrouw?' De vraag komt onverwacht. Ze schrikt ervan. Ze voelt dat ze bloost. 'Zit ik in de roos?' wil Christina weten.

'Ik heb me daar nooit mee beziggehouden. Ik denk het wel. Hij was regelmatig nachten niet thuis, zonder dat ik wist waar hij uithing.'

'Vroeg je hem daar niets over?'

'Nee.'

'Waarom niet?'

'Hij vroeg mij ook niets.'

'Vertel eens.'

Lilian haalt diep adem. 'Het lijkt me een zinnig idee dat je het maar snel te weten komt en dat je het van mij hoort. De relatie tussen Rob en mij stelde al heel lang niets meer voor. Ik heb al een halfjaar een vriend. Ik dacht aan scheiden. Maar toen werd bij Rob kanker geconstateerd. Ik wilde hem niet in de steek laten terwijl hij ziek was. Daarom wachtte ik eerst de operatie af. Toen ik hoorde dat het goed zou aflopen en hij niet ongeneeslijk ziek was, besloot ik om de scheiding door te zetten. Maar dat heb ik niet meer aan hem kunnen vertellen.'

Christina kijkt haar aandachtig aan. 'Je zegt net dat jullie relatie al heel lang niets meer voorstelde. Waarom heb je dan toch zo lang gewacht met het besluit dat je wilde scheiden?'

Er valt een diepe stilte tussen de vrouwen. Lilian staart naar buiten. De vraag die Christina haar net gesteld heeft galmt na in haar oren. 'Waarom heb je toch zo lang gewacht?' Ze voelt dat ze geëmotioneerd raakt. Ze slikt die emotie weg en probeert iets te zeggen. Maar het lukt niet.

'Hield je nog van hem?'

Lilian kijkt de vrouw die tegenover haar zit recht aan. Ze heeft zichzelf weer onder controle. 'Ik hou nog steeds van hem.' Ze hoort de verbazing in haar eigen stem.

En de pijn.

25

Vanaf het moment dat Lilian tegen Christina zei dat ze nog steeds van Rob houdt, zit haar hoofd vol tegenstrijdige gedachten. Ze neemt het zichzelf kwalijk dat ze dit hardop heeft uitgesproken. Het voelt als verraad tegenover Bram. Haar vriend is degene die als eerste in aanmerking komt om van te houden. Hij is haar partner. Haar tegenpool. Haar evenwicht. Hij is alles wat Rob al jaren weigerde te zijn. Maar ik hou zielsveel van Bram, sputtert ze in gedachten alles wat ze denkt tegen. Ik heb niet zomaar besloten om voor hém te kiezen. Ik gá ook met hem verder, dat staat als een paal boven water. Het slijt vanzelf, dat gevoel voor Rob. Zeker nu hij dood is. Nu kan het gewoon nooit meer goed komen.

Op het moment dat de woorden 'goed komen' zich aan haar opdringen, beseft ze dat ze diep in haar hart altijd is blijven hopen dat Rob haar zou vergeven. En daar wordt ze vervolgens razend over.

Op Rob, om zijn ongenaakbare houding.

Op zichzelf, om haar stompzinnige afhankelijkheid en adoratie.

Op Bram, om het feit dat hij bestaat.

Ik moet ophouden met denken, stelt ze vast. Ik moet handelen. Een uitvaart voorbereiden. Het personeel toespreken. Mijn zoon opvangen. Bij Bram gaan slapen. Veilig bij Bram zijn. Rob vergeten.

Christina van Leeuwen heeft aan Lilian en Ivo verteld dat zoveel mogelijk mensen met wie Rob omging ondervraagd zullen worden over hun relatie met hem. Op die manier kan de politie mogelijk een beeld krijgen van zijn leven en hoopt men aanwijzingen te vinden voor het motief van de moord en een verdachte te kunnen aanhouden. Men gaat er vooralsnog van uit dat de overdosis kaliumchloride die in het bloed van Rob is gevonden via het infuus is ingespoten. Er zijn meer gevallen van dergelijke moorden in ziekenhuizen bekend en er zal ook onderzocht worden of die gevallen iets met elkaar te maken hebben. Lilian heeft een lijst moeten maken van alle mensen die tot hun vriendenkring behoren. Christina heeft ook een afspraak gemaakt met Marjo en haar verzocht om een lijst op te stellen van alle personen met wie Rob zakelijk contact had. Ze belde Marjo toen ze bij Lilian was en ze is direct daarna naar Amersfoort vertrokken.

Ivo is door Ronald Kras uitgebreid ondervraagd over zijn relatie met Rob en hoe hij tegen de relatie tussen Lilian en Rob aankijkt. Ivo lijkt een beetje gegeneerd te zijn, als hij dit vertelt. 'Ik voelde me net een soort gluurder. Die vragen waren op het indiscrete af. Ik heb me op de vlakte gehouden en gezegd dat jullie een typische relatie hadden van mensen die al jaren bij elkaar zijn. Beetje ingedut. Ieder zijn eigen gang gaan. Eigen besognes hebben. Correcte sfeer.'

Hij zwijgt. Hij lijkt te aarzelen over wat hij nog meer wil zeggen. 'Ik heb niets verteld over jouw vriend.'

'Ik heb het zelf al aan Christina verteld. Ik denk dat het een verkeerde indruk kan wekken als ik iets achterhoud. Maar waarom heb jíj er niets over gezegd?'

'Ik vind dat niet mijn taak.' Er is enige tegenzin in Ivo's stem te bespeuren.

'Je veroordeelt het,' stelt Lilian vast.

Hij haalt heel licht zijn schouders op.

'Ik weet dat papa voor jou een leuke vader was,' probeert ze.

'Het feest zou compleet geweest zijn als hij ook een leuke echtgenoot was geweest.' Ivo klinkt bitter. Lilian kijkt hem verbaasd aan.

'Ik heb mijn ogen niet in mijn zak zitten, mam. Ik weet echt wel dat er tussen jullie een gewapende vrede heerste. En ik heb heus wel gezien hoe jij je jarenlang in allerlei bochten wrong om het hem naar de zin te maken. En hoe hij je keer op keer afwees. Ik heb hem vaak gevraagd waarom hij zo tegen je deed maar hij zei altijd dat dit iets tussen hem en jou was. Ik heb er geen enkel vermoeden van gehad dat mijn geboorte de inzet was van de strijd. Weet je zeker dat het alleen dáárom ging?'

'Ja,' antwoordt ze. Is dat zo? vraagt ze zich af.

Hij ziet haar blijkbaar denken. 'Twijfel je daaraan?'

'Ik twijfel op dit moment aan alles.' Bíjna aan alles, corrigeert ze zichzelf in gedachten.

26

'Ik vraag me af hoe lang het gaat duren voordat we toestemming krijgen om de begrafenis te gaan regelen,' zegt Lilian. 'En we zullen toch écht iets moeten verklaren aan het personeel. Anders lezen ze het misschien in de krant.'

'In de krant? Het zal toch niet in de krant komen?' Ivo kijkt geschokt. 'Ik denk dat het ziekenhuis weinig zin heeft in zo'n antireclame.'

Ze haalt haar schouders op. 'Je weet maar nooit. Waar heb ik nou toch weer dat mobiele nummer van Christina gelaten? Ze zei dat ik mocht bellen als er iets was of we ergens vragen over wilden stellen.'

'Mam, ze is nog geen anderhalf uur geleden vertrokken. Wacht nu gewoon even af wat er gaat gebeuren. Ze willen een aantal mensen spreken. Er zal daar in het ziekenhuis ook wel het een en ander moeten worden uitgezocht.'

'Waar denk jij aan?' Ze vindt de laatste woorden van Ivo nogal onheilspellend klinken.

'Ik denk dat ze het in het ziekenhuis moeten zoeken en niet bij papa's vrienden of zijn gezin. Het zal mij niet verbazen als er daar een of andere gek rondloopt die een soort fixatie heeft op de dood of een onbedwingbare lust om mensen te vermoorden.' Zijn stem hapert. 'Ik heb maar steeds het gevoel dat het niet echt is.'

Lilian slaat haar armen om haar zoon heen. 'Ik ook. Denk jij ook dat hij elk moment weer kan komen binnenwandelen?'

Ivo maakt zich los. 'Vertel eens verder. Over hoe je ging daten en hoe je je vriend ontmoette. Bram.'

Hij wil niet dat ik hem aanraak, constateert ze. 'Madeleine bracht me op het idee. Ze wist dat ik me eenzaam voelde met je vader en ze had ervaring met daten via internet.'

'Hoeveel kerels heb je eigenlijk ontmoet?'

Ze slikt een vinnig antwoord in. 'Alleen Bram. Het was de eerste ontmoeting al raak.' Ze wacht. Er komen geen verdere vragen. 'Ik wilde het je vader vertellen, zodra hij genezen was verklaard. Ik was van plan om daarna bij Bram te gaan wonen.'

'Je gaat die man nu toch niet híér in huis halen?'

'Nee. Voorlopig zeker niet.'

'Maar later wél?'

'Dat weet ik nog niet, Ivo. Op dit moment staat mijn hoofd eerlijk gezegd niet naar het bedenken van een scenario om Bram te introduceren. Ik moet een uitvaart gaan voorbereiden. Het personeel nader inlichten. De zakelijke kant afhandelen.' Ze trommelt met haar vingers op de tafel maar als ze ziet dat Ivo geërgerd naar haar hand zit te kijken stopt ze direct. 'En ik moet op de een of andere manier zien te accepteren dat je vader er niet meer is,' zegt ze zacht.

Ivo kijkt haar recht aan. 'Weet je dat ik werkelijk geen ene moer snap van wat er in jóú omgaat? Je hebt er toch niets mee te maken, hè, met die moord? Als dat zo is wil ik het graag weten.'

'Hoe kóm je erbij?'

Hij staat op. 'Ik ga even een luchtje scheppen. Ik stik hier bijna. Tot zo.' Hij loopt met opgetrokken schouders naar de deur en draait zich nog even om. 'Sorry, mam. Ik trek het even niet. Het is de schok. We praten straks wel verder.'

Wat lijkt hij op Rob, denkt ze.

27

Ivo leek al op het moment dat hij werd geboren sprekend op zijn vader. Lilian zag het direct, toen de baby op haar buik werd gelegd.

'Rob,' mompelde ze.

'Wat jammer dat we uw man niet kunnen bereiken,' probeerde de verpleegkundige die had geassisteerd bij de bevalling haar te troosten. 'Nu hebt u het helemaal in uw eentje moeten opknappen. Maar u deed het geweldig. Complimenten, hoor.'

Ze hoorde wel wat de vrouw zei maar het drong niet tot haar door. Ze zag en hoorde alleen maar haar kind. Een bundeltje mens, graaiend met zijn handjes naar iets waarvan hij zelf nog niet wist wat het was en krachtig schreeuwend. Ze streelde zijn gezichtje met haar vingertoppen. Het schreeuwen hield op. Hij keek met zijn ogen naar haar strelende bewegingen. Zijn mondje stond een beetje open. Hij kwijlde.

Ze streek met haar pink langs zijn lippen. Hij hapte.

Het kind leek op Rob. Ze zag het duidelijk.

Later bleef die gelijkenis haar opvallen. Ze hadden dezelfde neus, dezelfde oogopslag, ze lachten op precies dezelfde manier. Eigenlijk had Ivo alleen andere oren. Grote oren. Flaporen. Háár oren, die ze altijd zorgvuldig bedekt hield. Ze lette goed op, als de kapper haar haren knipte. 'Oren bedekt laten,' waarschuwde ze dan. In een tijdschrift vond Lilian een artikel over plastische chirurgie met foto's van flaporen die na een chirurgische ingreep veranderd waren in oren die je nooit meer hoefde te bedekken. Ze liet het artikel aan Rob zien. Maar Rob vond dat onzin en zonde van het geld. Hij zei dat het wel meeviel met haar oren. Dat ze er een drama van maakte. Dat ze overal een drama van maakte. Zulke dingen zei hij meestal als ze met hem probeerde te praten over de manier waarop Ivo was verwekt. Als ze hem ervan wilde overtuigen dat het haar speet dat ze hem er had ingeluisd. Dan siste hij: 'Houd op met die act. Allemaal drama. En nog slecht drama ook.'

Soms zoekt ze in haar herinneringen naar wat ze voelde, al die jaren dat Ivo een kind was en zij toekeek hoe de relatie tussen Rob en zijn zoon steeds hechter werd. Ze weet het niet. Ze is het vergeten. Ze heeft het verdrongen.

Ze wil er niet meer aan denken.

Toen ze bevriend raakte met Madeleine en hun gesprekken steeds persoonlijker werden, begon het pas goed tot Lilian door te dringen hoe eenzaam ze zich voelde bij Rob. Hoe ze hunkerde naar zijn aandacht, hoe ze zich in allerlei bochten wrong om het hem naar de zin te maken. En hoe afhankelijk ze zich gedroeg. Gruwelijk afhankelijk.

Stuitend afhankelijk.

Het lukte niet, het zou nooit lukken. Tijdens de gesprekken met Madeleine drong het eindelijk tot Lilian door dat ze iets nastreefde wat onbereikbaar was. Rob wilde haar niet vergeven dat ze zonder zijn instemming zwanger was geworden. Klaar. *Take it or leave it*, dacht ze. Ze besloot er zich bij neer te leggen. En ze dacht na over de suggestie van Madeleine om een vriend te zoeken via Relatie Planet. Een vriend om mee te praten. Meer niet.

28

Lilian wil met Bram praten. Niet alleen praten, ze wil hem ook zien. Vastgehouden worden. Getroost. Bemoedigd. Maar ze aarzelt of ze dat wel van Bram kan verwachten.

Ze toetst zijn mobiele nummer in. Hij zal wel aan het werk zijn. Ze weet dat hij op het moment veel cliënten heeft. Er zijn blijkbaar veel mensen die behoefte hebben aan een persoonlijke loopbaanbegeleider. Bram overweegt om binnenkort helemaal voor zichzelf te beginnen. Nu werkt hij nog twee dagen per week op de afdeling personeelszaken van de Nederlandse Spoorwegen. Hij vertelde haar een paar weken geleden dat hij genoeg cliënten kan krijgen om vier werkdagen te vullen. Maar toch twijfelde hij. Nergens meer in loondienst zijn brengt toch risico's met zich mee. 'Ik wil jou een bepaalde zekerheid kunnen bieden,' zei hij. Dat trof haar. Ze probeerde hem gerust te stellen. Ze is er tot nu toe van overtuigd geweest dat ze gewoon bij Dijkman Meubelen kon blijven werken, zelfs als ze van Rob gescheiden zou zijn. Ze kent het bedrijf van haver tot gort en is daar de spin in het web. Ze heeft een goed overzicht over alle personeelsleden en zij is degene die problemen met personeel opvangt en in goede banen leidt. Hoewel... Op het moment dat haar gedachten dit punt bereiken, schrikt ze op. Ze had iets moeten merken van de gevoelens die Marjo koesterde voor Rob. En hoe zit het eigenlijk met Dolf? Die aanraking. De blik in zijn ogen. Wat is haar allemaal ontgaan?

Toen ze aan Bram vertelde dat ze gewoon in het bedrijf wilde blijven werken, reageerde hij afwerend. 'Ik heb dat liever niet als je voor mij kiest,' wierp hij tegen. Daar schrok ze van. Hij zag het. 'We hebben het er later nog wel over,' mompelde hij.

Zou Bram dit ook nog denken nu Rob niet meer leeft? Ze wil daar even nog niet aan denken.

Hij neemt direct op en reageert verrast als hij haar stem hoort. 'Hoe is het met je? Red je het een beetje?'

'Rob is vermoord.'

Aan de andere kant blijft het een paar seconden stil. Doodstil. 'Wát zeg je?' Bram fluistert bijna.

Lilian realiseert zich dat hij zich een ongeluk moet schrikken. Hij heeft haar naar het ziekenhuis gebracht met het vermoeden dat Rob dood was. Daarna heeft ze hem niet meer kunnen bereiken en nu slingert ze opeens de gewelddadige waarheid in zijn gezicht. Wat bezielt haar? 'Sorry, ik gedraag me als een hork. Het is de schok. Ik heb je eerder gebeld maar ik kon je niet bereiken. Ik had beter iets kunnen inspreken op je voicemail, om je een beetje voor te bereiden.'

'Het is goed,' sust Bram. 'Ik schrik alleen nogal. Vermóórd? Waaróm? Hóé?

Ze vertelt in het kort alles wat tot nu toe bekend is. 'Ze praten momenteel met zoveel mogelijk mensen die iets met Rob te maken hadden. En er zal ook wel een onderzoek worden gestart in het ziekenhuis zelf. Je ligt daar duidelijk niet veilig. Er kan zomaar iemand binnenkomen die iets in je infuusslang spuit. Ze denken dat het via het infuus is gegaan.'

Het is even stil aan de andere kant. 'Ben jij ook ondervraagd?'

'Nog niet echt. Ik heb wel met de vrouwelijke rechercheur gepraat die deel uitmaakt van het onderzoekteam. Aardig mens. Ze wilde van alles weten over mijn leven. En ze kijkt nergens van op, volgens mij.'

'Ga er maar van uit dat die lui heel wat meemaken, waar wij geen notie van hebben.'

'Ik heb haar verteld dat ik een relatie heb met jou.'

'Wát zeg je? Heb je mijn naam genoemd?'

'Nee, ze vroeg niet naar je naam. Maar ik heb wél verteld dat ik van plan was om van Rob te scheiden en een nieuwe vriend had. Het leek me beter om dat zelf te vertellen. Anders zou het misschien verdacht hebben gestaan.'

'Dat is waar. Maar wanneer is het precies gebeurd? De moord?'

'Vroeg in de ochtend, gistermorgen.'

'Toen was jij bij mij, weet je nog wel? Daar kun jij dus niets mee te maken hebben.'

'Dat zul jij dan moeten verklaren, Bram. En dat betekent dat jij je bekend moet maken.'

'Geen enkel bezwaar. Ik schrok er even van dat je onze relatie hebt genoemd. Maar als ik eerlijk ben, vind ik dat het tijd wordt dat ik uit de anonimiteit treed. Er is niets waarover wij ons hoeven te schamen. Ik hou van je. De wereld mag het weten.' Ze hoort aan zijn stem dat hij geëmotioneerd is. 'Ik hoop dat hetzelfde geldt voor jou,' voegt hij aarzelend toe.

Buiten is het geluid te horen van een autodeur die wordt dichtgeslagen. 'Er komt iemand aan,' zegt Lilian. 'Ik bel je later. Ik wil je zien.'

29

Het is Ronald Kras. Hij kijkt ernstig. Lilian laat hem binnen en als ze voor hem uitloopt naar de woonkamer, merkt ze dat haar knieën knikken.

'Ik werd een halfuur geleden gebeld door Christina,' begint Ronald, zodra hij zit. 'Zij was in Amersfoort, ze stond voor de flat waar de secretaresse woont. Marjo van Dijk. Zo heet ze toch?' Hij wacht haar bevestiging niet af. Ze ziet dat zijn ogen snel door de kamer dwalen. Zoekt hij iets? Denkt hij soms dat Marjo hier ergens verstopt zit?

Ze biedt aan om koffie te zetten. Maar Ronald weigert. 'Ze was er niet of ze deed de deur niet open.' Het klinkt bijna beschuldigend. 'Christina is nu weer op weg naar hier. We willen graag wat meer te weten komen over Marjo. Misschien kun jij ons iets vertellen over wie zij is? Waarom ze zich schuil zou willen houden?'

Er komt een idiote gedachte in Lilian op. Marjo zit vast bij de kapper om mevrouw Dijkman te spelen. Inderdaad, een idiote gedachte. Die mededeling had ze toch naast zich neergelegd? Die heeft haar toch niet geraakt? Maar nu ze eraan terugdenkt, merkt ze dat die houding van Marjo haar buitengewoon ergert. Dat ze het een zieke vertoning vindt. Dat ze de zaak niet vertrouwt. Ze denkt aan wat Ivo vertelde. Rob had in Marjo een vertrouwelinge gevonden. Rob had die vertrouwelinge nodig. Hoe ver gingen die gesprekken? Heeft zij soms ergens met haar neus bovenop gestaan zonder iets in de gaten te hebben? Ze merkt dat Ronald haar zit te observeren. Wat zal díé nu weer denken?

Ze moet neutraal kijken. Wie weet op welke gedachten hij anders komt. 'Wat zei je precies? Je had het over schuilhouden. Ik heb nog nooit aan Marjo gemerkt dat ze zich ergens voor wilde verschuilen. Dus waarom zou ze het nu dan doen? Ze is niet geheimzinnig of ontwijkend. Ze vertelt juist graag over wat er in haar leven gebeurt.' Tot op een bepaalde hoogte, denkt ze. Ik wist niet dat ze een oogje had op Rob. Dat Rob haar beste vriend was. Ze had geen borsten, volgens Rob. Die vriendschap zal dus wel platonisch zijn geweest.

Ronald zegt niets. Lilian weet niet goed wat ze verder moet zeggen. 'We hadden niet dagelijks contact,' gaat ze verder. 'Ik weet uiteraard niet alles van haar. Was ze er niet? En wist ze dat Christina zou komen? Wacht eens even, kan er iets met Marjo's moeder aan de hand zijn? Die is al oud en mankeert altijd van alles. Misschien is ze bij haar moeder geroepen. Het is heel goed mogelijk dat het verpleeghuis heeft gebeld en dat Marjo acuut moest komen opdraven. Dat zal het zijn. Voor zover ik Marjo ken, komt ze haar afspraken na.' Is dat zo? denkt ze er achteraan. Ken ik Marjo op die manier? Het is een rommelige bende in haar hoofd.

'Gaat het een beetje?' informeert Ronald.

'Niet echt. Ik krijg mijn gedachten niet op orde.'

'Dat kan ik me voorstellen.' Hij is aardig. Hij kijkt vriendelijk en zijn medeleven klinkt oprecht.

'Ik weet niet wat ik op dit moment moet doen. Ik zal een begrafenis moeten regelen. Het personeel moet weten wat er aan de hand is. Of niet? Kunnen we het beter niet over moord hebben? Komt het in de krant? Dat vraag ik me af. En intussen zit ik een beetje doelloos het ene uur na het andere af te wachten. Zo lang er geen groen licht is gegeven om de uitvaart te organiseren, kan ik niets concreets beginnen. In mijn hoofd maalt alles door elkaar heen. Ik denk echt dat er iets aan de hand is met de moeder van Marjo. Anders zou ze heus wel thuis zijn.'

'Waarom heeft de bedrijfsleider haar naar huis gestuurd?'

Ronald is behoorlijk goed op de hoogte.

'Ze was volgens hem de kluts kwijt. Ze schijnt rare praatjes te hebben verkondigd in mijn richting. Beschuldigende praatjes. Maar dat was de schrik. Het kan niets anders dan de schrik zijn geweest. Marjo was dol op Rob. Ze had een heel vertrouwelijke positie in het bedrijf. Ze hadden een soort werkhuwelijk, moet je maar denken.'

'Verder niets?'

'Niet dat ik weet. Het interesseert me ook niet.'

Ronald leunt achterover. 'Maar het zal je toch wel interesseren dat ze je beschuldigt?'

'Het klinkt misschien vreemd, maar daar kan ik me niet druk over maken. Ik heb wel wat anders aan mijn hoofd.'

Er komt een geluid uit de binnenzak van Ronalds colbert. Hij haalt zijn mobiele telefoon tevoorschijn en meldt zich. Hij luistert.

Zijn gezicht staat opeens strak. 'Wát? Wannéér? Allemachtig!'

Lilian zit stijf van de schrik in haar stoel. Er is iets met Marjo gebeurd. Ze weet het zeker.

'Ik kom er direct aan,' zegt Ronald en klapt het toestel dicht. Hij komt overeind. 'Ik moet weg. We komen er later wel op terug.' Hij staat op.

'Is er iets met Marjo?' Ze houdt haar adem in. Ze voelt dat ze haar schouders te hoog ophaalt en ze strekt haar nek. 'Wat is er met Marjo?'

'Er is niets met Marjo, voor zover mij bekend. We komen er wel achter waar ze is.' Hij lijkt te aarzelen.

'Wat is er dán? Waarom moet je weg?'

'Ik kan het je maar beter vertellen. Anders lees je het straks in de krant. Ik ben bang dat daar nu niet meer aan te ontkomen valt. Er is een tweede melding binnengekomen van een onverklaarbaar overlijden in het ziekenhuis waar je man is vermoord. Het lijkt op dezelfde manier te zijn gegaan. Ik moet naar het ziekenhuis. Ik bel onderweg Christina wel. We komen later terug. Dit is een onverwachte wending; zoiets veroorzaakt veel paniek. Het kan wel even duren voordat we ons weer melden.'

'Heb je enig idee wanneer ik de begrafenis van mijn man kan gaan regelen?'

Ronald staat al bij de deur. Hij haalt zijn schouders op. 'Nog geen idee, sorry.' Het volgende moment is hij verdwenen. Lilian hoort hem in de gang tegen iemand praten. Er zijn meerdere stemmen. Ze luistert scherp.

Ivo. Wie is die andere stem? Dolf.

Ze wil dat ze weggaan. Ze wil naar Bram.

Ze wil ergens zijn waar niets is gebeurd.

30

Het is voorpaginanieuws. De pers is er direct op gedoken, de kranten staan er vol van. Vette koppen, schreeuwende teksten.

TWEEMAAL BINNEN 48 UUR ONNATUURLIJKE DOOD GEMELD IN HAARLEMS ZIEKENHUIS. GEEN ENKEL SPOOR VAN MOORDENAAR. ALLE AFDELINGEN OP SLOT.

HOE VEILIG ZIJN ONZE ZIEKENHUIZEN?

Lilian leest de ochtendkrant samen met Bram, terwijl ze aan het ontbijt zitten. Het is een druilerige dag, ziet ze. Aan de naakte takken van de bomen die achter in de tuin van Bram staan, hangen dikke druppels. De hele tuin is nat en kaal. Doods.

Ze rilt.

'Heb je het koud?' vraagt Bram bezorgd. 'Zal ik de verwarming wat hoger zetten? Kom eens hier.' Hij slaat zijn armen om haar heen en drukt haar stevig tegen zich aan. 'Kom maar hier,' fluistert hij. Ze blijft doodstil zitten.

Bram laat haar los en kijkt haar ernstig aan. 'Je hebt er toch geen spijt van dat je gekomen bent?' Hij lijkt onzeker.

'Nee, hoor. Ik ben blij dat ik gekomen ben. Ik weet niet waar ik het moet zoeken in mijn eigen huis. De muren komen op me af. Ik voel overal nog iets van Rob, het lijkt wel of hij om me heen zweeft. Of zijn ogen me volgen, of hij achter iedere deur kan staan. Ik word er beroerd van.'

'Dat verandert als hij eenmaal is begraven.'

'Hoe bedoel je?'

'Zulke gevoelens zijn heel normaal als je lang met iemand samen in hetzelfde huis hebt gewoond. Die andere persoon is net als jij met het huis vergroeid. Daar moet je afstand van nemen. Een begrafenis is een daad van afstand nemen.'

'Je hebt het nu over je moeder.'

'Ja, ik moet daar opeens sterk aan denken. Toen ze net was overleden, kwam ik haar overal in huis tegen. Ik trof haar achter iedere deur, zelfs in mijn bed. Ik ben toen een paar nachten in een hotel gaan slapen.'

Lilian is onthutst. 'Was het zó erg?'

'Ik heb veel te lang bij mijn moeder gewoond. Maar dat besefte ik pas toen ze er niet meer was.'

Ze kent het verhaal. Bram is daar vanaf het begin dat ze begonnen met chatten heel open over geweest. Ze kon het maar beter direct weten, schreef hij, ze had te maken met een moederskind. Hij had zijn vader nooit gekend, omdat die al was overleden voordat hij geboren werd. Hij was opgevoed door zijn moeder en ze hadden een sterke relatie met elkaar. Een symbiose van het zuiverste water. Pas na haar dood begon hij interesse te krijgen voor vrouwen van zijn eigen leeftijd. Maar toen haalde hij de schade dan ook dubbel en dwars in. Met desastreuze gevolgen. Hij richtte zich steeds op foute vrouwen en had intussen de nodige klappen gehad. Toch bleef hij ervan overtuigd dat er ergens een vrouw rondliep met wie het kon klikken. Ze werd getroffen door de eenzame ondertoon in zijn verhaal. Ze verwachtte diezelfde eenzame uitstraling te ontmoeten, toen ze voor de eerste keer een afspraak maakten in een café. Maar ze trof een krachtige, humoristische en vooral attente man. Een totaal andere man dan ze in gedachten had.

Een man met vrolijke ogen. Een trotse man. Een onafhankelijke man.

Geen moederskindje.

Ze streelt zijn gezicht. 'Ook al heb jij dan in je eigen ogen te lang bij je moeder gewoond, dat neemt niet weg dat je een geweldige man bent geworden. Ik voel me thuis bij jou. Je bent voor mij...' Ze begint te huilen. Bram omklemt haar stevig. Hij kust haar haren en wrijft over haar rug. Lilian wil stoppen met huilen maar het lukt niet. De bui knalt eruit. Het lucht op en tegelijk verwondert ze zich erover.

Waarom huilt ze eigenlijk?

'Tegenstrijdig, hè?' Bram streelt haar rug. 'Je gelukkig voelen in de armen van je maatje, terwijl je eigen man nog niet is begraven? Ik begrijp het wel. Het geeft niet. Het betekent dat je trouw bent. Een beetje onbehoorlijk trouw, dat wél. Maar het siert je.' Hij neemt haar gezicht tussen zijn handen. 'Daarom hou ik zoveel van je. Omdat je trouw bent. Omdat ik op je kan bouwen. Zo voelt het. Veilig. Thuis. Het was niet de bedoeling dat het op deze manier ging, dat weten we allebei. Maar het is gebeurd. Er loopt blijkbaar een gek rond die ziekenhuizen binnensluipt en mensen vermoordt. Rob was op het verkeerde moment op de verkeerde plaats. Dat spijt me voor hem.'

Ze knikt en veegt de tranen van haar wangen. 'Dat spijt mij ook. Ik had hem een lang leven gegund.'

'Het is niet jouw schuld, lieverd. Zet het schuldgevoel van je af. Laat me toe in je leven. Je zult er nooit spijt van krijgen.'

Ze strijkt met haar voorhoofd langs Brams gezicht. Hij heeft gladde wangen. Hij voelt zacht aan.

Hij kust haar. Eerst licht en speels maar al snel heel heftig.

Ze voelt zijn tanden. Hij neemt haar mond in bezit. Haar lijf ontspant zich. Hij knoopt haar badjas los. Zijn mond zoekt haar buik en dwaalt verder naar beneden. Zijn vingers strelen haar tepels. Hij trekt haar mee, in de richting van de grote bank en laat haar liggen. Haar lijf schokt. Ze geeft zich over. Ze wil nergens aan denken. Ze houdt haar ogen open en kijkt naar de man die met haar vrijt.

Ze weet dat het Bram is.

Maar ze denkt aan Rob.

31

Lilian heeft met Ivo en Dolf afgesproken dat ze het personeel van alle filialen vanavond om acht uur zullen ontmoeten in de kantine van hun bedrijf in Haarlem. Dolf rekent op veel belangstelling en heeft de catering daarop aangepast. Er zijn al heel veel brieven en kaarten bezorgd met condoleances. De medewerkers blijken allemaal erg geschokt te zijn door de dood van Rob. Maar er wordt wél veel gespeculeerd, heeft Dolf verteld. Daarom is het verstandig om opening van zaken te geven. Hij is vooral onder de indruk van de hetze die Marjo nog steeds lijkt te willen aanwakkeren. Een hetze tegen Lilian. Dat brengt mensen in verwarring, volgens hem. Ze hebben het gevoel dat ze moeten kiezen. En dat willen ze eigenlijk niet. Dat geldt voor de meeste personeelsleden. Maar je moet natuurlijk altijd rekening houden met meelopers en oproerkraaiers. Dolf snuift als hij het erover heeft. 'Stank voor dank krijg je,' briest hij. 'Ook al voer je nog zo'n fatsoenlijk personeelsbeleid en sta je altijd klaar voor je mensen, je hebt er toch steeds van die gasten tussen zitten die helemaal kicken op een rel. Ik begrijp dat niet. Het irriteert me mateloos. Als het aan mij lag, zouden ze vandaag nog in een exittraject terechtkomen.'

Lilian reageert niet. Ze heeft een paar minuten geleden haar voicemailberichten afgeluisterd en probeert nu Ronald Kras te bereiken. Hij heeft ook een bericht ingesproken. Het was een verzoek om hem terug te bellen.

Ivo is nogal zwijgzaam. Lilian heeft de indruk dat hij haar

kwalijk neemt dat ze twee nachten achter elkaar bij Bram heeft geslapen. Toen ze hem belde om te vertellen dat ze nog een nacht bleef, was hij kortaf. Niet onvriendelijk maar weinig toegankelijk. Ze heeft hem het mobiele nummer van Bram gegeven, voor het geval dat Ivo haar zou willen bellen en geen verbinding kon krijgen met háár nummer. Meer kon ze niet doen, dacht ze. Ze heeft zich door Bram laten overhalen om te blijven. Het was de keuze uit twee discutabele mogelijkheden, wist ze. Thuis zijn en de muren op zich zien afkomen of bij Bram blijven waar ze veel moeite moet doen om haar schuldgevoel op een afstand te houden. Ze wil niet alleen zijn en ze kan niet van Ivo verwachten dat hij de hele dag bij haar is. Er moeten lopende zaken worden afgehandeld. Eigenlijk kan háár hulp in de winkel ook niet gemist worden. Maar ze wil niet naar de zaak.

Nog niet. Later weer. Of misschien ook niet.

Ze komt er niet uit.

Ronald neemt direct op. 'Fijn dat je terugbelt. Ik vertelde je al dat het even zou duren voordat we weer contact zouden opnemen. We zijn druk bezig met het onderzoek van de tweede moord. Maar ik heb in ieder geval het groene licht gekregen om het lichaam van je man vrij te geven. Dat betekent dat jullie de begrafenis of de crematie kunnen gaan plannen en dat je zaken mag gaan doen met een uitvaartorganisatie. Het lichaam kan dan vervoerd worden.'

'Het wordt een begrafenis,' zegt Lilian. Een tamelijk overbodige opmerking, vindt ze zelf. 'We hebben vanavond een bijeenkomst voor het personeel. De mensen zijn nogal onrustig. Ze weten niet waar ze aan toe zijn. We zijn van plan om gewoon open kaart te spelen.'

'Dat lijkt me verstandig. Heb je er bezwaar tegen als er een rechercheur van ons team aanwezig is?'

De vraag overvalt haar. 'Eh, ik weet het niet. Waarom?'

'Het kan belangrijk zijn; we houden overal rekening mee.' Ze vindt het een cryptisch antwoord.

'Zo iemand is op een heel discrete manier aanwezig. Niemand zal het in de gaten hebben. Verwacht je veel mensen?'

'Ze komen van alle filialen. We hebben vier zaken. In Haarlem, in Amsterdam-Noord, in IJmuiden en in Zaanstad. We verwachten een volle bak.'

'Niemand zal in de gaten hebben dat er politie aanwezig is,' herhaalt Ronald.

Lilian ziet dat Ivo en Dolf aandachtig luisteren naar wat zij zegt. Ze houdt even haar hand op het microfoongedeelte van de telefoon. 'Hij vraagt of het goed is dat er vanavond een rechercheur aanwezig is, in het kader van het politieonderzoek.'

Ivo en Dolf knikken.

'Oké,' zegt ze tegen Ronald.

'Je weet nooit waar het goed voor is,' oppert Dolf. Hij vermijdt oogcontact met haar.

32

De kantine puilt uit. Lilian vindt het een benauwende gedachte dat er zóveel mensen in deze ruimte zijn. Ze moet er niet aan denken dat er nu brand uitbreekt. Dolf kijkt ook bedenkelijk. 'Hiermee kunnen we grote moeilijkheden met de brandweer krijgen,' zegt hij. 'We hadden een andere ruimte moeten organiseren.'

Ivo heeft een beter idee. 'We verplaatsen de bijeenkomst naar de winkel. Dan moeten de meisjes van de catering wat verder lopen. Het zij zo. Maar in de winkel is veel meer plaats. En we kunnen gewoon de geluidsinstallatie van de kassa's gebruiken.'

'Hij heeft gelijk,' valt Dolf hem bij.

Lilian ziet hem fronsend in de richting van de deur kijken en volgt zijn blik. Marjo is binnengekomen. Ze is bleek. Haar gezicht staat strak, er zitten enorme wallen onder haar ogen. Ze ziet eruit alsof ze drie nachten niet geslapen heeft.

'Allemachtig,' mompelt Ivo, 'wat is er met háár gebeurd? Ik wist niet dat ze ook zou komen.'

'Dat was ook niet de bedoeling,' antwoordt Dolf. Hij wil in de richting van Marjo lopen maar Lilian houdt hem tegen. 'Laat haar maar. Ze is personeel. We gaan geen rel uitlokken. Ik zal haar wel onder mijn hoede nemen.' Ze loopt recht op Marjo af en zorgt ervoor dat ze vriendelijk kijkt. Ze neemt Marjo bij haar arm. 'Fijn dat je er bent. Kom bij ons zitten. Je hoort erbij.'

Op hetzelfde moment ziet ze het. Ze staart. Haar mond valt een beetje open.

Marjo draagt dezelfde rok die zijzelf een paar weken geleden heeft gekocht in de vooruitverkoop. Een lange, wijde, voile zwarte rok met een lila print. En op de rok draagt ze ook hetzelfde zwarte T-shirt dat zij kocht met hetzelfde oudroze korte jasje. Ze heeft alleen een grotere maat. Het scheelt drie maten, weet Lilian. Ze herinnert zich dat ze haar aankoop aan Marjo liet zien, toen ze op het einde van de dag samen koffiedronken. Marjo wilde weten of zij nog nieuwe kleren had gescoord en waar.

Betekent dit dat Marjo daarna naar dezelfde winkel is gegaan en ook dezelfde outfit heeft gekocht? Ze realiseert zich dat ze staat te staren. Ze kijkt weg van de vrouw die voor haar staat en nodigt haar met een hoofdbeweging in de richting van Ivo en Dolf uit om haar te volgen. Maar Marjo blijft staan. Lilian voelt een venijnige blik op haar gericht. Ze kijkt Marjo weer aan. Ze ziet niets dan haat.

Ze deinst ervan terug. 'Wat is er aan de hand, Marjo?' stamelt ze.

'Dat zal jíj niet weten.'

'Nee, ik weet niet wat je bedoelt.'

'De politie wilde me spreken.'

'Ja. Je was niet thuis, hoorde ik. Er is toch niets aan de hand met je moeder?'

'Mijn moeder ligt in het ziekenhuis. Ze heeft weer eens een hartaanval gehad. Maar ze peppen haar weer op, zoals gewoonlijk. Mijn moeder zullen we moeten doodknuppelen, anders gaat ze niet. Of doodspuiten. Hoe deed je het ook alweer? Met kaliumchloride, is het niet? Kun je ook niet even bij mijn moeder langsgaan?'

'Zo is het wel genoeg,' zegt Dolf. Hij is naast Lilian komen staan. 'Beheers je een beetje. Of ga liever weg. Ik heb je toch gezegd dat ik je hier niet wil zien voorlopig?'

'Ben jij tegenwoordig mijn baas? Ach kijk, dat kan natuurlijk ook nog. Dat ik daar niet eerder aan dacht. Dolf de weduwnaar met Lilian de weduwe. Perfect koppel. Jammer dat ze al een ander heeft, hè?'

Dolf knippert met zijn ogen. 'Ik weet niet waar jij het over hebt. Maar ik verzoek je toch vriendelijk om te vertrekken. We zijn hier om ernstig maar vooral rustig met het personeel te praten. Niemand heeft vanavond behoefte aan ruzie, aan verdachtmakingen of aan beledigingen. Ga naar huis, Marjo. Ga met iemand praten die je vertrouwt. Zoek hulp. Volgens mij heb je dat nodig. En zorg ervoor dat je een tijdje niet alleen bent.'

'Rob is dood. Ik zal altijd alleen zijn.' Marjo richt zich weer op Lilian. 'Ik hield van hem. Ik vertrouwde hem. En hij vertrouwde mij. Hij was helemaal klaar met jou. Hij knapte pas echt af toen je met die vriend van je aanpapte. Dat chatvriendje. Rob was niet gelukkig met jou. Hij had gelukkig kunnen zijn met mij. Ik had hem bijna zover dat hij dit inzag.' Ze zwijgt en slikt een paar keer. Lilian ziet dat ze tranen in haar ogen heeft. 'Jij gaat niet vrij uit. Reken er maar op dat ik dat ga tegenhouden. Jij leeft niet vrolijk verder met die nieuwe vlam van je. Dat mannetje dat pas aan vrouwen begon toen zijn moeder was overleden. Zulk soort schiet er dus over voor jou. Maar niet lang meer. Ik ga wel weg. Ik zal me melden bij de rechercheur die mij niet thuis trof. Ik wil geen politie over de vloer. Ik spreek hen liever op het bureau. Ik heb interessante informatie. En ik zal geen spaan van jou heel laten.' Ze draait zich om en loopt snel de deur uit.

Lilian en Dolf staren elkaar aan. Dolf herstelt zich als eerste. 'Waar ging dit over?'

'Nergens over.' Lilian loopt terug naar Ivo die met enkele mensen staat te praten. De meeste personeelsleden zijn al naar de winkel gegaan. 'We moeten beginnen,' zegt ze kortaf. 'Ga jij openen?'

Ze lopen samen naar de winkel.

'Wat was dat met Marjo?' wil Ivo weten.

'Niets bijzonders. Ze is doorgedraaid. Dolf heeft haar weer weggestuurd.' Lilian zorgt ervoor dat haar stem neutraal klinkt. Geen paniek, denkt ze. Ik laat me niet opfokken. Maar ze kan enkele zinnen die Marjo uitsprak niet uit haar gedachten krijgen. *Jij leeft niet vrolijk verder met die nieuwe vlam van je. Dat mannetje dat pas aan vrouwen begon toen zijn moeder was overleden.*

Wat weet Marjo van Bram? Kent ze Bram? Kent Bram Marjo?

Hij knapte pas echt af toen je met die vriend van je aanpapte. Dat chatvriendje.

Wist Rob dat zij met Bram omgaat? Wist hij dat ze hem heeft leren kennen via internet? Maar hoe kon hij dat weten?

Ze ziet dat er veel personeelsleden naar haar kijken. Ze knikt vriendelijk in hun richting en zorgt ervoor dat ze oogcontact heeft. Marjo is zichzelf niet, denkt ze. Ze was dus wel degelijk verliefd op Rob. Ze had verwachtingen over een toekomst met hem. En van het ene op het andere moment is ze alles kwijtgeraakt. Dat zal een enorme schok voor haar zijn. Dit trekt ze geestelijk niet.

Logisch.

Marjo is tijdelijk gek. Gewoon gek. Ontoerekeningsvatbaar.

Ze denkt aan de kleren die Robs secretaresse droeg. 'Bizar,' mompelt ze. 'Ziek.' Zou ze dat vaker hebben gedaan? Dezelfde kleren kopen als de vrouw van haar baas? Gaat ze in die kleren naar de kapper in Amersfoort, waar ze als klant staat ingeschreven onder de naam Dijkman? Zou ze ook een abonnement hebben op *Linda*? Gebruikt ze soms hetzelfde merk make-up? Harst ze ook haar benen? Leest ze dezelfde boeken? Lilian realiseert zich dat Marjo haar vaak vraagt waar ze mee bezig is, waar ze van houdt en wat ze van plan is te kopen. Eigenlijk is het geen kwestie van vragen stellen.

Het is uithoren.

Ivo staat achter de microfoon. Hij tikt tegen het ding en vraagt om stilte. Lilian kijkt naar hem. Achter haar hoort ze iemand fluisteren dat Ivo ongelooflijk veel op zijn vader lijkt. Ze knikt.

Ze glimlacht.

Als hij zijn verhaal begint te vertellen, dwalen Lilians ogen door de winkel. Ze kent niet alle personeelsleden uit de filialen. Daarom weet ze niet wie nu precies de rechercheur is die Ronald zou sturen. Denkt de politie dat de moordenaar van Rob hier vanavond aanwezig kan zijn?

Lilian voelt dat haar hele lijf begint te trillen. Dolf trekt haar opzij. 'Ga even zitten,' zegt hij. 'Heb je het zo koud? Ik haal een kop koffie voor je.'

Hij is aardig, denkt ze, als ze hem nakijkt. Gewoon aardig. Verder niets.

33

Als een mens langer dan vijf dagen dood is, begin je het verval al te zien. Na vijf dagen hoor je mensen die komen kijken vaak zeggen dat de dode minder op zichzelf lijkt dan voorheen. Ingevallen wangen, dunne vingers, het lichaam is op weg om niet meer dan een skelet te worden.

Botten. Kale, lege botten. Als vlees, vet en spieren verdwenen zijn, lijken alle mensen op elkaar. Dat vind ik een merkwaardige gedachte. Het bewijs van de volslagen gelijkwaardigheid van alle menselijke lichamen.

Het universele skelet.

Hij lag onder een laken en was naakt. Er zat een gehechte snee vanaf zijn keel tot onder aan zijn buik.

Er hing kleding klaar. Een set wit ondergoed. Gloednieuw. Een spierwit overhemd. Een onberispelijk kostuum. Donkergrijs met een licht krijtstreepje. Een effen lichtgrijze das.

Donkergrijze sokken en zwarte schoenen. Hij moest schoenen aan.

Belachelijk, schoenen. Net als een bril. Soms wil familie dat een overledene die brildragend was, ook in de kist die bril draagt.

Ze zien niets meer. Ze lopen geen centimeter meer. Maar toch schoenen aan en een bril op. Ik zeg er niets van. De klant is koning. Dat denkt de klant.

Ik ben de koning. Ik kan doen wat ik wil. Ik kan het onder-

goed achterwege laten. Een dildo in de broek verstoppen. Het schaamhaar afscheren. Of verven. Knalrode nagellak op mannelijke teennagels smeren.

Maar dat doe ik niet. Nooit. De kick zit juist in de mogelijkheid dat ik het zou kúnnen doen.

Meestal praat ik, als ik bezig ben. Ik vertel een schuine mop. Niet te schuin, net op het randje. Je weet niet wat ze nog zien of horen. Of de geest nog ergens in de buurt is. Je moet die geest niet boos maken.

Maar zondag heb ik gezwegen. Geen schuine moppen getapt. Alles was al gezegd.

Hij lag er mooi bij. Ik heb zijn ingevallen wangen wat opgevuld. Zijn haren gewassen, hem heel zorgvuldig geschoren.

Het pak stond hem goed.

Hij wordt als heer begraven.

34

Het personeel is geschokt, iedereen heeft behoefte om te praten. Men reageert heel divers. Lilian vangt intens verdriet, ongeloof en verbijstering op. Maar ook woede.

'Die dader vinden we, wat er ook gebeurt,' zegt een man die in een van de filialen werkt. Lilian kent hem wel maar ze kan niet op zijn naam komen. Hij ziet er keurig uit. Lilian vermoedt dat hij zich voor deze gelegenheid speciaal heeft gekleed. Hij benadrukt het nog een keer. 'We vinden hem. En dan... er blijft geen spaan van hem heel.'

'Doe nu rustig,' adviseert zijn vrouw die naast hem staat. 'Dat is het werk van de politie en van de rechtbank. Daar moeten wij ons niet mee bemoeien. Geen eigen rechter gaan spelen, hoor je me?'

'Hou toch je kop.' De man beent met grote stappen weg.

De vrouw staart hem na. Dan richt ze zich tot Lilian. 'Het komt door het verleden,' legt ze uit. 'Zijn jongste broer is tien jaar geleden van zijn brommer gerukt, toen hij 's avonds op weg was naar huis. Hij werkte bij McDonald's. Hij zat nog op school en hij werkte daar twee avonden per week. Hij is toen zó erg mishandeld dat hij in coma raakte en later aan zijn verwondingen is overleden. Ze hebben de daders nooit gevonden. Dat kan mijn man nog steeds niet verkroppen. En nu dit. De dood van meneer Dijkman. Wéér een moord zonder dat men weet wie de dader is. Hij was erg op meneer Dijkman gesteld. Zoiets brengt veel naar boven, begrijpt u wel?' Ze loopt haar man achterna. Lilian ziet dat ze op een beschermende manier haar arm om zijn schouder legt en hem tegen zich aandrukt.

Hij laat het toe.

Lilian verlangt naar Bram. Ze voelt zich tussen al deze geschokte en verdrietige mensen hopeloos eenzaam.

Buitengesloten.

Is dat zo? vraagt ze zich af. Word ik buitengesloten? Of zet ik mezelf buiten spel? Wil ik hierbij horen? Terwijl ze het zich afvraagt, weet ze het antwoord.

'Waar denk je aan?' Dolf staat naast haar. Hij legt heel licht een hand op Lilians arm. 'Waar sta je over te piekeren?'

Hij ruikt heerlijk.

'Hoe heet de aftershave die je gebruikt?' Ze schrikt van haar eigen vraag. Het lijkt of ik flirt, denkt ze.

Hij lacht. 'Het is een zware geur. Mijn vrouw vond hem te zwaar. Maar ik gebruik hem graag. Het is Anthaeus. Van Chanel.' Zijn gezicht is vlak bij dat van haar. Zijn ogen houden die van haar gevangen. 'Mooie geur,' zegt ze kort en draait zich om. Ze kent die naam. Anthaeus. Madeleine kocht hem altijd voor haar man. Maar ze wil op dit moment niet aan Madeleine denken.

35

'Dat stuk met wie ik tegenwoordig chat, die getrouwde man, daar moet ik je iets interessants over vertellen.' Madeleine keek samenzweerderig, vond Lilian.

Ze zaten op het terras bij het IJspaleis in Santpoort-Noord. Madeleine had haar gebeld en gevraagd of ze daar naartoe wilde komen. 'Ik ben naar de crematie geweest van een vrouw die op de afdeling van Rinus woonde,' zei ze. Haar stem klonk verdrietig. 'Die vrouw had ook Parkinson. Het heeft me nogal aangegrepen. En nu wil ik ijs eten. Een grote coupe. Maar niet in mijn eentje. Wil je komen? Ik trakteer.'

IJs eten verdrijft je sombere gevoelens, meende Madeleine. 'Ik ga hier altijd heen, als ik me rot voel. Ik kom hier regelmatig. Ze zijn geopend van maart tot begin oktober. In de winter koop ik ijs bij Appie. Hertogijs. Altijd Hertogijs. Ik kan rustig een hele bak achter elkaar leegeten als ik de pest in heb. En daarna moet er natuurlijk weer twee dagen extra gesport worden. Ik leer het nooit,' zuchtte Madeleine.

Lilian vond deze uitleg aandoenlijk. Ze bestudeerde de ijskaart en twijfelde welke coupe ze zou nemen. Madeleine raadde een coco rico aan. Ze smulden.

'Wat is er met die getrouwde man?' informeerde ze.

'Dat is jouw Rob.'

IJs smaakt niet meer als vroeger, sinds die middag in het IJspaleis. Lilian is er later nog met Ivo geweest, ze kwamen er langs en Ivo kreeg opeens een onbeheersbare trek in wat hij een caloriebom noemde. Hij nam een dame blanche. Gelukkig maar. Zij hield het bij een wafel hazelnootijs met slagroom. Het was lekker. Het is een goede ijssalon. Maar ijs smaakt toch niet meer zo als vroeger. Dat heeft met de herinnering aan die middag met Madeleine te maken. Het werd de laatste keer dat ze elkaar spraken. Lilian knapte gigantisch af.

Ze luisterde verbijsterd naar het verhaal dat haar vriendin wat besmuikt lachend vertelde. 'Ik had het in het begin niet in de gaten. We gebruikten andere namen. Hij noemde zich Bor. Hij heeft zijn naam dus omgekeerd.'

Ze luisterde. Ze kon geen woord uitbrengen. Het ijs rommelde in haar maag. Haar keel was dichtgeknepen.

Madeleine merkte het niet. Ze likte haar lepel af en kondigde aan dat ze best nog een coco rico zou lusten. 'Maar dat doe ik niet. Ik groei straks helemaal dicht. Zullen we koffie nemen?'

Lilian bedankte.

Madeleine bestelde koffie voor zichzelf. 'Nu weet je het. Ik dacht dat ik dit maar het beste gewoon aan je kon vertellen. Maar je hoeft je geen zorgen te maken, hoor. Ik ga hem niet van je wegkapen. Al zul je daar waarschijnlijk geen bezwaar tegen hebben. Jij hebt Bram nu toch?'

Ze kreeg weer lucht. 'Jij hebt Rob toch niets verteld over mij of over wie ik ontmoet?'

'Ben je mal? Natuurlijk niet. We praten eigenlijk nauwelijks over onze eigen huwelijken. Die staan hier ook buiten. Je weet ook dat ik geen vaste relatie aanga, zolang mijn man leeft. Als ik merk dat een man dat van mij verwacht, stop ik direct. Rob is daar ook niet mee bezig.'

Ze keek naar haar vriendin. Ze herkende haar opeens niet meer. Niets in het vertrouwde gezicht kwam haar nog bekend voor.

Wie ben jij? wilde ze vragen. Waar kom je vandaan? Wat moet je van me?

Het was een zonnige dag. Een dag die goed was begonnen. Ze had samen met Rob ontbeten. De stemming was vreedzaam. Hij had belangstellend geïnformeerd wat ze van plan was te gaan doen. Ze hadden een week vrij genomen. Even bijkomen. Geen verplichtingen hebben. Ze waren een dag eerder samen naar Amsterdam geweest. Rob wilde naar het Rijksmuseum en Lilian was in de tussentijd naar de P.C. Hooftstraat gegaan. Etalages kijken. Dure kleren passen. Ze had niets gekocht.

Rob zou nog een dag met een vriend op stap gaan. Zeevissen. En hij wilde ook nog een dag naar een oude schoolvriend die in Joure woonde. Lilian was van plan om Madeleine uit te nodigen voor de speciale vrouwenavond in bioscoop Brinkmann. Ladies night. Er draaide een romantische comedy, die haar leuk leek. Er waren in de pauze demonstraties van kleding en make-upartikelen en er werden hapjes en drankjes geserveerd. De ladies night was die week op vrijdagavond. Ze had al kaarten gereserveerd.

Maar ze vroeg Madeleine niet mee. Ze vroeg niets. Ze zei niets.

Het enige wat ze kon doen was staren.

'Je bent boos,' constateerde Madeleine. 'Waarom ben je boos?'

'Ik begrijp dit niet.'

'Wat begrijp je er niet aan?'

'Dat je dit doet. Dat je het me vertelt.'

'Ik doe toch niks. Ik chat. Ik wissel van gedachten met een man. Ik ben alleen digitaal intiem, tot nu toe.'

'Tot nu toe. Maar dat begrijp ik al niet. Het gaat om de man van je vriendin. Hoe weet je eigenlijk dat hij het is?'

'Dat ontdekte ik toen hij vertelde dat hij in Haarlem woont, directeur is van een grote meubelzaak, zijn vrouw meewerkt in de zaak en hij een zoon heeft. Een en een is twee, denk ik?'

'Heeft hij niet in de gaten wie jíj bent?'

'Het begint hem duidelijk te dagen. Maar hij heeft nog geen directe vragen gesteld. We houden het nog even spannend.'

'Waarom ga ermee door? Het is míjn man.'

'Die zich al jaren niet meer als liefhebbende echtgenoot gedraagt. Kom nou, Lilian, laten we elkaar geen mietje noemen.'

Lilian keek weg. Ze kon het gezicht van Madeleine opeens niet meer verdragen. Haar gedachten vlogen alle kanten uit.

'Wat maakt dit zo moeilijk?' wilde Madeleine weten.

'Ik voel me verraden.'

Dat was het, wist ze. Het was verraad. Zoiets doe je niet. Je gaat niet zitten flirten met de man van je vriendin. Ze zei hardop wat ze dacht.

Madeleine veegde haar mond af met een servet. 'Je bedoelt dat jíj dat nooit zou doen. Maar jij bent míj niet. Ik vind dat je het nogal opblaast. Eet je ijs eens op. Het smelt.'

De ijscoupe van Lilian stond verloren op tafel. Halfleeg. Ze schoof de coupe van zich af en stond op. 'Ik ben weg.'

Ze liep snel naar buiten en rende bijna naar haar auto.

Sinds die middag heeft ze geen contact meer gehad met Madeleine. Ze gaat nu naar een andere sportschool en Madeleine stuurt geen mailtjes meer, nadat Lilian de drie berichten die ze kort na elkaar kreeg niet beantwoordde. In het begin miste ze haar vriendin, meer dan ze wilde. Maar na een tijdje werd dat minder, ook doordat de relatie met Bram intenser werd. Ze weet niet of het uiteindelijk tot een ontmoeting is gekomen tussen Rob en Madeleine. Ze wil het ook niet weten. Het doet er niet meer toe. Madeleine is passé. Het was leuk, zolang het duurde. Soms, als ze een beetje te veel gedronken heeft, wil ze nog wel eens de telefoon pakken en Madeleine bellen. Dan wint het relativerende deel in haar hoofd het van de woede en het verraden gevoel. Maar iedere keer doet ze het op het laatste moment toch niet.

36

Ivo heeft Lilian meegenomen naar een rustig hoekje. Er zijn al veel mensen vertrokken. Dolf zit nog na te praten met een kleine groep. Hun gezichten staan ernstig. Een jonge vrouw kan niet ophouden met huilen. Dolf klopt haar op de rug.

Lilian kijkt ernaar maar het dringt nauwelijks tot haar door wat ze ziet. Ze vraagt zich af wat ze eigenlijk denkt, op dit moment. Hoe ze aan dit gruwelijk verloren gevoel komt. Waarom ze ondanks alles nog steeds naar Rob verlangt. Hij is nota bene dood. Er vált helemaal niets meer te verlangen. En ook al zou hij leven, zij heeft Bram. Haar toekomst ligt bij Bram. Het is volslagen idioot om nog na te denken over Rob. Ze neemt zichzelf haar eigen gevoel kwalijk.

Ivo heeft een glas rode wijn voor haar neergezet. Zelf drinkt hij water. Hij kijkt Lilian aandachtig aan. 'Je hoeft dit allemaal niet in je eentje op te lossen, ik ben er ook nog.'

Lilian weet niet goed wat ze hierop moet antwoorden. Op dit moment weet ze helemaal niets meer, lijkt het. Deze situatie is te absurd voor woorden. Ze zou het liefste de deur uitlopen en alles en iedereen achter zich laten. Zelfs Bram.

Dolf heeft de mensen met wie hij zat te praten naar de deur begeleid en komt nu op Lilian af. Hij strijkt met een hand over haar hoofd. 'Gaat het wel goed met je?'

Ze reageert niet op zijn vraag. Ze volgt met haar ogen de bewegingen die Ivo maakt. Hij staat met een meisje te praten. Hij haalt zijn vingers door zijn haar. Dat deed Rob ook altijd.

'Wat lijkt hij op Rob,' zegt ze. 'Rob streek ook altijd op die manier met zijn vingers door zijn haar, stond ook vaak in die houding, met zijn ene been om het andere geslagen.'

Dolf draait zich naar haar toe en kijkt haar ernstig aan. 'Ivo lijkt fysiek heel erg op zijn vader. En inderdaad, hij loopt en staat ook in dezelfde houding. Maar verder is hij duidelijk een zoon van zijn moeder. Heel erg duidelijk. Hij heeft jouw oogopslag, Lilian. Jouw lach. Jouw belangstelling voor mensen. Jouw humor. Jouw aardige kanten. Jouw principes. Ivo lijkt in veel opzichten heel erg op jou. Daar kan je trots op zijn.'

Ze voelt dat ze geëmotioneerd raakt. Ze kijkt hem een beetje hulpeloos aan. 'Pas op, ik ga huilen.'

'Dat is niet verboden. Je bent niet de enige. Je hebt er recht op en reden toe.'

'Dat vraag ik me af. Het is een wirwar in mijn hoofd. Ik ben heel erg verliefd op een andere man. Ik voel me prettig bij hem. Ik wil met hem verder. Dat had ik al besloten en dat besluit blijft overeind. Hoe kan ik dan toch zo van slag zijn door de dood van Rob?'

Dolf vertrekt geen spier. 'Dus het klopt dat je een vriend hebt. Dat wilde ik eerlijk gezegd niet geloven.

'Je keurt het af.'

'Ik heb er niets mee te maken.' Hij kijkt langs haar heen. Zijn ogen staan boos.

'Het is een aardige man,' zegt Lilian zacht.

'Dat ben ik ook.' Nu kijkt Dolf haar aan. De blik in zijn ogen verlamt haar.

37

'Ik heb de kleding voor Rob naar het mortuarium gebracht,' vertelt Lilian. 'Ivo en ik hebben samen ook nog een set nieuw ondergoed voor hem gekocht en nieuwe sokken. We vonden het eerlijk gezegd allebei een vreemde actie van onszelf. Maar toch konden we het niet laten. Het moet. Rob moet nieuw ondergoed aan in de kist. En ook nieuwe sokken. Ik was nog van plan om ook een nieuw overhemd te kopen, maar er hing er nog een in de kast dat hij maar één keer gedragen heeft en dat hij zelf erg mooi vond. En het pak dat hij zal dragen is ook vrijwel nieuw. Hij heeft het voor het laatst gedragen tijdens de eindejaarsreceptie, nu bijna een jaar geleden.'

Bram bekijkt haar met een peinzende blik. 'Ik denk dat het bij jullie rouwproces hoort. Het is jullie laatste kans om voor hem te zorgen. Zoiets stel ik me daarbij voor. Ik begrijp wel dat je wil dat hij er mooi uitziet. Ik zou hetzelfde reageren, denk ik.'

'Het is toch een gok. Rob en ik hebben het er samen nooit expliciet over gehad. We hadden nooit verwacht dat het al nodig zou zijn. Ik weet alleen zeker dat Rob begraven wil worden. Bij zijn ouders. Het is een graf voor drie personen.' Lilian kijkt langs Bram. Ze wil niet dat hij ziet dat ze tranen in haar ogen heeft.

'Daar kun jij dus niet meer bij,' zegt hij. 'Maar dat zul je ook niet van plan zijn geweest.'

'Nee. Natuurlijk niet.' Ze wil er verder niet meer aan denken. Dat heeft ook geen enkel nut. Rob was heel duidelijk in zijn besluit dat hij bij zijn ouders begraven wilde worden. Hij hoorde bij hen, was zijn verklaring. Hij was uit hen geboren. Door te kiezen voor een plek in hun graf, toonde hij zijn ouders dat hij van ze hield.

Ze stelde geen vragen en gaf geen commentaar. Ze weigerde om er diep over na te denken. Dat lukte steeds, tot nu. Nu moet ze hem gaan begraven en opnieuw erkennen dat ze geen belangrijke plek had in zijn leven. Dit is de laatste hindernis die ik te gaan heb, denkt ze. Als ik eerder was gescheiden, zou dit me bespaard zijn gebleven. Maar ik ben niet gescheiden. Flinke meid zijn. Even op de tanden bijten. Binnenkort is het voorbij. Ik ga een nieuw leven beginnen.

Bram moppert. 'Ik kan aan de gang blijven. Nu ligt er wéér stof op de televisie.' Hij veegt het geërgerd weg. Hij moppert wel vaker over de bewerkelijkheid van een oud huis. Er valt volgens hem niet tegenaan te poetsen. Lilian kan het niet helpen dat ze om hem moet lachen. 'Je lijkt nu net op een oude film van Albert Mol. Wat zien ik? Stóf?'

'Je vindt me truttig.'

'Welnee. Je verwacht zo'n reactie niet van een man. Je hebt toch geen dwangmatige schoonmaaktic, hè? Straks moet je nog aan de pillen.'

Hij reageert beledigd. 'Denk je soms dat ik een psychisch trauma heb? Dat ik overzicht op mijn leven moet houden door een trauma uit mijn jeugd of zoiets?'

Lilian is een beetje onthutst. 'Heb ik iets fout gezegd? Het was een grapje. Ik bedoelde er niets mee.'

Hij sust de situatie met zijn handen. 'Sorry voor mijn uitval. Het is een teer punt, moet je maar denken. Ik vertelde je al eens eerder dat ik veel te lang bij mijn moeder heb gewoond. Veel te lang verzorgd ben. Dat heeft een permanente onzekerheid teweeg gebracht.'

'Daar merk ik anders niets van. Ik vind jou juist heel uitgebalanceerd. Je leeft bewust. Je hebt geen enkele moeite met je inleven in de gevoelens van anderen. Waar zit die onzekerheid dan?'

Bram klopt op zijn borst. 'Heel diep vanbinnen. Ik laat me er ook niet door van de wijs brengen. Maar ik denk toch altijd heel goed na over wat ik doe en vooral waar ik over twijfel.'

Er valt een stilte. Lilian voelt zich opeens overvallen door een enorme drang om hem aan te raken. Er golft een verliefd gevoel door haar heen. 'Ik hou van je,' zegt ze.

Hij kijkt verrast. 'Zeg dat nog eens.'

'Ik hou van je.'

Hij omhelst haar. 'Je weet niet hoe gelukkig je me maakt door dat te zeggen.' Zijn stem hapert. Hij kust haar.

Ze knoopt zijn overhemd los.

'Heb je nog iets van die rechercheurs gehoord?' vraagt Bram later. Ze liggen nog steeds verstrengeld in bed. Lilian wil hem niet loslaten. Dit was goed. Subliem. Deze liefde wil ze houden. Zo gemakkelijk, zo intens, zo vanzelfsprekend.

'Nee, behalve dat er nog iemand anders is vermoord weten we niets. Ik zie hen binnenkort wel, denk ik. Na de begrafenis van Rob.'

'Verwacht je daar veel drukte bij?'

'Ja. We hebben de grote aula genomen. Maar het zal me niet verbazen als niet iedereen erin kan. Ik hoop dat het niet te koud is. Ik gun niemand dat hij buiten in de kou moet staan.'

Bram streelt haar wang. 'Je bent lief. Altijd bezorgd voor anderen. Waar verdien ik jou aan?'

'Aan je eigen lieve karakter. Aan je begrip. Aan je bereidheid om te wachten. Aan de fantastische minnaar die je bent.'

Hij kust haar buik. Zijn mond zoekt haar borst. Hij speelt met haar tepels. Ze voelt dat ze weer opgewonden wordt. Ze trekt zijn mond in de richting van die van haar. Hij kust haar hard. 'Draai je eens om,' fluistert hij.

Even later kan ze van opwinding bijna geen adem meer halen. Ze zit op haar knieën en voelt hem krachtig diep in haar bewegen. Op het moment dat hij nog een keer klaarkomt, snikt hij het uit.

Ze schrikt. 'Wat is er aan de hand?'

Hij is verliefd op een ander, denkt ze. Hij durft het me niet te zeggen. Hoe komt ze in hemelsnaam op zulke idiote gedachten?

'Ik ben bang dat je uiteindelijk toch niet voor mij kiest,' zegt Bram.

38

Lilian is heel vroeg in de ochtend naar huis gegaan. Ze heeft maar drie uur geslapen. En nog onrustig ook. Ze was bang dat ze de wekker niet zou horen. Maar ze werd vijf minuten voordat hij afging wakker en schrok zich een ongeluk toen het ding geluid begon te maken.

Ze voelt hoe zwaar haar benen zijn. Ze slepen over de grond. En ze krijgt ook haar armen met moeite opgetild. De knopen van haar zwarte mantelpakje lijken te groot voor de knoopsgaten. Ze friemelt eraan. Haar vingertoppen zijn stijf. Ze overweegt om iets anders aan te trekken. Maar dit pakje is het meest geschikte kledingstuk voor een begrafenis.

Ze zucht diep. Hoe komt ze deze dag door?

Er flitsen delen van het lange gesprek dat ze met Bram had door haar hoofd. Vooral het deel waarin hij vertelde dat hij van plan was om zijn huis te verkopen en bleek te verwachten dat zij dat ook zou doen, blijft zich maar herhalen. Deze wens van hem had ze niet verwacht. 'Waarom zou jij je huis verkopen?' heeft ze gevraagd. 'Je woont hier schitterend. Vrij, ruim, comfortabel.' Ze dacht erbij: ik zou hier best willen wonen. Maar ze zei het niet. Bram had iets in zijn houding waardoor ze die woorden niet over haar lippen kreeg.

Iets afwerends.

Hij had in de gaten dat ze zijn houding niet begreep. 'Ik wil samen ergens helemaal opnieuw beginnen,' legde hij uit. 'In een huis dat voor ons allebei nieuw is. Ik wil geen herinneringen voelen, niet van mij en niet van jou. Het gaat er niet om dat ik het verleden wil begraven. We hebben een eigen leven achter de rug, los van elkaar. Er kan over gepraat worden. Maar het moet niet meer zichtbaar zijn. Zo voelt dat voor mij. Ik wil samen met jou een nieuw huis zoeken. En ik hoop dat jij dat ook wil.'

Lilian keek om zich heen. Haar ogen dwaalden door de enorme achtertuin bij Brams huis en ze tuurde naar het aangrenzende bos. Vanaf de eerste keer dat ze hier kwam was ze al onder de indruk van die tuin. Bram onderhoudt hem heel goed. Ze heeft altijd gedacht dat hij voor geen goud zijn huis en zijn tuin zou opgeven. In deze buitenwijk van Haarlem staan veel vrijstaande huizen, allemaal met veel grond. Maar het huis van Bram spant de kroon, omdat het het laatste huis van de wijk is en omdat het de indruk wekt dat de wereld hier ophoudt. Die indruk geeft haar altijd een ontspannen gevoel.

Nergens directe buren. Nergens lawaai of onrust.

Ze heeft vaak aan Rob voorgesteld om te verhuizen naar een rustige wijk. Maar Rob was verslingerd aan hun herenhuis in de Alexanderstraat, waarin ze vlak voor de geboorte van Ivo zijn gaan wonen. Ook al wordt het verkeer in de buurt steeds drukker en luidruchtiger, ook al kunnen ze tegenwoordig niet meer rustig in hun achtertuin zitten door de voortdurende geluidsoverlast van housemuziek waar de puberzonen en dochters van hun buren verslaafd aan zijn, ook al wordt er in de buurt steeds vaker ingebroken, Rob wilde niet weg. Ze zou heel graag bij Bram in zijn grote huis in het Ramplaankwartier wonen. En nu blijkt dat Bram daar heel anders over denkt.

Ze schudt haar hoofd. Vreemd idee, dat ze daar nooit samen zullen wonen. Het voelt aan als een verlies.

Ivo is vroeg. Hij heeft wallen onder zijn ogen, ziet ze. Hij ziet er afgepeigerd uit. 'Weer niet goed geslapen?' informeert ze. 'Je ziet er moe uit.'

'Moet je horen wie het zegt.' Ivo glimlacht. 'Hoeveel uur is het jou zelf vannacht gelukt?'

'Je hebt gelijk. Mijn ogen branden. Maar we zullen deze dag moeten zien door te komen.'

'Heb je thuis geslapen?'

Deze vraag komt onverwacht. Lilian voelt zich erdoor overvallen. 'Nee.' Waarom zou ze erom liegen?

'Het is écht serieus met deze man, hè, mam?'

'Hij is een prima vent.' Lilian hoort dat ze zich verdedigt.

'Ik val je niet aan. Ik kan er alleen op dit moment geen kant mee op.'

'Dat hoeft ook niet, jongen. We gaan eerst onze zaken op een rustige manier afhandelen.'

'Welke zaken bedoel je?'

'Het testament. Er is een testament. Je vader en ik zijn op huwelijkse voorwaarden getrouwd. Officieel sta ik buiten het bedrijf. Maar hij heeft maatregelen getroffen om mijn belangen veilig te stellen als hij eerder zou overlijden.' Terwijl ze dit zegt, komt er een vreemde gedachte in haar op.

Rob zal het testament toch niet gewijzigd hebben?

Ivo zit met zijn vingers op tafel te roffelen. Hij lijkt niet te luisteren naar wat zijn moeder zegt. Zijn gezicht staat nors.

'Wat is er, Ivo?'

Hij gaat rechtop zitten. 'Alles. Ik voel me klote. Ik doe alsof er niets aan de hand is maar ik heb soms het gevoel dat ik gek word. Ik mis papa. Ik ben woedend omdat hij is vermoord. Door wie in godsnaam? Waarom? Ben jij daar niet mee bezig?'

Lilian aarzelt. 'Jawel.

'Daar merk ik weinig van.'

'Niet doen, Ivo. Geen ruzie gaan maken. Niet vandaag.'

Er wordt gebeld. Ze staat snel op en strijkt even over zijn haar. Terwijl ze naar de voordeur loopt denkt ze na over wat hij net vroeg. En ze realiseert zich dat ze hem hierop geen antwoord kan geven. Ze heeft geen idee of ze nadenkt over de moord. Over het waarom. Over een dader. Hoe kan dat? Waar blijven haar gedachten?

Ze doet de deur open.

'Ik moest naar je toe,' zegt Madeleine.

39

Ze zitten een beetje onwennig tegenover elkaar. Maar Lilian merkt aan haar eigen reactie dat ze het wel prettig vindt dat Madeleine is gekomen. Ze heeft haar spontaan omhelsd toen ze voor de deur bleek te staan en mee naar binnen getroond. Vlak voordat ze samen de kamer inliepen, zei Madeleine: 'Ik wil dat je één ding heel goed weet, Lilian. Er is niets gebeurd tussen Rob en mij. Echt niet. Hij hield het af. Het was niet mijn verdienste. Dus als je alsnog wilt dat ik weer verdwijn...'

'Kom binnen,' zei ze. 'Zand erover.'

Terwijl ze koffie inschonk in de keuken, dacht ze aan die woorden. 'Zand erover.' Vandaag is het de dag dat we alles gaan begraven wat voorbij is, peinsde ze. De man die ik kwijtraakte, mijn gevoelens voor hem, mijn achterdocht ten opzichte van vrouwen die hem leuk leken te vinden. Zand erover.

Ivo rommelt in de keuken, hij heeft toch maar besloten om iets te eten. Ze kijkt naar Madeleine. 'Je bent afgevallen.'

'Ja. Maar ik doe wel moeite om er weer iets aan te eten. Ik heb het voortdurend koud.'

'Hoe komt het?'

'Rinus is dood.'

Lilian schrikt. 'Dat wist ik niet. Wanneer is dat gebeurd?'

'Anderhalve maand geleden. Het heeft in de krant gestaan.'

'Dat heb ik dan gemist. Sorry. Was het plotseling?'

Madeleine schudt haar hoofd. 'Nee, het was een lijdensweg. Hij verzette zich uit alle macht, je wil het niet weten. Hij was totaal invalide, had niets meer aan zijn leven en ging toch de strijd nog aan. Het was niet om aan te zien. Ik begreep het niet. Ik begrijp het nog steeds niet. Ik zou zelf iedere kans gegrepen hebben om eruit te kunnen stappen, als ik in zijn plaats daar had gelegen. Maar hij vocht ervoor, tot hij niet meer kon. Toen zakte hij weg en raakte hij gelukkig in een coma.' Ze roert in haar koffie. 'Ik had gedacht dat ik opgelucht zou zijn als hij stierf. Maar ik zakte helemaal door mijn hoeven. En ik miste jou. Ons. Ik heb verschillende keren op het punt gestaan om je te bellen. Maar ik durfde niet.'

Lilian staat op en omarmt haar vriendin. 'Ik ben blij dat je nú gekomen bent. Weet je dat Rob is vermoord?'

'Ja. Ik las het in de krant. Het is niet te geloven. En direct daarna nóg iemand op dezelfde manier. Een buurvrouw van me zou worden geopereerd in dat ziekenhuis. Ze heeft het afgezegd en is naar een andere specialist gegaan. Ze durft daar niet te gaan liggen. Is er al iets bekend over het onderzoek?'

'Wij horen op dit moment niets. Maar ik verwacht dat ze wel weer langs zullen komen na de begrafenis.'

'Heb jij zelf een idee?'

'Daar heb ik nog nauwelijks over nagedacht. In welke richting moet ik het zoeken? Ik kan me niet voorstellen dat het een bekende was. Volgens mij was het toeval. Rob lag op het verkeerde moment op de verkeerde plaats. Dat geldt ook voor het andere slachtoffer. Ik heb gehoord dat het een vrouw was. Niet iemand die wij kenden.'

Madeleine zegt dat ze niet lang kan blijven. 'Ik heb een afspraak voor een afrondend gesprek met de arts die Rinus behandelde. En jullie hebben een zware dag voor de boeg. Ik kom vanmiddag naar de begrafenis. Daarna zal het even duren voor we elkaar weer kunnen zien. Ik vertrek overmorgen voor een tijdje naar Australië. Naar mijn zusje. Ik kom in januari terug. Maar ik mail je snel, is dat goed?'

'Natuurlijk.' Lilian zou nog verder willen praten over wat

er nu precies wel en niet is gebeurd tussen Madeleine en Rob. Maar dat kan later ook nog, bedenkt ze. Ze loopt met haar vriendin mee naar de voordeur. 'Ik was jaloers dat je met Rob in contact was gekomen,' zegt ze. 'Of eigenlijk moet ik zeggen dat ik boos was op Rob, dat hij nog steeds bleek te chatten. Die man met wie ik aanvankelijk contact had, Boris, daar heb ik niet de waarheid over verteld. Ik heb tegen jou gezegd dat het niet klikte toen we kennismaakten, weet je nog?'

Madeleine knikt. Ze kijkt langs Lilian heen.

'Die man bleek Rob te zijn.'

'Dat weet ik.'

Lilian denkt dat ze Madeleine niet goed verstaat. 'Zeg je dat je dat wist?'

'Ja.'

'Hoe kan dat nou? Dat heb ik je toch niet verteld?'

'Ik weet het van Rob. Hij zag je aankomen, toen hij bij café Brinkmann zat. Hij wilde daar zo snel mogelijk weg en liep naar de tweede uitgang. Dat was de deur die rechtstreeks uitkwam in de overdekte passage. Toen ontdekte hij jou, weggedoken achter een vrouw met een grote plant. Hij vermoedde direct dat jij degene was met wie hij had afgesproken.' Madeleine lijkt te aarzelen om nog meer te zeggen.

'Ga eens verder.' Lilian hoort dat haar stem kil klinkt.

'Hij hield je vanaf die dag heel scherp in de gaten. Hij volgde je. En hij wist van het bestaan van Bram. Ik vond dat katen-muisspel te krankzinnig voor woorden. Dat heb ik heel duidelijk tegen hem gezegd. En dat was ook de reden dat ik een punt zette achter het contact. Ik voelde me schuldig tegenover jou. Ik kon mezelf wel voor mijn kop slaan dat ik niet direct met Rob was gestopt toen ik erachter kwam wie hij was. En ik vond het ziek. Hij moest niets van je hebben en tegelijk wilde hij weten wat je uitvoerde en accepteerde hij niet dat je een andere man zag.'

'Hoezo? Wat bedoel je met dat hij dat niet accepteerde?'
'Hij was van plan om Bram te benaderen en amok te maken.'
Lilian houdt haar adem in. 'Heeft hij dat gedaan?'
'Ik heb het hem dringend afgeraden.'

40

Lilian heeft het gevoel dat ze uit haar lichaam is getreden. Ze kijkt naar een tafereel waar ze geen deel van uitmaakt. Ze ziet alles goed maar ze is er niet bij. Ze voelt er niets van.

Ze is een schaduw van zichzelf, ergens in de ruimte.

De kist staat eenzaam op het podium voor in de aula. Ondanks alle bloemstukken die eromheen liggen, ondanks alle teksten op lange linten, ondanks de brandende waxinelichtjes aan het voeteneinde: het is een apert eenzaam tafereel. Een scherpe scheiding tussen leven en dood. De kist lijkt in een ander land te staan.

De mensen in de aula zijn stuk voor stuk geëmotioneerd. Er worden voortdurend zakdoekjes tegen ogen gedrukt, er is gesnik te horen, gekuch, gehoest, als je goed luistert hoor je zelfs een licht gekerm.

Een van de chatvriendinnen? Hoeveel chatvriendinnen had Rob eigenlijk, behalve Madeleine? Ze wil haar gedachten een halt toeroepen maar ze zijn nadrukkelijk en overtuigend voor zichzelf begonnen. Het komt door wat Madeleine vertelde. Rob heeft haar gezien, toen bij de Brinkmannpassage. Hij lette natuurlijk ook op wie er aankwam. Hij wist niet hoe zijn afspraak eruitzag. Hij moest maar afwachten wie ze was, de vrouw met wie hij vertrouwelijk chatte en die hij wilde ontmoeten. Over wie hij waarschijnlijk allerlei fantasieën had. Wie weet wat hij zich van die ontmoeting had voorgesteld. Hij moest die dag naar Groningen, herinnert ze zich van wat hij vertelde. Het zou laat kunnen worden. Heel laat.

Zou hij een hotelkamer hebben gereserveerd? Voor na het diner?

Hij heeft haar gezien. In eerste instantie had hij niet in de gaten waarom zij er was en was het zijn intentie om een confrontatie te vermijden door te vluchten door de zij-ingang. Maar toen zag hij dat zij hetzelfde deed. En zijn afspraak verscheen niet. En er werd niet meer gechat. Hij trok zijn conclusies.

Rob was niet dom.

Daarna schijnt hij haar gangen te zijn nagegaan. Ze heeft daar nooit iets van gemerkt. Hoe heeft hij dat aangepakt? Iemand ingehuurd, soms? Kreeg hij wekelijks een verslag over wat zij zoal uitvoerde als ze niet werkte? Ze begrijpt niet dat ze daar nooit iets van heeft gemerkt.

Ze vindt het een walgelijk idee. Een verregaande inbreuk op haar privacy. Wat zei Madeleine precies? *'Hij hield je heel scherp in de gaten. Hij volgde je.'* Niet: hij liet je volgen.

Wat maakt het uit? Hij is dood. Vermoord. Hij was op het verkeerde moment op de verkeerde plaats. Stom toeval. En die andere dode is net zulk stom toeval.

Een of andere gek had waarschijnlijk iets af te rekenen. Het leven gaat door. Mijn leven gaat door, denkt ze. Het moest blijkbaar op deze manier gaan. Ik dacht dat de kanker de gewenste streep zou trekken maar die zag ervan af. Toen nam een gestoorde geest het maar over.

Wat denkt ze toch een bizarre dingen tegenwoordig. Wat reageert ze toch vreemd.

Dolf heeft gesproken.

Ivo heeft gesproken.

Wat hebben ze precies gezegd? Hun woorden zijn de ruimte in gedwarreld. Weg, verdwenen. Ze heeft ernaar geluisterd.

Geknikt. Geglimlacht. Het waren mooie woorden. Maar ze zijn weg. En ze herinnert ze zich niet.

Er is al een stuk van Händel gespeeld, een stuk van Bach en er volgt nog een deel van het eerste pianoconcert van Beethoven. Dat was Robs favoriete muziek. Beethoven. De pianoconcerten. Ivo heeft het allemaal geregeld met de uitvaartbegeleider. Zij hield zich erbuiten. Ze wist de afgelopen dagen niet eens meer van welke muziek Rob hield. Er zat een slot op alle gedachten die iets met Rob te maken hadden. Ze is zoveel mogelijk bij Bram geweest. Ze heeft driftig met hem gevreeën. En nu zit ze hier.

Haar lijf heeft een plaats gekregen op de eerste rij, maar haar geest en haar gevoel zitten ergens in de nok van de ruimte. Ze luistert naar het pianoconcert en herinnert zich de eerste keer dat Rob haar meenam naar het Concertgebouw in Amsterdam, waar het eerste pianoconcert van Beethoven werd opgevoerd. Ze kende deze muziek nauwelijks. Ze hield zelf meer van jazz. Maar ze was direct onder de indruk van Beethoven. Ze luisterde er met stijgende verbazing naar, met ingehouden adem. Rob hield het hele concert haar hand vast.

Ze had niet in de gaten dat het verdriet in de buurt was. Het overspoelt haar. Het overweldigt haar.

Het neemt haar volledig in bezit.

Er is een arm om haar schouder. Een sussende stem in haar oor. 'Stil maar, rustig maar,' hoort ze Ivo zeggen.

Ze wil dit niet. Ze wil niet snikken, niet naar adem snakken.

Ze wil niet schokkend zitten janken.

Ze wil weer terug naar de nok van deze ruimte, daar voelde ze zich op haar gemak. Maar de grond zuigt zich vast aan haar benen.

De kist wordt opgetild. Haar bloemstuk deint mee op de

beheerste en gelijkmatige tred van de dragers. Ivo en Dolf houden haar overeind.

En het pianoconcert gaat maar door.

41

Het is gaan waaien. Toen ze vanmorgen naar het uitvaartcentrum reden was het nog windstil. Maar nu staat er een sterke bries, een onaangenaam koude stroom langs haar oren. Ik had toch een jas moeten aandoen, denkt ze. Ik had beter naar Ivo moeten luisteren.

Ze dacht dat het zwarte mantelpakje warm genoeg zou zijn. Het is van zuiver wol, ze heeft het er snel benauwd in. Maar het materiaal is niet bestand tegen de opdringerige wind. Ze voelt de kou tot op haar lijf. Opeens wordt er iets om haar schouders gelegd. Ze kijkt op. Dolf knikt haar bemoedigend toe. 'Ik heb genoeg aan mijn colbert,' zegt hij. 'Neem jij deze jas maar.'

Lilian kruipt in de jas. Het ding valt tot op haar enkels. Maar de wind heeft nu geen vrij spel meer.

Ivo spreekt nog bij het graf. Hij zegt zijn vader gedag en bedankt hem voor een geweldige jeugd. Hij eindigt met de woorden dat hij hem nooit zal vergeten.

Hij huilt.

Lilian kijkt naar haar zoon en ziet zijn tranen. Ze wil hem in haar armen nemen. Maar hij staat iets onaantastbaars uit te stralen. Ze durft hem niet aan te raken. Ze grijpt de arm van Dolf en loopt stevig gearmd met hem terug naar de zaal waar koffie met broodjes zullen worden geserveerd. En waar hele rijen mensen haar zullen willen condoleren en sterkte wensen. Ze hoopt dat het snel voorbij zal zijn. Ze wil hier weg.

'Heb jij Marjo eigenlijk gezien?' vraagt ze aan Dolf, als ze teruglopen.

'Ja. Ze zat ergens in het midden. Ik heb haar op verzoek van Ivo gisteren nog gebeld om te vragen of ze bij ons wilde zitten. Maar er is geen normaal gesprek mogelijk met die vrouw op dit moment. Ze is ziek. Ik maak me ernstig zorgen over haar.'

'Laat haar maar een poosje met rust. Ze zal wel bijtrekken.'

'Dat mag ik hopen. Er is een tijdelijke kracht via Randstad op kantoor en dat meisje heeft een secretaresseopleiding gedaan. Pittig ding, weet van aanpakken. Ze kan Marjo voorlopig vervangen. Ik hoop dat je dat goedvindt?'

'Natuurlijk. Ik ben blij dat jullie de zaken zo goed oppakken. Je hebt deze week weinig aan mij gehad. Sorry. Ik ga zo snel mogelijk weer volledig aan het werk.'

Ze zijn bij het gebouw aangekomen en worden buitengewoon vriendelijk ontvangen door een man in een correct donker kostuum. Hij buigt licht voor Lilian en nodigt haar uit om hem te volgen.

Direct als ze de zaal inkomen zien ze haar staan.

Marjo.

Ze draagt precies hetzelfde mantelpakje als Lilian.

42

Toen Ivo Marjo zag staan vloekte hij. 'Het wordt echt te gek met dat mens,' foeterde hij even later. 'Het is tot daar aan toe dat ze bij haar kapper vertelt dat ze mevrouw Dijkman is. Iedere gek heeft zijn gebrek, zullen we maar zeggen. En we hebben die idiote opmerkingen over jouw betrokkenheid bij de dood van papa ook maar met een korreltje zout genomen. Dat kwam van de schrik, dachten Dolf en ik. Maar dit slaat alles. Zonder blikken of blozen in exact dezelfde kleding verschijnen als de weduwe. Dit is ziek, mam. Hier is het laatste woord nog niet over gezegd.'

Lilian weerde zijn woorden met haar handen af. Ze had geen zin in een discussie over Marjo, terwijl de vrouw zich nog in de ruimte bevond. Ze zag mensen naar haar kijken en daarna naar Marjo. Het was de zwarte zijden roos die de overeenkomst van hun kleding zo duidelijk maakte. Als ze die zwarte roos niet op hun revers hadden gehad, zouden de meeste mensen het waarschijnlijk niet eens in de gaten hebben gehad. Het is heel normaal dat vrouwen zwarte mantelpakjes dragen op begrafenissen. Niemand haalt het in zijn hoofd om kleding te gaan vergelijken. Maar dat gebeurt wél als er een opvallend detail te zien is.

Ze heeft dit zwarte pakje in het voorjaar gekocht. Ze herinnert zich nog heel goed dat ze het aan Marjo liet zien, toen die op een zaterdagochtend bij haar kwam koffiedrinken. Marjo had gemopperd dat ze Lilian zo weinig zag en achteraf realiseerde Lilian zich dat de secretaresse haar geen andere keuze had gelaten dan haar uit te nodigen voor een vrouwenonderonsje. En zoals gewoonlijk wilde ze alles zien wat Lilian de laatste tijd had aangeschaft. Lilian showde haar het zwarte mantelpakje. Marjo streelde de soepele wollen stof en zei dat ze jaloers was dat Lilian altijd zulke mooie dingen vond en dat ze precies het goede lijf had om zulke kleren te kunnen dragen.

'Maar zwart kleedt heel goed af. Dat kan jij ook hebben. Ga ook eens een zwart pakje passen,' adviseerde Lilian haar. Die tip heeft Marjo klaarblijkelijk nogal letterlijk genomen.

Ze begrijpt niet goed waarom iedereen zich zo druk maakt over Marjo. Het is haar duidelijk dat de secretaresse van Rob op de een of andere manier nogal gefixeerd is op de kleding van de vrouw van haar baas. En op haar naam. Marjo schijnt er behoefte aan te hebben om zichzelf wijs te maken dat haar positie overeenkomt met die van Lilian. Dat is een afwijkende waarneming van de werkelijkheid. Láát haar, wil ze iedereen aanraden. Het gaat wel weer over. Wát ze ook over Rob gefantaseerd heeft en hóé ver ze daarin ook mocht gaan, het slaat nergens meer op. Het onderwerp van haar dromen ligt samen met zijn ouders in een graf. Het is een graf voor drie personen. Er kan niemand meer bij. Zelfs Marjo niet. Of zouden haar fantasieën zóver niet gaan? Ze kijkt nergens meer van op. De wereld is de laatste tijd aan het veranderen. Er gebeuren vreemde en onverwachte dingen. Er komen zaken aan het licht die zij zich in haar meest bizarre gedachten nooit en te nimmer had kunnen voorstellen. Ze veroorzaken een wrang gevoel.

Onrust. Onzekerheid.

Angst.

Lilian vraagt zich af of Rob contact heeft gehad met Bram. En waarom Bram daarover dan niets tegen haar heeft gezegd. Maar als haar gedachten op dit punt belanden, stopt ze met denken. Ze weet niet of Rob wérkelijk contact heeft gehad met haar vriend. Daar moet ze dus eerst vragen over gaan stellen. Ze sust de onaangename trillingen in haar middenrif. Er is niets aan de hand. Ze ziet spoken. Ze heeft de woorden van Madeleine iets te letterlijk genomen. Niet op voorhand alles al gaan invullen. Niet ongerust worden als daar nog geen aanwijsbare reden voor is. Ophouden met dat emotionele gezwalk.

Marjo is weg. Een minuut geleden stond ze nog nadrukkelijk uit te stralen dat ze als een kopie van de gastvrouw durfde rondlopen en trotseerde ze alle nieuwsgierige, afwijzende en verwijtende blikken. En nu is ze weg. Lilian zoekt met haar ogen de ruimte af. Ivo ziet haar kijken. 'Ze is weggegaan,' meldt hij. 'Zit je ermee?'

'Met dat pakje? Welnee. Ze is gewoon zichzelf niet.'

Hij knikt bedachtzaam. 'Dat vind ik sterk van je. Maar ik denk er anders over. Ik vind het walgelijk ongepast. Wat mij betreft, ontslaan we haar. Dolf denkt dat ze dan amok gaat maken en dat het ons een hoop geld kan gaan kosten om van haar af te komen.' Hij zwijgt.

Lilian voelt zich onbehaaglijk. 'Wat is er nog meer?'

'Soms lijkt het wel of Dolf de baas is.'

Ze ziet dat Dolf druk bezig is met handen schudden. Hij merkt dat ze naar hem kijkt en glimlacht naar haar. Haar blik blijft strak. 'Als er problemen zijn met Dolf, moeten we daarover praten.'

'Laat maar, mam. Ik reageer gewoon te gevoelig.'

De man die hen ontving toen ze binnenkwamen, komt met een gepaste glimlach op zijn gezicht op Lilian af. Hij heeft twee enveloppen in zijn hand. 'Er zijn een paar condoleanceberichten bij ons binnengekomen. Ze zijn aan u gericht. Wilt u ze meenemen of zal ik ze nasturen?'

'Ik neem ze wel mee.'

'Wat raar,' zegt Ivo. 'Waarom sturen mensen die kaarten niet gewoon naar je huis?'

Lilian stopt de enveloppen in haar tas. Ze hoeft op dit moment nog niet te weten wie haar iets gestuurd hebben.

'Van wie zijn ze?' Ivo is nieuwsgierig.

Ze haalt ze weer tevoorschijn. Ze opent de eerste envelop. Er zit een witte kaart in met een zwarte rand eromheen. Er staat een vetgedrukte tekst op.

Wie zal geloven dat die moord toeval was?

Ze schrikt. Ze opent de tweede envelop. Dezelfde witte kaart met een zwarte rand. Vetgedrukte letters.

Hoe goed kennen jouw vrienden je eigenlijk?

Ze kijkt op. Haar ogen worden naar een punt in de ruimte getrokken. De deur die naar de uitgang leidt.

Het is maar een kort moment. Er staat iemand in de deuropening. Hun blikken kruisen elkaar. Ze was toch al weg? Waar komt ze nu opeens vandaan?

Lilian kijkt geschrokken.

Marjo kijkt smalend.

De deuropening is weer leeg.

43

Bram vindt dat ze moet gaan uitzoeken wie de kaarten heeft gestuurd. 'Dit is niet goed. Ik word er beroerd van.'

Maar Lilian weigert. 'Het is zo duidelijk als het maar kan zijn. Die kaarten komen van Marjo. Ze is voor mijn gevoel behoorlijk de weg kwijt. Dolf en Ivo vinden dat ze naar de bedrijfsarts moet. Ze hebben haar ziek gemeld. Marjo mag voorlopig niet op de zaak komen. Ik denk dat we haar acties zoveel mogelijk moeten negeren. Als je reageert, gooi je juist olie op het vuur. Het is allemaal aandachttrekkerij. Ze is eenzaam. Eigenlijk is het een stakker.'

Bram is het niet met haar eens. 'Dat is juist de act die ze opvoert. En daar trap jij met open ogen in. Ze appelleert aan jouw medelijden. Ze kent je. Ze weet dat je snel met iemand te doen hebt.'

'Heb ik snel met iemand te doen?'

'Kom nou, Lilian. Je kent jezelf toch wel een beetje. Jij praat gemakkelijk alles goed wat een ander je aandoet.'

Hij heeft het over Rob, denkt ze. Hij vindt dat zij te coulant is geweest ten opzichte van Rob. Dat ze te veel over zich heen heeft laten lopen en veel eerder bij hem weg had moeten gaan.

Ik ga geen discussie over dit onderwerp voeren, besluit ze. Het is mosterd na de maaltijd. Het hoofdstuk Rob is afgesloten. Hij ligt voor altijd bij zijn vader en moeder. Ze zijn weer een gezin. Mijn gezin leeft nog. Ik heb Ivo. Ik heb Bram. Ik heb meer dan hij.

Ivo trok helemaal wit weg toen hij de kaarten las. Maar hij herstelde zich snel. 'Niets van aantrekken,' adviseerde hij haar. Die had het liefste ter plekke de kaarten verscheurd en er nooit meer aan gedacht.

Ivo en Dolf beschouwen de kaarten als bewijzen van het feit dat Marjo ziek thuis moet zijn. Dolf is zelfs van mening dat Marjo niet meer kan terugkomen in het bedrijf. Het vertrouwen is te veel beschadigd. Dit komt volgens hem nooit meer goed.

Lilian tilt minder zwaar aan de acties van Marjo. Ze wil er ook niet te diep induiken. Wie weet wat ze dan nog allemaal te horen krijgt. Ze heeft geen behoefte aan nadere informatie over de aard van het contact tussen Rob en Marjo. Toen ze dat tegen Bram zei, reageerde hij geïrriteerd. 'Waarom zou je ook? Zelfs al was er iets aan de hand, wat zal jou dat deren? Dat kan jou onmogelijk nog raken.'

Dat zou moeten kloppen, weet ze. Het vervelende van de zaak is dat het dus niet klopt. Er gaat nog heel snel en gemakkelijk iets in haar borstkas trillen als ze aan Rob denkt of als iemand iets over hem zegt. Hoe minder er over hem gepraat wordt en hoe minder zij zelf aan hem denkt, des te sneller zal ze verder kunnen met haar leven. Ze gaat na het weekend weer naar de zaak, heeft ze met Ivo en Dolf afgesproken. Volgende week vrijdag zal ze samen met Ivo bij de notaris het testament doornemen. Daarna gaat het leven verder.

Bram is de laatste dagen snel geïrriteerd en hij verontschuldigt zich daar regelmatig voor. Hij heeft momenteel twee begeleidingstrajecten met cliënten aan wie geen eer te behalen valt. Het zijn mensen die door hun werkgever verplicht zijn om dit traject te volgen en bij geen van beiden is ook maar de geringste vorm van enthousiasme te bespeuren. Bram overweegt serieus om de opdracht terug te geven maar het is natuurlijk wél een deel van zijn inkomstenbron. 'Ik kan daar anders toch heel goed mee omgaan,' verzucht hij. 'Ik heb vaker met dit bijltje gehakt. Maar ik merk dat ik er dit keer anders in sta. Dat komt doordat ik zo met jou bezig ben. Met ons. Met onze toekomst.'

Lilian schrikt. 'Heb je daar geen vertrouwen in?'

Het blijft stil.

Lilian gaat tegenover hem zitten. 'Wat is er aan de hand, Bram?'

Zou hij de relatie willen beëindigen? Dat kan er ook nog wel bij.

Bram buigt zich naar haar toe. 'Ik wilde het je eigenlijk niet vertellen, maar ik heb het gevoel dat ik word gevolgd. Ik kan het zelf eerlijk gezegd nauwelijks geloven. Het gevoel is er ook niet constant. Soms wel, soms niet. Ik dacht eerst dat ik het me verbeeldde en dat het te maken had met dat ik zo moe ben, de laatste tijd. Ik heb het te druk, dat is zeker waar. Maar toch...' Hij kijkt haar aan met een vertwijfelde blik in zijn ogen. 'Het is al een hele tijd gaande. Ik dacht.' Hij aarzelt. 'Ik weet niet wat ik ermee moet. Het ene moment denk ik: het is inbeelding, ik ben een beetje overspannen. Het andere moment denk ik: het gebeurt écht. Dan wil ik rechtstreeks naar de politie lopen. Maar wat moeten die ermee? Ik word niet bedreigd. Hooguit gevolgd. En ik kan het niet eens bewijzen.'

Lilian staart hem aan. 'Wie zou jou volgen?' vraagt ze. Ze herinnert zich wat Madeleine vertelde over Rob. Hij was op de hoogte van haar relatie met Bram. Hij wilde naar Bram toe gaan. Heeft hij iemand opdracht gegeven om Bram te volgen? Maar hoe kan Bram dan nu nog steeds het gevoel hebben dat er iemand achter hem aan zit? Rob is dood. Die geeft geen opdrachten meer. 'Marjo?' denkt ze hardop. 'Marjo,' constateert ze. 'Dat wijf is gek.' Het komt uit de grond van haar hart. Ze schudt haar hoofd. 'Maar hoe weet zij...?'

Er flitst een beeld door haar gedachten. Bram zette haar af voor het ziekenhuis. Iemand keek naar hen. Volgens haar was het Marjo. Ze was er zeker van toen Marjo later een lullige opmerking maakte.

Maar hoe zou ze kunnen weten waar Bram woont?

Lilian loopt snel naar het raam en tuurt de straat af. Het is al donker. Er is een straatlantaarn kapot. Ze ziet weinig.

'Wat doe je?' Bram is achter haar komen staan. 'Ga je nu geen gekke dingen in je hoofd halen. Als er iemand in de buurt van dit huis komt, wordt hij direct opgemerkt. Dat is het voordeel van zo vrijstaand wonen. Je ziet iedereen lopen die je tuin nadert of inkomt. En als ik het niet zie, hebben de buren die verderop wonen het wel in de gaten. Die houden alles wat ik doe heel nauwkeurig bij.'

'Daar heb ik nog nooit iets van gemerkt.'

'Je zou er gauw genoeg achter komen als je hier zou wonen.'

'Wat ga je doen?'

'Voorlopig niets. Ik let goed op. Als ik merk dat ik dat achtervolgde gevoel blijf houden, schakel ik de politie in.'

'Goed,' stemt ze toe.

'Laten we lekker gaan eten. Ik heb een stoofpotje gemaakt. Met pittige kerrie. Dat blussen we met koude witte wijn. Na het eten hangen we de kersttakken op. Ze liggen nog in de schuur, ik heb ze geïmpregneerd.' Bram ziet dat Lilian verwonderd kijkt. 'Dat is veiliger, ze kunnen dan niet zo snel in brand vliegen. Doe jij dat nooit?'

'Wij hebben al jaren geen kerstversiering meer in huis. Rob had er een hekel aan. Ivo ook. Maar ik vind het erg gezellig.'

'Dat weet ik. Daarom gaan wij het huis eens lekker samen volhangen. En daarna ben ik leuke dingen van plan.' Hij kust haar stevig. Ze klemt haar armen om zijn nek. Ze voelt zijn handen over haar dijen gaan, ze pakken haar billen vast. Het volgende moment is zijn mond overal. Hij trekt haar mee de keuken in. 'Kom, ga op tafel liggen,' zegt hij schor. 'Ik wil je nemen op de tafel.'

Hij is dwingend. Snel. Nadrukkelijk.

Ze hoort haar eigen opgewonden adem. Ze laat zich gaan.

De tafel schuift, de borden trillen tegen elkaar aan. Het lawaai zwelt aan. Lilian klemt haar vingers om de tafelrand. Ze kijkt Bram met wijd open ogen aan. Ze ziet dat hij dwars door haar heen staart. Waar denkt hij aan? Hij trekt haar onderlijf krachtig naar zich toe.

Lilian hapt naar lucht. Zo diep en fel heeft hij haar nog nooit genomen. Het doet pijn. Ze wil dit niet en tegelijk wil ze dat hij nooit meer ophoudt.

Bram kreunt. Hij schokt. Hij beweegt steeds sneller in haar.

Op het moment dat ze aan zijn ademhaling hoort dat hij gaat klaarkomen is er opeens een harde klap en direct daarna een oorverdovend glasgerinkel in de gang.

Bram schiet overeind.

Lilian ligt verloren op de tafel.

44

Er is een baksteen door het raam boven de voordeur gegooid. Het ding ligt nadrukkelijk aanwezig te zijn op de grond, tussen de paraplubak en het handschoenenkastje in. Overal is glas. Het lijkt wel of er tien ruiten tegelijk aan diggelen zijn gegaan. Lilian ziet dat er zelfs glas op de trap ligt.

Er waait een onaangename koude wind door de gang. En buiten zijn stemmen te horen. Er staan blijkbaar buren in de straat.

Bram heeft snel zijn kleren rechtgetrokken en opent de deur. Er komt direct een vrouw op hem toelopen. 'Er rende iemand langs in een lange donkere mantel. Ik kon niet zien of het een man of een vrouw was. Die persoon had verderop in de straat een auto staan en is direct weggereden. Bent u erg geschrokken?' Ze probeert langs hem heen de gang in te kijken.

Bram reageert rustig. 'Het is gelukkig alleen maar het bovenraam. Ik zal het direct dichtmaken, ik heb nog wel ergens een stuk spaanplaat liggen.'

'Is er iemand boos op u?' De vraag klinkt belangstellend, maar er zit ook een nieuwsgierige ondertoon in. Lilian komt naast Bram staan. 'O, ik zie dat u bezoek heeft?'

'Een vriendin,' mompelt Bram. Hij steekt zijn hand op als groet. 'Het is koud, we gaan maar weer eens naar binnen.'

'U gaat toch wel aangifte doen? Ik vind het helemaal geen prettig idee dat er zulke dingen in de straat gebeuren. Ik hoop dat dit zich niet gaat herhalen.' Nu is de lading van buurvrouws woorden anders. Kritischer. Zelfs verwijtend. Waarschuwend. 'Dit is altijd een nette buurt geweest,' voegt ze er zuur aan toe.

'Dat is het nog steeds,' zegt Bram. Hij is koel. 'En dat blijft het ook.'

Hij sluit de deur en vloekt. 'Wat is dat toch een takketeef.'

Lilian kijkt hem verwonderd aan.

Hij herstelt zich snel. 'Die vrouw doet al tijden moeite om in mijn buurt te komen. Ze heeft een oogje op me. Ik heb haar al ik weet niet hoe lang geleden duidelijk gemaakt dat de belangstelling niet wederzijds is. Maar ze blijft me in de gaten houden. Die zogenaamde terloopse opmerking over jouw aanwezigheid klopt ook voor geen meter. Ze weet precies hoe vaak jij komt, hoe lang je blijft en hoe je eruitziet. Ze loert de hele dag de straat af en ze weet vooral graag wat ik doe en wat er bij mij gebeurt.' Hij zwijgt. Er ligt een geïrriteerde trek op zijn gezicht. 'Ik word beroerd van zulke vrouwen,' gaat hij verder. 'Dat opdringerige gedrag. Die zogenaamde belangstelling. Ze stuurt me kaarten met Valentijnsdag. En als ik jarig ben worden er altijd bloemen zonder afzender bezorgd. Rode rozen.' Hij kijkt haar een beetje onbeholpen aan. 'Ik ga nergens op in.'

Ze kan er niets aan doen dat ze moet lachen. 'Als ik het goed begrijp heb ik concurrentie.' Direct wordt ze weer ernstig. Ze kijkt naar de baksteen. 'Heb jij enig idee wie dit gedaan heeft?'

'Jij?'

'Ik kan niemand anders bedenken dan Marjo. Maar ik begrijp het niet. Hoe kan die weten waar jij woont? Wat zal ze hiermee willen bereiken?'

'Dat vraag ik me ook af. Maar ik ga wél aangifte doen. Ik heb geen zin in deze tirannie. Eerst kaarten sturen, dan een bovenraam ingooien, wat is de volgende actie? De banden van mijn auto lek steken? Of van jouw auto? Een steen door de voorruit? Ik ga het vervolg niet zitten afwachten.'

'We kunnen ook met haar gaan praten,' oppert Lilian.

'Met haar gaan práten? Waarover?'

'Over dat we denken dat zij ons lastigvalt. We kunnen haar duidelijk maken dat dit idiote gedrag van haar nergens toe leidt. Haar laten zien dat we niet bang zijn. En als ze dan toch nog iets uithaalt, doen we aangifte.'

Bram staat een tijdje na te denken. 'Ik denk niet dat het veel helpt. Maar wie weet. Dan hangen we morgenavond wel de kerstversiering op. Heb jij haar adres?'

'Wil je nú gaan? Het is al bijna zeven uur. Ze woont in Amersfoort.'

'Ga er maar van uit dat ze rechtstreeks naar huis is gegaan. We eten snel en dan vertrekken we. Ze verwacht nooit dat we achter haar aankomen. We overvallen haar gewoon. Heb jij haar adres?'

Lilian loopt naar de woonkamer en rommelt even in haar tas. 'Volgens mij heb ik haar verhuiskaart nog hierin zitten. Ja, hier is hij. Ze heeft een penthouse.'

'Ik pak dat stuk spaanplaat even en spijker het vast,' zegt Bram. Hij raakt met zijn vingertoppen even haar wang aan. 'Dat was heerlijk, op die keukentafel,' glimlacht hij. 'Later gaan we verder.' Hij lijkt de irritatie over de opdringerige buurvrouw weer kwijt te zijn.

Lilian kust snel zijn hand. 'Ik veeg het glas even op.' Terwijl Bram in de schuur rommelt, kijkt ze naar het gapende gat boven de voordeur. Het is maar een raam, denkt ze. Maar wat scheelt het of dat raam er wel of niet in zit. Nu het weg is, voelt het huis opeens minder veilig aan. Ze rilt.

Was het Marjo wel? Trekken ze niet veel te snel hun conclusies?

Het was een figuur in een lange donkere jas.

Marjo heeft een lange zwarte jas. Ze droeg hem toen ze het uitvaartcentrum verliet over het zwarte mantelpakje.

Dolf heeft een lange zwarte jas.

Ivo ook.

45

De decembermaand is de verschrikkelijkste maand van het jaar. Dat verplichte gezelligheidsgedoe en die cadeautjescultuur: walgelijk.

Volks.

Dit jaar ben ik extra geïrriteerd door de decembergekte. Ik heb twee keer toegeslagen en het lijkt of er niets gebeurd is.

Dat klopt niet.

Ik lees iedere dag de krant van a tot z en zoek naar berichten over de moorden. Ze zijn gemeld, vooral na het tweede slachtoffer was er even paniek. Maar die paniek ebde snel weg. Het leven gaat door. Het onderzoek loopt. Als ik de summiere berichtgeving goed heb begrepen, richt de politie zich voornamelijk op de interne gang van zaken in het ziekenhuis waar twee keer achter elkaar iemand een te hoge dosis kaliumchloride in de infuusslang kreeg gespoten. Er zijn allerlei voorzorgsmaatregelen genomen om te voorkomen dat het nog een keer gebeurt. Ze hoeven voorlopig niet bang te zijn.

Ik heb mijn laatste ampul kaliumchloride gebruikt. Het voelde aan als afscheid nemen van een goede vriend. We hadden iets speciaals samen, de kaliumchloride en ik. Een verbond.

Ik heb nog wel een voorraad flesjes met insuline. Dat kun je zo mooi met een kort naaldje bij iemand onder de nagels spuiten. Geen mens die het ziet. Er kan alleen worden vastgesteld dat het slachtoffer in een diabetisch coma is geraakt. Als het slachtoffer gevonden wordt, uiteraard.

Ik twijfel of ik op deze manier moet doorgaan. Het is link. Het voelde rustiger toen ik mijn doden nog in een bos achterliet. In een bos loop je veel minder kans om betrapt te worden.

Het is mijn geheim. Mijn heerlijke geheim. Het best bewaarde geheim dat bestaat. Ik koester het. Niemand mag het weten. Als iemand het te weten komt, zal ik maatregelen moeten nemen.

Zoals een paar jaar geleden. Die moord had ik niet gepland. Ik wil er zo weinig mogelijk aan denken. Dat was een nachtmerrie. Zoiets wil ik nooit meer meemaken. Ik moet voorzichtig zijn.

Ik droom momenteel iedere nacht van mijn doden. Vooral van de vrouwen. Ik droom dat ze naakt met hun benen wijd liggen en dat ik kerels naar mijn huis lok om hen te penetreren. Ik verleid die kerels om mijn lijken diep te neuken. Zo diep dat hun verstijfde lichamen slap worden.

Ik word onnoemelijk geil als ik toekijk.

46

Het stormt. Bram moet het stuur van de auto stevig vasthouden. Hij moppert. 'Het wordt hoog tijd voor een nieuwe en dan neem ik geen Jap meer met achterwielaandrijving. Die zijn mij écht te zijwindgevoelig. En ik vind het ook volslagen idioot dat het een week voor Kerstmis zo stormt. Het hoort nu strak koud en windstil te zijn. En er zou een dik pak sneeuw moeten liggen. Of het zou in ieder geval voorspeld moeten zijn.'

Lilian grinnikt. 'Wie stellen we hier verantwoordelijk voor? Die leuke weerman van SBS 6?'

'Sinds wanneer kijk jij naar SBS 6?'

'Sinds ze daar van die goede programma's hebben over EHBO-afdelingen in ziekenhuizen. En ze zenden ook herhalingen van *The Flying Doctors* uit. Daar kan ik geen genoeg van krijgen.' Ze ziet dat er een fronsende rimpel in Brams voorhoofd verschijnt. 'Knap je nu op me af?'

'Ik vind het geen vrolijke gedachte dat jij van zulke programma's houdt.'

'Ik keek altijd boven, op de slaapkamer.' Ze zegt het peinzend. 'Rob raakte nogal geïrriteerd als ik in de woonkamer die zender opzette. Maar dat hij bijna in de televisie kroop als er een film met Arnold Schwarzenegger kwam, telde niet. Daar werd ík dus onpasselijk van.'

Bram legt een hand op haar arm. Maar hij trekt hem direct weer terug. 'Ik moet mijn stuur vasthouden,' verontschuldigt hij zich. 'Voor je het weet liggen we in de berm of zitten we tegen de vangrail aan. Maak je er maar niet meer druk om. Ik heb niets met Arnold Schwarzenegger. Ook niet met SBS 6, trouwens. Maar ieder zijn smaak, zei mijn moeder altijd.'

'Mag ik eens foto's zien van je moeder?' Ze voelt dat haar hart sneller begint te kloppen als ze deze vraag stelt.

'Zeker. Ik heb ze alleen nu niet bij me.' Hij lacht. 'Grapje. Ik laat je later wel de familiealbums zien. Mijn moeder was dol op fotograferen. Die legde werkelijk alles vast. Ze had als een van de eersten een digitale camera en ze kon er beter mee omgaan dan ik. Ze had echt een technische knobbel. Elk apparaat dat in huis kapotging repareerde ze zelf.'

Ze passeren een groot tankstation waar een enorm scherm op het dak staat. Er flitsen allerlei berichten over dat scherm.

STORM GAAT IN DE LOOP VAN DE NACHT AFNEMEN.
WEINIG KANS OP WITTE KERST.
70 DODEN BIJ BIOSCOOPBRAND IN BOSTON.
WÉÉR TREINVERTRAGINGEN.
HET IS 21.18 UUR.

'We zijn er pas tegen tienen,' zucht Lilian. 'Misschien ligt ze al op bed.'

'Dan komt ze er maar uit. Maar ik geef je op een briefje dat ze er nog niet in ligt. Ik denk zelfs dat ze ons verwacht.'

'Waarom denk je dat?'

'Dat voel ik.'

'Ik vraag me af of ik niet eerst met Ivo en Dolf had moeten overleggen. Misschien willen zij juist niet dat ik op Marjo afga. We weten ook niet zeker of het Marjo wás.' Ze hoort dat ze de laatste woorden voorzichtig uitspreekt.

'Twijfel daar maar niet aan. En waarom zou je met Ivo en Dolf moeten overleggen? Je bent hun toch geen verantwoording verschuldigd? Ik neem aan dat jij nu de directeur bent van de zaak?'

'Als het testament nog hetzelfde is, ben ik dat niet. Dan neemt Ivo de leiding over. Maar dan krijg ik wél een gegarandeerd inkomen uit de zaak.'

'Dat je dat geaccepteerd hebt, zeg. Je werkt al jaren mee.' Er valt een stroeve stilte. 'Nou ja, het zijn natuurlijk mijn zaken niet.' Brams poging om zijn kritische opmerking wat minder geladen te maken, voelt onhandig aan.

'Ik ben er tevreden mee. Ik zit er niet bepaald op te wachten om de volledige verantwoordelijkheid op mijn nek te nemen. Ivo is goed voorbereid. Hij is afgestudeerd, dat is een geluk bij een ongeluk. Hij heeft het in zijn vingers om het bedrijf te leiden, al is hij nog jong.'

'Je hoeft je niet te verdedigen.'

'Ik verdedig me niet. Ik zeg gewoon wat ik denk.' Ze hoort dat ze bits klinkt. Ze legt haar hand op Brams arm. 'Laten we hier nu geen onenigheid om krijgen. Ik meen het. Ik ben tevreden met de situatie. Daardoor heb ik ook meer tijd en energie voor jou.'

De stem van de routeplanner in Brams mobiele telefoon meldt dat ze de afslag Amersfoort naderen. Ze luisteren aandachtig naar de routebeschrijving. De stem leidt hen dwars door een nieuwbouwwijk heen. Een serie vrijstaande huizen wordt afgewisseld door een blok rijtjeshuizen. Overal drempels. De straten zijn leeg.

Lilian huivert. 'Wat een buurt. Het leeft niet.' Dan toch maar liever de drukte van Haarlem-centrum, denkt ze.

'Ik zou hier best willen wonen,' zegt Bram.

Ze naderen een groot flatgebouw. 'Bestemming bereikt,' meldt de routebegeleider. Bram draait de parkeerplaats op. Hij zet de motor af. 'Zo, we zijn er. Laten we dit varkentje maar zo snel mogelijk gaan wassen. Zal ík het woord doen?'

Lilian aarzelt.

'Laat mij in ieder geval beginnen,' stelt Bram voor.

Ze knikt. 'Goed. Als we worden binnengelaten.'

Op het moment dat ze de voordeur van de flat naderen, komen er twee mannen naar buiten. Ze laten hen glimlachend passeren. De elektronische deuren sluiten zich achter hen.

'We zijn in ieder geval in het gebouw,' grinnikt Bram. 'Op deze manier heb je als bewoner weinig aan de deurvergrendeling op de begane grond. Maar wij zijn binnen.' Hij tuurt op het bord naast de lift, waarop de huisnummers en de etages vermeld staan. 'Nummer 494, toch? Dat is de bovenste etage.'

Lilian voelt haar benen trillen. En er zit opeens een onaangename druk op haar borstkas. Ze zou het liefst rechtsomkeert willen maken. We vergissen ons, denkt ze. We staan voor schut.

De liftdeur gaat open. Bram stapt resoluut in.

Ze volgt.

47

Als ze de lift uitkomen, staan ze direct in een hal met aan weerszijden een voordeur. Er ligt vaste vloerbedekking op de grond. Het ruikt er naar lavendel. Lilian snuift de geur diep op.

Marjo woont op nummer 494. Dat is rechts. Een brede, imposante voordeur met een oog erin. In de hal heerst een diepe stilte. Er komt geen enkel geluid achter de deuren vandaan.

Bram drukt resoluut op de bel van Marjo's voordeur. Er gebeurt niets. Hij drukt nog een keer en nu nadrukkelijker. Zijn mond is samengetrokken in een smalle, strakke streep.

De deur gaat open en Marjo verschijnt. Ze draagt een joggingbroek die haar nog breder maakt dan ze is met daaroverheen een shirt. Lilian herkent het shirt direct. Ze heeft er zelf een dat precies hetzelfde is. Het is gemaakt van soepel tricot en heeft brede horizontale zwart-witte strepen op het rompstuk en iets minder brede verticale strepen op de mouwen. Het is van een goed merk. Taifun. Een van haar favoriete merken.

Marjo schrikt duidelijk als ze hen ziet. Ze maakt vrijwel direct nadat ze de deur heeft geopend een beweging om die weer te sluiten. Maar Bram verhindert dat door snel een stap naar voren te doen.

'Wie ben jij?' wil Marjo weten. Haar stem slaat over.

'Dat weet jij best,' antwoordt Lilian in plaats van Bram. 'Je hebt toch goed staan kijken, toen in de hal van het ziekenhuis? Doe nu maar niet of je niet weet dat dit mijn vriend is.'

'Wat moeten jullie hier? Ik wil niet dat jullie binnenkomen.'

'We zijn binnen een kwartier weer weg,' zegt Bram en hij stapt brutaal naar binnen. 'Kom,' gebaart hij met zijn hoofd.

Marjo probeert de deur voor Lilians neus te sluiten maar Bram drukt haar aan de kant. 'Ik bel de politie,' waarschuwt ze. 'Dit is huisvredebreuk.'

'Reken erop dat wij de politie ook een paar sappige details te melden hebben,' snauwt Bram. Wat dacht je van twee bedreigingen? Twee vreemde kaarten met een zwarte rand eromheen?'

'Er stond niets bedreigends op.' Marjo staat stijf rechtop na haar eigen woorden. Ze slaat haar hand voor haar mond. Ze heeft zich versproken. Er is angst in haar ogen te bespeuren.

'Dus jij hebt die kaarten gestuurd.' Bram is koel. Ietwat hautain. Hij heeft haar te pakken.

'Twee kaarten, maar zonder bedreigingen,' geeft Marjo toe. 'En ze waren voor háár bestemd. Wat heb jij ermee te maken?'

'We vatten het op als een bedreiging. Als een poging tot intimidatie. En daar moet snel een eind aan komen.'

'Het was geen bedreiging,' houdt Marjo halsstarrig vol. Ze krijgt weer wat kleur op haar wangen.

'Laten we ophouden met ruziemaken over of het bedreiging of intimidatie was,' stelt Lilian voor. Ze kijkt langs Bram heen naar binnen. Recht tegenover de voordeur blijkt zich de woonkamer te bevinden. De deur van de woonkamer staat wijd open. Lilian kan haar ogen bijna niet geloven. Marjo heeft precies hetzelfde bankstel als zij en Rob. Ze stapt snel naar voren en duwt Marjo resoluut en krachtig opzij, als die ook naar voren komt om haar tegen te houden. Ze loopt de kamer in. 'Krijg nou wat,' mompelt ze.

De kamer is exact hetzelfde ingericht als haar eigen woonkamer.

48

Er is een ijzige stilte gevallen. Ze staan alle drie in de woonkamer en zwijgen. Lilians ogen dwalen door de ruimte. Zelfs de klok boven de schoorsteen is identiek. Alleen heeft Marjo een nepschoorsteen, maar ze heeft die van Lilian toch uitstekend laten namaken.

Haar blik komt uiteindelijk op Marjo terecht. De vrouw houdt zich krampachtig vast aan de grote fauteuil, die aan de rechterkant van de schoorsteen staat. 'Wat heeft dít te betekenen?'

'Dit is mijn huis. Jullie hebben hier niets te zoeken. Ik wil dat jullie weggaan.' Marjo lijkt zichzelf weer een beetje in de hand te hebben.

Lilian negeert haar verzoek. 'Wat heeft dit te betekenen?' herhaalt ze.

'Wát heeft dit te betekenen?' aapt Marjo haar op een dreinerig toontje na. 'Ja, wat zou hier nu aan de hand zijn? Laat het je voor eens en altijd duidelijk zijn, sloerie, dat je man hier zó had kunnen intrekken. Hij zou nooit hebben hoeven wennen aan een nieuwe omgeving, alles is hier zoals hij het thuis had. Ik weet hoe gehecht hij was aan zijn spullen. Hij had zich hier direct op zijn gemak gevoeld.'

Lilian gaat op de grote leren driezitsbank zitten. Ze heeft het gevoel dat ze door haar knieën zal zakken, als ze nog langer blijft staan. 'Is Rob hier wel eens geweest?'

'Nee. Maar het zat eraan te komen. Ik had hem aangeboden

om hem op te vangen na de operatie en hij dacht daar serieus over na. Ik kon voor hem zorgen. Ik kan medicijnen toedienen. Ik ben zelfs nog steeds bevoegd. En bekwaam.'

'Wat bedoel je daarmee?' wil Bram weten.

Marjo negeert hem. Ze houdt haar blik strak op Lilian gericht. 'Jij denkt dat de kolder in mijn kop geslagen is. Maar ik ben absoluut niet gek. Ik hield van die man. Al jaren. En hij hield van mij. Alleen wist hij zelf nog niet hoe veel. Daar zou hij zijn achter gekomen als hij eenmaal hier was ingetrokken.'

Lilian voelt dat ze geëmotioneerd raakt. Dit is te bizar voor woorden. Ze staart naar de vrouw die tegenover haar staat. Haar blonde haren pieken rond haar gezicht. Haar ogen staan hol. Haar schouders zijn opgetrokken. Ze maakt een krampachtige indruk.

Ze staat er verloren bij. Ze heeft ook verloren.

Alles wat haar lief was. Alles waar ze van droomde.

Alles waar ze op hoopte.

Lilian kan geen woord uitbrengen. Ze weet ook niet precies wat ze voelt. Is ze kwaad? Beledigd? Wil ze wraak? Verdenkt ze Marjo ergens van?

Er tollen allerlei gedachten door haar hoofd. Haar maag begint op te spelen. Ze voelt het irritante zuur in haar slokdarm naar boven komen.

Ze slikt een paar keer om het tegen te houden. Het lukt. Ze krijgt haar gedachten weer een beetje op orde. Ze is niet boos, merkt ze. Niet beledigd. Ze taalt niet naar wraak en ze denkt ook niet dat Marjo iets te maken heeft met de dood van Rob. Ze voelt iets heel anders.

Medelijden.

'Jij hebt dus die kaarten bij Lilian laten bezorgen,' zegt Bram op een toon die geen tegenspraak duldt. 'Die kaarten hebben een zeer onaangename toon en daar zijn wij niet van gediend. Laat duidelijk zijn dat wij geen herhaling van dergelijke zetten dulden. Wat mij betreft mag jij hier lekker verder leven in je gekopieerde stulp van je overleden baas. Dat is het toch, heb ik dat goed begrepen?' Hij richt zich met de vraag tot Lilian. Die knikt.

'Ach,' smaalt Marjo. 'Is dat de volgende truc? Gaan we proberen om mij wijs te maken dat jij niet precies weet hoe het huis van je liefje eruitziet?'

'Dat heb je goed begrepen. Ik ken mijn plaats. Wij zijn tot nu toe uitermate discreet geweest. Wij hebben niemand voor het hoofd willen stoten. En reken er maar op dat Lilian absoluut niet gewild heeft dat haar man stierf. En dat ik niet zal accepteren dat iemand haar zwartmaakt. Of bedreigt. Of te na komt. Is dat duidelijk?'

'Wat wilde je ertegen doen, meneer Macho? Klappen uitdelen? Bóóóóóze dingen zeggen? Oéf! Werd ik bijna bang. Maar toch niet helemaal. En willen jullie nu zo vriendelijk zijn om op te rotten? En nooit meer terug te komen? Ik heb het helemaal gehad met jullie. En reken er maar op dat deze inval overal bekend gaat worden.' Marjo's stem slaat opeens over. Ze hijgt. Lilian ziet dat ze haar vuisten balt. 'Ik heb zwaar genoeg van al die tegenwerking, hoor je me?' Ze richt zich nu alleen op Lilian. 'Ik laat me niet langer in een hoek drukken. Als sloof behandelen. Als zielige minkukel neerzetten. Ik heb ook mijn trots. Ik mag dan een maatje meer hebben dan jij, mijn haar mag dan op stro lijken en het jouwe meer in de buurt van de Maxima-look komen, ik mag dan in de ondergeschikte positie zitten en jij in de top, geloof maar niet dat ik daardoor minder ben dan jij.'

'Op die manier heb ik nooit tegen je aangekeken, Marjo,' protesteert Lilian.

'Houd je bek,' krijst Marjo. 'Houd toch eens eindelijk op met je empathische gezever. Wat weet jij van mijn leven? Heb je me ooit wel eens één inhoudelijke vraag gesteld? Ben je ooit wel eens ergens op ingegaan, als ik je iets probeerde te vertellen?'

Lilian deinst terug van dit onverwachte verbale geweld. Wat heeft ze niet gezien? Waar heeft ze overheen gekeken? Welke signalen heeft ze genegeerd? 'Als ik iets gedaan of gezegd heb waar ik je door beledigde of wat je gekwetst heeft, dan spijt me dat.' Ze kijkt Marjo recht in de ogen als ze dit zegt.

'Wat jij vooral hebt fout gedaan is dat je überhaupt nog bestáát. Dat je gewoon niet bent doodgegaan, net als je moeder en je zuster. Dat jij ook die kanker niet hebt gekregen. Wat niet klopt is dat míj zoiets trof. Ik weet heus wel dat jullie me allemaal zo plat als een dubbeltje vinden. Maar onthoud goed dat er maar ééntje was die daar gewoon eerlijke vragen over stelde. Rob. Die merkte dat ik erover inzat. Die had écht belangstelling voor me. Die begreep dat ik altijd bang was dat de kanker terugkwam.'

'Terugkwam? Heb jij ook borstkanker gehad, dan?' Lilian wil dit gespreksonderwerp zo snel mogelijk afhandelen. De woorden die Marjo bijna uitkotste over de dood van haar moeder en haar zusje echoën nog na in haar oren. *Dat jij ook die kanker niet hebt gekregen.* Wat heeft Rob allemaal aan zijn secretaresse verteld?

Het gebeurt in een flits. Marjo rukt haar shirt omhoog, tot onder haar kin. Ze laat het direct weer zakken. Maar Lilian heeft toch goed kunnen zien dat de vrouw die nog steeds naast de fauteuil staat geen borsten heeft.

Alleen twee dikke rode strepen, dieprode strengen die op gezwollen aderen lijken.

Het zuur uit haar maag schiet naar boven. Ze slaat haar beide handen voor de mond om het op te vangen.

49

Niemand zegt iets. Bram en Lilian zitten onbeweeglijk naast elkaar op de bank. Marjo blijft maar staan. Haar ogen zijn nog steeds op Lilian gericht. Haar mond is vertrokken tot een wrange grijns. 'Daar heb je niet van terug, hè, mazzelkoningin? Want dat ben je, al besef je het niet. Aan jou is de beker voorbijgegaan. En in plaats van daar levenslang dankbaar voor te zijn, zadel jij je man doodleuk op met een kind en verwacht je rustig dat hij je dat verraad vergeeft. En dat heeft hij dus niet gedaan. Maar hij heeft het wel al die jaren gevoeld. En hij kon er bij mij mee terecht. Ik was zijn vriendje. Ik ving hem op. Ik troostte hem. En hij steunde mij. Hij ging mee als ik voor controle naar het ziekenhuis moest. Hij pepte me op als ik bang was. Je bent altijd bang, als ze eenmaal allebei je borsten hebben geamputeerd. Je denkt bij ieder pukkeltje dat je ontdekt dat het de voorbode is van een nieuw gezwel. Je bent nooit meer close met je eigen lijf. Het heeft je namelijk verraden. Rob begreep dat. Hij begreep alleen nog niet dat hij voor mij moest kiezen. Maar hij was bijna zover.' Ze hapt naar lucht. 'Er was de middag van zijn dood iemand in het ziekenhuis die vroeg waar hij lag. Die persoon leek op mij. Ik weet zeker dat het de bedoeling was om mij verdacht te maken. En ik zweer je dat ik erachter kom wie dat was. Dat ik ga bewijzen dat jij er iets mee te maken had. Kijk ze daar nu eens zitten, dat verliefde stelletje. Sommige mensen krijgen werkelijk álles wat ze wensen. Geniet er nog maar even van. Het is snel genoeg voorbij.'

'Begrijp ik het goed: is dit een bedreiging?' wil Bram weten.

'Het is een belofte. En nu opdonderen jullie. En snel een beetje. Anders bel ik de politie. En heb niet de moed om nog eens terug te komen. Dan gebeuren er ongelukken.'

Lilian staat op, Bram volgt. Ze lopen samen naar de voordeur. Bram opent de deur en stapt als eerste naar buiten. Lilian kijkt nog een keer achterom. Marjo staat nog steeds op dezelfde plaats. Achter haar hangt een lange zwarte jas aan de kapstok. Lilian kijkt naar de jas en opent haar mond om een vraag te stellen. Maar Marjo duwt haar met een enorme kracht de deur uit. Haar hele gezicht is vertrokken. Haar ogen spuwen vuur. 'Kijk voor je,' snauwt ze. 'Stompzinnige burgertrut met je uitverkooptic voor dure merkkleding. Overspelige...'

Bram grijpt de deurklink en slaat de deur met een klap dicht. 'Kom, we hebben hier verder niets te zoeken.' Lilian volgt hem de lift weer in. Haar hart bonkt tegen haar ribben aan. Ze trilt over haar hele lijf. Bram ziet het. Hij slaat zijn armen om haar heen. 'Trek je niets aan van wat ze er allemaal uitkraamde. Die vrouw is gek. Gestoord.' Hij reikt naar de liftknop.

Op hetzelfde moment gaat de liftdeur weer open en staat Marjo voor hun neus. Ze buigt zich naar hen toe, Lilian deinst ervan achteruit. 'Waar woon jij eigenlijk?' bitst ze tegen Bram.

'In Haarlem.' Bram is volkomen koel. Hij wijkt niet voor haar.

'Hoe lang al?'

'Al mijn hele leven.'

De liftdeuren beginnen zich weer te sluiten. Marjo springt naar achteren. De lift zoeft omlaag.

'Waar sloeg dat nu weer op?' vraagt Lilian.

Bram is koel. 'Ik zei het al: die vrouw is gestoord. Knettergek, als je het mij vraagt. Die heeft hulp nodig. Maar niet van ons. Zet haar uit je hoofd. Laten Ivo en Dolf deze zaak maar afhandelen.'

Op hetzelfde moment horen ze een hels kabaal. Het komt van boven hen. Gebonk. Gekrijs.

Zodra ze beneden zijn, vluchten ze de auto in.

'We hebben niet eens iets gezegd over die baksteen,' constateert Lilian.

'Denk jij dat het enig nut zou hebben?' Brams antwoord klinkt schamper. 'Zet haar uit je hoofd,' benadrukt hij nog eens. 'Die kunnen jij en ik echt niet redden.'

50

De eerste kilometers van de terugweg heerst er een verbijsterde stilte tussen hen. De storm is afgenomen, merkt Lilian. Bram kan de auto gemakkelijker in bedwang houden dan op de heenweg.

'Wat een verschrikkelijke littekens had ze,' zegt Lilian na een tijdje.

Bram knikt zwijgend.

'Mijn moeder zag er ook zo uit, na de operatie.' Ze praat hier zelden over. Bram weet dat zowel haar moeder als haar zusje is overleden aan borstkanker. Ze heeft hem dat een paar maanden na hun eerste ontmoeting onder invloed van veel drank verteld. Het was de eerste keer dat ze bij hem sliep. Rob was een week naar Noorwegen voor de inkoop. Ivo was met hem mee. Daardoor zag ze de kans schoon om bij Bram te slapen. Hij merkte dat ze gespannen was en haalde een fles goede wijn uit de kelder. 'Daar word je vanzelf rustiger van,' glimlachte hij. 'En verder laat je het maar aan mij over.'

Hij was lief, herinnert ze zich. Vol aandacht voor haar. Attent. Ze liet zich gaan en op een bepaald moment begon ze te vertellen wat er met haar moeder en zusje was gebeurd.

Ze huilde. Hij hield haar vast. Ze legde haar angst voor de ziekte op tafel. Ze vertelde over het gen. Het kankergen. Over de mogelijkheid dat zij zelf ook dat zieke gen droeg. Over de waarschuwingen van de oncoloog die haar moeder en zusje had behandeld. De mogelijkheden die hij had geopperd. Die hij had geadviseerd. Zoals preventief haar beide borsten laten amputeren. Ze vertelde dat ze dit pas jaren later aan Rob had verteld, toen ze ontdekte hoe groot haar doodsangst was geweest en wat die angst te maken had met haar besluit om een kind te krijgen, terwijl ze wist dat hij geen kinderen wilde.

Ze heeft nooit laten onderzoeken of zij het kankergen ook draagt. Ze inspecteert heel af en toe haar borsten maar ze drukt haar vingers nooit echt nadrukkelijk in het borstweefsel. En ze doet het snel. Madeleine gaat al sinds ze vijftig is geworden iedere keer als ze een oproep krijgt naar de bekende bus van het borstkankeronderzoek. Die staat altijd op de parkeerplaats bij het winkelcentrum in Schalkwijk. Vanaf je vijftigste krijg je om de twee jaar een oproep, heeft ze Lilian verteld. Die ziet wel wat ze doet als ze de eerste oproep krijgt. Als er op de televisie een programma is over borstkanker schakelt ze over naar een andere zender. Artikelen in tijdschriften over dit onderwerp leest ze niet. Ze zoekt het onderwerp nooit op. En nu is ze zonder pardon geconfronteerd met de aanblik van een verminkt vrouwenlichaam.

Eigen schuld, denkt ze. Dan hadden we daar maar niet moeten binnenvallen.

'Waar denk je aan?' Bram stoot haar aan. 'Je zit volgens mij op een andere planeet. Toch niet aan je moeder en je zusje? Niet doen. Geen zorgen maken. Ik heb het je al vaker gezegd: jij hebt dat gen niet. Je ziet er veel te gezond uit en er is niets aan je te voelen. Ik kan het weten.'

Zou hij zonder dat ze daar erg in heeft haar borsten controleren? Hij streelt ze graag. Hij kan er nooit van afblijven als ze samen zijn.

Rob hield ook heel erg van borsten.

Ophouden. Niet weer aan Rob denken. Rob is dood.

Vermoord. Wat stond er op een van die kaarten? ***Hoe goed kennen je vrienden je eigenlijk?***

Het past precies bij de roddelcampagne die Marjo probeert

te ontketenen. Het zieke geklets over de mogelijke schuld van Lilian. Er moet iemand hangen. Het politieonderzoek schijnt nog niet veel te hebben opgeleverd. Hoe ver zou dat eigenlijk staan? Waarom hoort ze opeens niets meer van Christina van Leeuwen en Ronald Kras? Is dat een goed teken? Of juist niet?

'Ik hoor momenteel niets meer van die twee rechercheurs,' verbreekt ze de stilte die tussen hen is gevallen. 'Is dat niet vreemd?'

'Er zal wel niets te melden zijn.'

'Vind je dat we ons bezoek aan Marjo moeten melden?'

'Waarom zouden we?'

'Om te voorkomen dat zij weer verkeerde praatjes gaat rondstrooien.'

'Als ze dat wil doen, houden wij haar tóch niet tegen. Ik denk dat die lui van de politie snel genoeg in de gaten hebben dat Marjo momenteel niet spoort. Daar zou ik me maar niet druk over maken, als ik jou was.'

Er komt een geluid uit Lilians tas. 'Ik word gebeld. Wie kan dat zo laat nog zijn?' Ze rommelt in haar spullen. 'Waar zit dat ding nu weer?'

'Ik snap niet dat vrouwen altijd hun halve bezit moeten meezeulen in hun handtas,' grinnikt Bram. Hij kijkt geamuseerd naar de spullen die ze uit haar tas smijt. 'Hoeveel kammen heb je er eigenlijk in zitten? Ik tel er al drie. Waarom drie? Is één niet genoeg? En wat moet je met vier lippenstiften? Allemachtig, ook nog twee pakjes zakdoeken, nee, nóg een. Je bent niet eens verkouden. En wat zit er in hemelsnaam allemaal in die dikke portefeuille?'

'Alles wat ik nodig kan hebben. Autopapieren, paspoort, rijbewijs. Dierbare foto's.' Ze zwijgt. Straks vraagt hij of hij die foto's mag zien en dan komt hij erachter dat ze nog steeds een foto van Rob bij zich draagt. Beter van niet.

'Dat kun je onderweg allemaal kwijtraken. Helemaal niet handig om dat allemaal bij je te hebben.'

Ze heeft haar mobieltje te pakken. Het ding dreunt maar door. Ik moet toch eens een andere signaaltoon instellen, denkt ze. Dit signaal lijkt op die onaangename dreun bij onze huisarts, vroeger. Een paar seconden zit ze weer samen met haar moeder in de wachtkamer en voelt ze weer de dreiging die er hing. Ze wist dat er iets ernstigs aan de hand was. Ze ving de angst van haar moeder op en kreeg het benauwd. En op hetzelfde moment was dat geluid er. Die stuiterende trillende dreun. Het kabaal dat leek op een boor die in onverzettelijk beton werd gezet. De stilte in de wachtkamer explodeerde ervan.

Haar moeder stond op en zei dat ze aan de beurt was. Lilian volgde haar bevend van de schrik de spreekkamer in. Haar moeder durfde niet alleen naar binnen. Ze had een vreemd aanvoelend knobbeltje onder de tepel van haar rechterborst.

Haar handen trillen als ze het mobieltje grijpt. Ze haalt diep adem en drukt op de groene toets.

'Met Lilian.'

'Hallo, met Christina van Leeuwen. Je hebt al even niets van me gehoord. Sorry dat ik nog zo laat bel. Stoor ik?'

'We zitten in de auto.' Waarom belt die rechercheur haar op dit tijdstip? Het is al elf uur geweest. Dit voelt niet goed.

'Ik ben een paar minuten geleden gebeld door de wachtcommandant van de politie Amersfoort. De secretaresse van je man had zich bij hem gemeld. Marjo, zo heet ze toch? Ze wilde een aanklacht indienen wegens huisvredebreuk en ze vertelde dat jij haar had overvallen. Omdat ze je twee kaarten met vreemde teksten heeft gestuurd. Ik weet niets van kaarten. Ook niet van vreemde teksten. Maar ik zou je graag snel spreken. Daarom bel ik nog zo laat. Zou het morgenochtend om een uur of elf schikken?'

'Elf uur morgenochtend is goed.'

'Wat was dat?' Bram kijkt haar met samengeknepen ogen aan. 'Pas jij wel op wat je zegt? Is het niet beter om eerst met een advocaat te overleggen?'

'Marjo heeft aangifte gedaan van huisvredebreuk. En Christina wil weten wat er aan de hand is. Dat vertel ik graag. En ik wil ook dat ze die kaarten meeneemt, ik word er akelig van. Breng me maar naar mijn huis, als je wilt. Ik kan vannacht beter in mijn eigen huis slapen.'

'Zal ik bij jou slapen?'

Ze aarzelt. 'Binnenkort. Nu nog even niet. Ik wil je eerst aan Ivo voorstellen.'

51

Halverwege de nacht gebeurt het. Lilian ligt te woelen in het logeerbed. Ze heeft het beurtelings heet en koud. Het dekbed wordt aangetrokken en afgeworpen. Ze droomt dat er iemand in de kamer is en naderbij komt. Er is een ijzige lucht te voelen, die over haar heen ademt. Ze weet zeker dat er iemand is.

Iemand? Iets. Een lichaam?

Een geest?

Het is halfdrie, ziet ze op de wekkerradio als ze overeind schiet. Ze houdt haar adem in. 'Ben jij hier, Rob?' Ze schrikt van haar eigen stem. Haar woorden klinken galmend. Ze is al heel lang van plan om de luxaflex en het laminaat in de logeerkamer te vervangen door gordijnen en vloerbedekking. Nu moet het er toch maar eens van komen, denkt ze. Deze kamer leeft niet. Dit is een kil hol.

Er ritselt iets.

Ze schiet overeind en trekt het dekbed stevig om zich heen. 'Rob?' vraagt ze nogmaals, zachter.

Er is iets. Ze weet het zeker. Er is iets in haar buurt, om haar heen. Iets wat er niet hoort. Het lijkt of het onzichtbare zich in de richting van de deur beweegt. Lilian stapt uit bed. Ze is opeens niet bang meer. Er komt een vreemde rust over haar. Ze stapt de gang op en loopt regelrecht naar haar slaapkamer. Het is koud in de kamer. Ze voelt haar voeten afkoelen. Snel stapt ze in bed en rolt zich helemaal op. Beneden slaat de klok drie keer. Ze klemt haar armen om haar opgetrokken knieën. Ze wiegt haar eigen lijf heen en weer.

Ze luistert ingespannen of ze het geluid nog hoort.

Ze valt in slaap.

Ze weet dat ze droomt.

Rob ligt naast haar. Zijn handen dwalen achteloos over haar lijf. Hij kriebelt aan haar ellebogen. Zijn vingers volgen de vorm van haar bekken, strelen haar dijen.

Ze volgt zijn bewegingen met haar ogen. Hij draagt zijn trouwring weer, ziet ze. Het smalle glanzende goud zit strak om de ringvinger van zijn linkerhand. Waar heeft hij die ring opeens vandaan gehaald?

Nergens vandaan, dit droom ik, denkt ze.

'Wat kom je doen?' vraagt ze. Die hoopvolle toon moet eens uit haar stem verdwijnen, denkt ze er direct achteraan.

Zijn handen betasten haar buik. Hij laat zijn vingers over haar huid marcheren. Daar moest ze vroeger altijd zo door gillen. Het gaf een kietelend effect. Nu voelt ze niets.

Hij is weg. Van het ene op het andere moment is hij verdwenen.

Het bed is warm. Aangenaam warm. Een warmte die je niet in je eentje voor elkaar krijgt. Warmte waar twee lijven aan te pas komen.

Maar ze ligt hier alleen. 'Rob?' Het is een overbodige uitnodiging, weet ze. Hij is er niet.

Maar hij was er wél.

De rest van de nacht slaapt ze diep, zonder nog een keer te dromen.

52

Christina staat om klokslag elf uur voor de deur. Lilian heeft snel de stofzuiger door de hele benedenverdieping gehaald. Dat heeft ze een dag geleden nog gedaan, dus het was eigenlijk niet nodig. Maar toch deed ze het. Ze wilde een hard geluid horen. Een geluid dat boven haar schreeuwende angst kon uitkomen.

Vanaf het moment dat ze wakker werd, heeft ze al een beklemd gevoel op haar borst. Een adembenemende beklemming, waardoor ze voortdurend om zich heen kijkt om te checken of ze wel alleen is. Er loert iets op haar. Ze wil zichzelf niet overstuur maken en probeert het unheimische gevoel te sussen. Maar het lukt niet. Ze moet niet alleen zijn, stelt ze vast. Ze moet ervoor zorgen dat er mensen om haar heen zijn. Dan verdwijnt die druk wel weer. Dan blijft Rob ook wel weg.

Het angstige gevoel heeft iets met Rob te maken.

Ben ik aan het doordraaien? vraagt ze zich af. Begin ik soms te hallucineren? Word ik even gek als Marjo?

Christina heeft wallen onder haar ogen. Ze ziet dat Lilian haar opmerkzaam bekijkt. 'Ik weet het,' zucht ze. 'Ik zie eruit alsof ik nachten achter elkaar heb doorgehaald. Het komt ook doordat ik te weinig slaap. Ik maak veel te veel uren.'

'Heeft dat allemaal met de zaak van Rob te maken?' Lilian kan zich niet voorstellen dat Christina op deze vraag een bevestigend antwoord zal geven.

'Ook. We zoeken nog steeds naar een verband tussen de eerste en de tweede moord. Maar we zijn er nog niet uit. Ik wil iedere aanwijzing of mogelijke aanwijzing natrekken. Waarom heb je niet gemeld dat je kaarten kreeg?'

'Het leek me niet relevant. Ik had direct in de gaten dat ze van Marjo afkomstig waren. Ze is behoorlijk de weg kwijt. Wie niet? Dit raakt iedereen die erbij betrokken is.'

'Hoe gaat het met jou?'

'Wisselend. Het dringt nog steeds niet volledig tot me door. Dat Rob dood is, bedoel ik. Vannacht droomde ik dat hij bij me was. Ik ben na zijn dood in het logeerbed gaan slapen maar vannacht ben ik als het ware door hem teruggeleid naar ons bed.' Ze staart Christina aan. 'Mijn god, hoor nu eens wat ik zeg. Ik heb nu pas in de gaten wat er is gebeurd.'

'Waarom was je in het logeerbed gaan liggen?'

'Ik voelde me niet meer op mijn gemak in ons bed. Nadat Rob was overleden hoor ik opeens dingen over hem waar ik van schrik. Dingen die ik niet in de gaten had.'

'Zoals?'

'Dat hij heel close was met zijn secretaresse. Echt bevriend. Volgens haar, dan. En wie weet wat ik nog meer ga ontdekken.'

'Ik meen me te herinneren dat jullie zo'n beetje je eigen gang gingen? Jij hebt toch een andere relatie?'

Lilian realiseert zich dat ze niet weet of Christina ervan op de hoogte is dat Bram gisteravond samen met haar bij Marjo was. Ze heeft tot nu toe niets in die richting gezegd. 'Ja, ik heb een vriend. En ik ben er na Robs dood achter gekomen dat hij dat dus wist.'

'Rob wist dat jij een vriend had? En hoe weet jij dat hij dit wist?'

'Via een vriendin.'

'Wie is die vriendin?'

'Ze heet Madeleine. Ik heb haar een tijdje niet gezien, nadat ik erachter kwam dat ze met Rob aan het chatten was geslagen. Dat viel niet goed bij mij. Een heel verhaal. Maar ze is naar me toe gekomen toen Rob dood was. Ze was ook op de begrafenis. Op dit moment zit ze bij haar zusje in Australië. Ze blijft daar tot januari.' Ik moet Madeleine eens mailen, bedenkt ze zich. Dat heb ik beloofd. Beloofd is beloofd. Het is tenslotte weer goed.

Hoe goed?

Nu aan andere dingen denken. Op deze manier wordt álles en iedereen een probleem.

'Laten we het over je bezoek aan Marjo hebben,' stelt Christina voor. 'Ze schijnt zich nogal door jou overvallen gevoeld te hebben. Als ik de wachtcommandant goed heb begrepen schetterde ze zó hard door de telefoon dat het aan het einde van de gang te horen was. Klopt het dat je bent binnengedrongen terwijl zij dat niet wilde?'

'Min of meer. Ze heeft me niet echt tegengehouden. En ze heeft me ook niet in de richting van de deur geduwd, of zo. Het enige wat ze deed was schreeuwen en schelden. Het was nogal onder de gordel.'

De aanwezigheid van Bram kon wel eens niet genoemd zijn door Marjo. Van mij hoort Christina daar niets over, besluit Lilian. Laat Bram maar zo veel mogelijk buiten beeld blijven. Hij is voor mijn nieuwe leven bestemd.

Dat is een goed idee. Bram is van later. Rob is van vroeger.

Ik moet een grens trekken, denkt ze. Anders lukt het me nooit om verder te gaan met Bram. Anders krijg ik het niet voor elkaar om de periode Rob af te sluiten. 'Wil je de kaarten zien?' vraagt ze.

53

Ze zitten aan de eettafel, met de koffiekan tussen hen in. De kaarten die Lilian ontving, liggen op tafel. Christina heeft ze aandachtig bekeken. Verder niets. Ze stelt Lilian vragen over haar relatie met Rob. De kennismaking. Het besluit om te trouwen. De geboorte van Ivo.

'Daar is het fout gegaan,' zegt Lilian. Ze wil eerlijk zijn. Zichzelf niet sparen. Waarom zou ze ook? Het is een vaststaand feit. De geboorte van Ivo heeft hun relatie vernield.

Rob vertrouwde haar niet meer.

'Vertrouwde jij hém wel?' De vraag dendert het gesprek binnen. Hij knalt tegen haar hart aan. Ze schiet vol. 'Ik geloof dat ik een gevoelige snaar raak,' zegt Christina. 'Als je wil dat ik ophoud met vragen stellen, moet je het zeggen. Het is niet mijn bedoeling om jou te kwetsen.'

Lilian schudt haar hoofd. Ze slikt een paar keer en het lukt weer om te praten. 'Over sommige dingen in je leven denk je bij voorkeur niet na of vooral niet díép na. Dit was zoiets. Ik wilde hem vertrouwen. Maar ik zag hem vaak alleen maar op het werk en dagenlang niet thuis. Daar stelde ik geen vragen over. Ik dacht er zelfs niet over na. Ik verplaatste mijn aandacht naar Ivo. Die was altijd te porren voor spelletjes of uitstapjes toen hij nog een kind was.'

'Stelde Ivo dan geen vragen over de afwezigheid van zijn vader?'

'Tegen de tijd dat Ivo vragen ging stellen, begreep hij ook

al dat je als directeur van een bedrijf vaak buiten de deur bent voor zaken. Rob was altijd weg voor zaken dus. Hij trok er trouwens ook vaak met Ivo op uit.'

'Dan gebeurde er niets in de richting van andere vrouwen, bedoel je?'

'Dat weet ik niet.'

Ze heeft het allemaal verdrongen. En ze wil het blijven verdringen. Rob leidde een eigen leven, naast haar. Hij zocht afleiding, net als zij.

'We bleken allebei te chatten op Relatie Planet,' gooit ze eruit. 'Je zult het niet geloven: Ik kwam erachter dat mijn chatvriendje mijn eigen man was.' Ze vertelt het verhaal over de ontdekking dat Rob Boris bleek te zijn.

'En toen?' wil Christina weten. 'Wat gebeurde er nadat je was weggerend en kwaad was geworden en weer naar huis was gereden?'

'Ik besloot om het nóg een keer te proberen op Relatie Planet. En ik wilde dat hij erachter kwam. Ik had geen idee hoe dat in zijn werk zou moeten gaan maar dat was een latere zorg. Ik wilde hem jaloers maken.'

'Om jaloers te worden moet er nog gevoel voor iemand aanwezig zijn.'

Dit is weer een dolkstoot. Maar ze blijft overeind. Ze zou eerlijk zijn. Ze heeft toegestaan dat ze hierover vragen krijgt. Er moeten antwoorden gegeven worden. Het is tijd om onder ogen te zien wat er is gebeurd tussen haar en Rob, in haar hoofd, met haar hart. 'Ik weet niet of hij nog iets voor mij voelde. Ik hoop het, als ik eerlijk ben. Maar ik voelde nog wel iets voor hem. Het mag misschien vreemd klinken maar daar kwam ik niet vanaf. Ik hield gewoon zielsveel van die man.'

'Is die liefde minder geworden nu je een vriend hebt?'

'Nee.' Ze aarzelt. 'Maar die liefde slaat nergens meer op. Hij is dood. De relatie met Bram is goed. Wordt eigenlijk iedere dag beter. Maar het heeft tijd nodig.'

'Wat vond Bram tot nu toe van de situatie tussen jullie? Is hij serieus?'

'Zeker. Hij wil dat we allebei ons huis verkopen en samen een nieuw huis kopen. Helemaal opnieuw beginnen, je kent dat wel. Ik zou eerlijk gezegd graag bij hem intrekken. Hij heeft een prachtig vrijstaand huis. Een groot huis. Plaats genoeg. Ik kom daar tot rust. Van mij hoeft hij het niet te verkopen. Maar daar hebben we het nog wel over. We moeten eerst door deze periode zien heen te komen.'

'Kende Bram Rob?'

'Nee. In ieder geval niet via mij. Nee, hij kende hem niet.' Waarom twijfelt ze nu opeens?

'Wat gebeurt er nu?'

'Madeleine, mijn vriendin, vertelde me na Robs dood dat Rob ervan wist. Zij had contact met hem, ook via Relatie Planet. Kun je het nog volgen? Het lijkt of iedereen het met iedereen doet in mijn omgeving maar dat valt nogal mee. Madeleine vertelde me eerlijk dat ze Rob via die site had ontmoet. Maar ik reageerde daar nogal afwijzend op. We hebben elkaar daarna een hele tijd niet gezien. Tot Rob stierf. Toen kwam ze naar me toe. Waar hadden we het eigenlijk over?'

'Of Rob en Bram elkaar kenden.'

'En dat Rob van mijn relatie met Bram op de hoogte bleek te zijn. Dat vertelde Madeleine me dus. Hij schijnt me gevolgd te zijn. En ze vertelde ook dat hij van plan is geweest om op Bram af te stappen. Maar ik weet niet of hij dat heeft gedaan.'

'Heb je dat dan niet gewoon aan Bram gevraagd?'

'Nee.'

'Waarom niet?'

Ze aarzelt. 'We hebben er niet expliciet iets over afgesproken maar toch is er tussen ons een soort stilzwijgend akkoord over wat we zeggen en waarover we zwijgen.' Ze schenkt nog eens koffie in. 'Bram heeft het niet graag over Rob. Hij was heel blij toen ik vertelde dat ik voor hém koos. Dat deed ik vlak voordat Rob werd vermoord. Dat is nu ons nieuwe vertrekpunt. Ik had mijn keuze gemaakt. Ondanks mijn liefde voor Rob. Ik begreep heel goed dat ik daar niets mee opschoot. En ik zal niet ontkennen dat ik toch ook veel van Bram ben gaan houden. Ik voel me thuis bij deze man. Ik kom thúís bij hem. Zo moet ik het zeggen: ik kom thúís.'

'Dus je gaat voor hem dit huis verkopen?' De vraag komt onverwacht. Lilian deinst ervan terug. 'Het huis is van mij. Ik kan ermee doen wat ik wil,' zegt ze meer tegen zichzelf dan tegen Christina.

'Ga je het verkopen?' dringt Christina aan.

'Dat weet ik nog niet.'

54

Ivo moppert op Lilian als ze hem vertelt wat ze allemaal met Christina heeft besproken. De rechercheur is pas tegen twee uur vertrokken en ze heeft de kaarten die Marjo heeft gestuurd, meegenomen.

Volgens Ivo is het niet verstandig om zulke persoonlijke dingen aan iemand van de politie te vertellen. 'Je weet nooit wat ze ermee doet. Misschien verdenkt ze je wel. In dit geval moet je eigenlijk niet met de politie praten als er geen advocaat bij is.'

Lilian haalt haar schouders op. 'Het was eerlijk gezegd heel gezellig, op het laatst.'

Hij wordt woest. 'Gezéllig? Dit gaat wél over de moord op je man, mam. Wat is er met jou aan de hand?' Bij de laatste woorden verheft hij zijn stem. Hij weet nog niet dat Lilian met Bram bij Marjo is geweest. Ze aarzelt of ze hierover iets aan hem zal gaan vertellen. Op dit moment in ieder geval niet. Hij is al geladen genoeg; ze kan maar beter even geen olie op het vuur gooien.

Hij is zonder dat vooraf aangekondigd te hebben bij haar komen binnenvallen. Lilian vraagt zich af of er iets aan de hand is op het bedrijf. Zou Marjo...? Nee, dan had hij dat wel gezegd toen hij binnenkwam. Hij is onrustig. Gespannen. Slecht gestemd. Hij draait alles wat hij in zijn handen neemt drie keer om voordat hij het weer terugzet. Dat deed Rob ook altijd als hij boos was.

'Waar ben je precies boos over?' Ze wordt zelf ook onrustig van zijn gedraai en zijn geïrriteerde reacties. Zou het te maken hebben met haar relatie met Bram? Tot nu toe heeft hij zich daar nogal van gedistantieerd.

'Ik kom je eigenlijk iets vragen.' Hij lijkt moeite te hebben met zijn woorden. Hij houdt zijn hoofd ver van haar af, alsof hij een klap verwacht.

Hij wil dat ik Bram niet meer zie, denkt Lilian. Hij accepteert niet dat er al direct een vervanger is voor zijn vader. En hij heeft gelijk. 'Zeg het eens,' nodigt ze uit.

'Kan ik voorlopig weer hier komen wonen?'

Hij trekt het niet in zijn eentje. De muren komen thuis op hem af. Hij ziet in elke stoel zijn vader zitten. Daar schrikt hij zich iedere keer een ongeluk van. Hij vlucht steeds de deur uit. Hij zou het liefste ergens onderduiken en zich dagen achtereen helemaal klem willen zuipen. En hij wordt redeloos kwaad om de kerstversieringen die zich overal waar je loopt aan je opdringen. Hij wordt woest als mensen pret hebben. Maar ook als ze naar zijn zin te hard praten of overbodige vragen stellen. Hij reageert narrig op klanten. Dolf heeft er gisteren iets over gezegd en hij had gelijk. Maar toch accepteerde Ivo de terechtwijzing niet. Toen Dolf merkte dat hij kwaad werd, heeft hij zijn excuses aangeboden. En even later begon hij te wauwelen over een ongewenste stand van de sterren.

'Sterren? Wat bedoelde hij daarmee?'

'Hij is altijd bezig met astrologie. Daar is hij mee begonnen toen zijn vrouw ziek werd. Hij geeft zelfs cursussen over sterrenbeelden. Wist je dat niet?'

'Leest hij de voorspellingen?'

'Welnee, daar gruwt hij van. Dat is volgens hem allemaal volksverlakkerij. Hij trekt samen met een vriend horoscopen van mensen en concludeert daaruit van alles over hun karaktereigenschappen en hun levensloop. Als hij daarover begint te praten is hij niet meer te stuiten. Ik kap het gesprek dan altijd af.'

Lilian weet niet wat ze hoort. Daar heeft Dolf het met haar nog nooit over gehad. En Rob heeft haar ook nooit iets over deze hobby van Dolf verteld. Het is ook niet belangrijk, vindt ze. Het is gewoon een hobby. Hij doet er niemand kwaad mee. En Ivo moet zich daar niet druk over maken. 'Moeten wij daar iets van denken? Dat is een privézaak. Of valt hij je lastig?

'Nee. Laat ook maar. Ik maak me druk om niets. Ik zoek slachtoffers om mijn slechte stemming op uit te leven. Ik kan gewoon niet goed alleen zijn, momenteel.'

'Dan blijf je hier,' beslist Lilian.

Ze voelt zich opgelucht.

55

Ivo is terug naar de zaak. Hij heeft op het einde van de middag nog een overleg gepland met Dolf. Ze moeten nieuw personeel aantrekken, de mensen worden anders te zwaar belast. Dijkman Meubelen loopt goed. Lilian heeft aarzelend gevraagd of dit ook iets te maken kan hebben met het feit dat de directeur onlangs is vermoord. Of ze de toeloop van klanten niet een beetje moeten beschouwen als een soort sensatietoerisme. Je weet maar nooit wat je opvangt, of er nog smeuïge details door de zaak fladderen. Maar Ivo gelooft niet dat daar sprake van is. 'We leveren goede spullen tegen een aantrekkelijke prijs. Het leven is duur, tegenwoordig. De mensen letten op de kleintjes. We concurreren scherp met andere bedrijven. Daardoor komen de klanten steeds vaker bij ons naar binnen. Het is in alle filialen te merken. Ik denk dat we dit jaar een knallende omzet halen.'

Het was even stil, nadat hij dit zei.

'Volgens mij denken we nu allebei hetzelfde,' zei Lilian.

'Ik dacht: wat zou papa trots zijn geweest,' opperde Ivo. 'Ik mis hem zo. Het leven gaat door, ik weet het. Ik moet zorgen dat de zaak blijft lopen. Dat zou hij van me verwacht hebben. Maar als ik eerlijk ben, zou ik het liefste een tijdje op een onbewoond eiland willen zitten en de hele dag willen janken. Dolf zegt dat ik het verdriet te veel opkrop. Maar ik weet niet hoe ik ermee moet omgaan.'

Lilian wist niet wat ze moest zeggen. Verwachtte hij troost?

Begrip? Wilde hij weten hoe zij zich er zélf onder voelde? 'Wanneer haal je je spullen?' was het enige wat ze kon bedenken. 'Haal eerst je spullen maar, dan kunnen we later verder praten.'

'Vanavond. Is dat goed? Ben je dan thuis?' Hij was weer even het jongetje dat tegen haar aankroop. 'Wat een zooi is het leven, hè, mam?'

Lilian zit nog na te denken over die laatste opmerking van haar zoon. Een zooi. Is het leven een zooi? Op bepaalde punten wél.

De moord op Rob. Niet te verteren, eigenlijk. Dat klopt niet.

De toestand met Marjo. Schrijnend. Mensonterend. Hoe kun je als helder denkend mens zó de weg kwijtraken?

En nu de nieuwe situatie: Ivo die weer thuis komt wonen. Voorlopig, zei hij. Wat is voorlopig? Ik kan natuurlijk ook gewoon zelf voorlopig vaker bij Bram zijn, bedenkt ze. Dan heeft Ivo het huis voor zichzelf. Op hetzelfde moment realiseert ze zich dat Ivo juist bij haar wil wonen om niet alleen te zijn.

Ze staat op. Ik moet Bram bellen, denkt ze. Hij moet weten dat Ivo voorlopig bij mij woont. Ik kan hem nu onmogelijk in de steek laten. Hij zag er heel triest uit. Eenzaam. Onthutst. Het is mijn kind, denkt ze. Ook al is hij een volwassen man, hij heeft me nu nodig.

Op het moment dat ze het nummer van Bram intoetst, realiseert ze zich dat hij verteld heeft dat hij tot vanavond laat zijn mobiel zou uitzetten. Hij heeft de hele dag cliënten en hij wil zich op hen concentreren.

Het is beter om het tegen Bram te zeggen als ze elkaar over drie dagen weer zien, besluit Lilian. Dan heeft ze zelf ook even aan haar beslissing kunnen wennen. Ze blijft voorlopig in haar eigen huis, samen met Ivo. Dat is een goede gedachte. Vreemd genoeg voelt ze zich opeens bijna gelukkig.

56

Bram is teleurgesteld. Niet boos, zegt hij.

Was hij maar boos.

Er zit een verdrietige rimpel rond zijn ooghoeken. Een gekwetste plooi. Lilian krijgt het er benauwd van. Ze had erop gerekend dat hij geïrriteerd zou reageren als ze hem ging vertellen dat ze voorlopig zo veel mogelijk in haar eigen huis slaapt, omdat ze anders het gevoel heeft dat ze Ivo in de steek laat. Ze verwachtte dat hij zou zeggen dat ze overdreef en dat ze zich als een overbezorgde kloek gedroeg. Als ze eerlijk is tegen zichzelf, zou ze hem daarin zelfs gelijk geven.

Maar hij is dus niet boos. 'En wat doe je met de kerstdagen?' wil hij weten. 'Ik heb alle boodschappen al in huis gehaald.'

'Ik blijf de eerste kerstdag thuis en ik kom de tweede naar jou en dan slaap ik ook bij jou,' zegt ze. 'En ik zorg ervoor dat we oudejaarsavond ook samen zijn,' voegt ze eraan toe. Ze weet toevallig dat Ivo een afspraak heeft om oudejaarsavond bij een goede vriend door te brengen. Hij is daar ieder jaar, omdat die vriend ook jarig is op die dag. 'Ik denk dat het nog te vroeg is om die dagen al samen te vieren,' zegt ze zacht. 'Dat kan ik niet van Ivo verlangen.'

'Ik begrijp het.' Het antwoord klinkt nogal kortaf.

Ik wil dit niet, denkt Lilian. Ik wil geen verkrampte sfeer, ik wil geen afgewezen gevoel veroorzaken en het evenmin zelf voelen. Ik wil vrolijkheid, vrijheid, gezelligheid.

Ik wil een nieuw leven.

'Nou ja, dan moet het maar op deze manier,' zucht Bram. 'Het is even niet anders.'

'Onze tijd komt nog wel,' probeert ze te troosten.

'Denk je?'

Als ze terugrijdt naar huis, piekert ze over die laatste woorden. *Denk je?* Wat bedoelde hij daarmee? Was het een hint? Deed hij een poging om haar duidelijk te maken dat hij bezig is om af te haken?

Ze schudt driftig haar hoofd. 'Houd nu eens op met die paniek,' spreekt ze zichzelf bestraffend toe. 'Laat het nu allemaal eens even met rust.'

Ze moet rechts afslaan maar ze geeft richting aan naar links. Ze kijkt verbaasd naar haar handen die het stuur van de auto omklemmen. Die handen gehoorzamen niet aan de opdracht die haar hoofd net gaf. Ze geeft gas. 'Ik geloof dat ik naar het kerkhof ga,' mompelt ze in zichzelf.

Er rijdt net een lijkwagen het terrein op, ziet ze als ze vlak bij de ingang van de begraafplaats haar auto parkeert. Er lopen verschillende mensen in de richting van de grote aula. Veel jonge mensen, ontdekt ze. Ze hebben de armen om elkaar heen geslagen en zien er verslagen uit. Waarschijnlijk wordt er vandaag iemand weggebracht die nog jong is. Zouden er ook zulke taferelen te zien zijn geweest toen Rob werd begraven? Daar heeft ze niets van kunnen zien, omdat ze als familie al eerder bij de aula arriveerden. En ze heeft er ook niet op gelet, weet ze. Ze heeft zo weinig mogelijk opgekeken. Ze had daar eigenlijk helemaal niet willen zijn.

Ze loopt langs de aula in de richting van de begraafplaats. Even aarzelt ze. Zal ze bloemen meenemen? Bij de ingang staat een bloemenstal. Maar ze loopt door. De volgende keer, neemt ze zich voor.

Als ze langs de rijen graven gaat, ontdekt ze een dubbel gevoel in zichzelf. Ze wil hier niet zijn en ze wil nergens liever zijn dan hier. Ze zucht diep. 'Ik begrijp niets meer van mezelf,' zegt ze hardop. Ze schrikt van haar eigen geluid en kijkt snel om zich heen of niemand haar gehoord heeft. Maar er zijn alleen graven te zien. Talloze zwijgende graven. Ze vormen samen een andere wereld. Een wereld waar Lilian niet in thuishoort.

Opeens zijn er mensen die recht op haar afkomen. Ze deinst ervan terug. De mensen praten met elkaar, er wordt zelfs gelachen. Het is een heel andere groep dan die ze een paar minuten geleden bij de ingang zag. Deze groep bestaat uit veel ouderen en uit verschillende gezinnen met jonge kinderen.

'Maar waar is oma nu dan?' hoort ze een kind vragen.

'Oma is een engeltje geworden en ze zweeft in de wolken,' antwoordt de vrouw die het kind vasthoudt.

Het kind wijst naar de lucht. 'Dáár is oma,' roept het verrukt. 'Ik zie haar vliegen.' Het levert diverse glimlachende reacties op.

Lilian laat de mensen passeren en kijkt hen peinzend na. Wat een verschil met die andere groep, denkt ze. Wat zullen de mensen die hier werken veel meemaken.

Ze voelt zich hier kalm worden. Misschien komt het door de rust die hier heerst en die goed aanvoelt. Het bijna eerbiedige ruisen van de kale bomen, het geluid van haar eigen voetstappen, de vreemde gewaarwording dat ze slechts een meter van een graf verwijderd is en dat die meter toch iets weg heeft van een onmetelijke afstand. Het is de vanzelfsprekende rust die hier heerst, denkt ze. De rust die zich niet laat verdrijven, al gil je de hele boel bij elkaar.

Ze weet een moment niet meer precies welk pad ze moet nemen. Ze is hier niet meer geweest nadat Rob werd begraven en het was toen al een behoorlijk lange tijd geleden dat ze het graf van zijn ouders had bezocht. Tijdens de begrafenis van Rob heeft ze zich door de stoet laten meevoeren en niet opgelet. Moet ze nu rechtsaf of linksaf? Ze kijkt om zich heen en tuurt naar de graven, tot haar oog op een bekend graf valt. Ze weet het weer. De diepzwarte marmeren steen met de zilveren letters. Het graf van een jonge vader. Ze heeft hier al vaak staan kijken, nadat ze hier een vrouw met vier jonge kinderen aantrof die de planten verzorgden. Hoe lang is dat nu intussen geleden? Toch gauw een jaar of tien. Die jonge kinderen zullen nu pubers zijn. Misschien heeft die vrouw al lang weer een nieuwe man.

Wat denk ze chaotisch. Ze slaat linksaf. Het wordt snel bewolkt, ziet ze. Donker bewolkt. Er komt regen. Ze moet hier niet te lang meer blijven. Ze kijkt vooruit, in de richting van de plek waar Rob ligt.

Er staat iemand bij het graf. Een figuur in een donkere lange jas, met het hoofd verscholen in een opstaande kraag.

Is het een vrouw?

Een lange broek en zwarte schoenen. Mannenschoenen.

Het is Dolf. Hij staat doodstil, als een standbeeld.

Lilian draait zich snel om en rent weg. Ze haalt de stoet in die ze net is tegengekomen en die op het punt staat om een van de kleine ontvangstkamers binnen te gaan. Ze ziet nog nét het kleine handje dat naar de lucht wuift en hoort het kind haar vliegende oma gedag zeggen.

Ze staat stil en probeert haar ademhaling in bedwang te krijgen.

57

Als ze weer in haar auto zit, krijgt ze het niet voor elkaar om direct weg te rijden. Haar handen liggen stil op het stuur. Ze is zich bewust van haar nog steeds opgewonden ademhaling. Rustig worden, denkt ze. Eerst rustig worden. Daarna pas weer gaan rijden.

Ze wil naar Bram. Ze moet aan iemand vertellen wat ze zojuist heeft gezien. Aan iemand die erbuiten staat. Iemand die er misschien iets zinnigs over kan zeggen. Iemand die haar ongeruste gevoel kan wegnemen en die haar vertelt dat er niets aan de hand is.

Is er eigenlijk wel iets aan de hand? Wat is er mis met het beeld van een verdrietige werknemer bij het graf van je man? Ze wéét toch dat Dolf heel goed met Rob kon opschieten? Dat ze al jaren samenwerkten? Dat Rob zijn bedrijfsleider erg waardeerde? Waarom schrikt ze nu dan zo?

Haar maag borrelt. Er komt iets naar boven, voelt ze. Ze slikt het driftig terug. Niks ervan. Geen zuur vocht, geen pijnlijke peristaltiek.

Ze gaat rechtop zitten, drukt met haar vingers tegen haar slokdarm en ademt een paar keer diep door.

Het helpt.

Zou Marjo ook naar het graf van Rob gaan? Dat lijkt haar sterk. Marjo is nu niet in de buurt. Die zit thuis en doet niets anders dan idiote dingen denken en boos zijn. En bij de politie klagen over het gedrag van Lilian. Nee, Marjo verwacht ze hier niet.

Er staat iemand naast de auto en kijkt haar recht in haar gezicht. Lilian schrikt.

Dolf is haar blijkbaar gevolgd. Hij loopt om de auto heen en maakt een vragend gebaar. Mag hij binnenkomen?

Ze opent het portier. Op het moment dat de deur weer in het slot valt, barst er buiten een enorme regenbui los. Het water klettert op het dak van de auto en stroomt langs de ramen.

'God zond de zondvloed,' merkt Dolf op. 'Dag, Lilian. Schrok je dat je mij daar trof?'

'Ja. Ik had je daar niet verwacht.'

'Ik jou ook niet.'

Ze weet niet direct wat ze daarop moet antwoorden. Ze kijkt vanuit haar ooghoeken naar de man naast haar. Zijn handen trillen. 'Heb je het zo koud? Je rilt helemaal.'

'Ik heb het altijd koud. Sinds de dood van mijn vrouw heb ik het eigenlijk altijd koud. Ik mis Rob,' gooit hij het over een andere boeg.

Lilian zit opeens stijf rechtop. 'Was er iets tussen jou en Rob...?' De vraag knalt de auto in. Ze schrikt van haar eigen woorden. Wat is dit voor een belachelijke gedachte? Wat bezielt haar om zoiets stompzinnigs te insinueren?

Dolf kijkt haar aan met een verbijsterde blik in zijn ogen. 'Die vraag heb ik niet gehoord,' zegt hij koeltjes. Hij opent het portier. De regen dringt direct de auto binnen. Hij trekt de deur weer wat dichter naar zich toe. 'Je ziet spoken, Lilian. Jij denkt dat Rob het met de hele wereld deed. En je schijnt maar niet te beseffen dat hij veel te veel van jou hield.'

Hij wil uitstappen maar Lilian trekt hem terug in de auto. 'Wat bedoel je daarmee?'

'Daarmee bedoel ik precies wat ik zeg. Hij hield te veel van jou. Maar hij had zich diep ingegraven in zijn eigen schuttersput en kon daardoor geen kant meer op. En ik heb verzuimd om hem een handje te helpen op de terugweg naar jou. Zie het als eigenbelang. Ik wilde hem niet aan jou geven. Ik wilde je zelf hebben. Zo, nu weet je het.'

'Heb jij iets met zijn dood te maken?'

Dolf kijkt haar strak aan. 'Nee. Absoluut niet. En vraag me dat alsjeblieft nooit meer. Daarmee ga je echt te ver.'

Er zit iets dreigends in zijn stem.

Dolf stapt snel uit de auto en gooit het portier achter zich dicht. De auto dreunt ervan.

Er schiet een heftige lichtflits door de lucht, die vrijwel direct wordt opgevolgd door een oorverdovende donderslag. Dolf rent in de richting van zijn eigen auto. Hij trekt de kraag van zijn jas over zijn hoofd.

Lilian zit hem doodstil na te kijken. De regen blijft maar over de voorruit van haar auto stromen.

58

Bram is blij verrast als ze weer voor de deur staat. Maar zodra hij haar gezicht ziet, wordt hij ernstig. 'Je ziet eruit als een geest. Kom gauw binnen.'

Lilian kan niet ophouden met rillen en ze probeert haar kiezen op elkaar te houden. Haar tanden klapperen. 'Zo koud,' weet ze uit te brengen. 'Zo verschrikkelijk koud.'

Hij zet de verwarming hoog en haalt een dikke trui voor haar. Daarna trekt hij haar dicht tegen zich aan. 'Vertel het eens, lieverd. Wat is er gebeurd?'

Toen ze op weg was naar Bram, wist ze precies wat ze tegen hem zou gaan zeggen. Ze wilde het hele gesprek met Dolf woord voor woord herhalen en vooral het laatste deel. Dolfs woorden galmen nog na in haar oren. En één zin blijft maar doordreunen in haar hoofd.

En je schijnt maar niet te beseffen dat hij veel te veel van jou hield.

Maar het is precies de zin die ze juist niet aan Bram moet vertellen, weet ze. Het is de zin waar ze geen vragen over wil krijgen, waar ze geen verantwoording voor kan afleggen. Het is een zin die ze heel diep in haar hart wil opbergen.

Ze warmt haar koude handen aan de beker thee die Bram haar aanreikt en neemt kleine slokjes van de hete vloeistof. Intussen denkt ze snel na over wat ze zal vertellen. 'Ik ging even naar het kerkhof,' begint ze voorzichtig.

Er verschijnt een diepe rimpel in zijn voorhoofd. 'Naar het kerkhof? Waarom?'

'Ik weet het niet precies. Opeens reed ik die kant uit. Het leek wel alsof iets me ernaar toe dreef.'

'Ja, dat kan.' Het klinkt niet overtuigd.

'Dat meen je niet, volgens mij.'

Bram haalt zijn schouders op.

'Ik werd daar opeens heel verdrietig,' zegt Lilian zacht. Verder ga ik niet, besluit ze. Dit is genoeg.

Bram zet zijn beker met thee op het glazen tafeltje dat voor de bank staat. Hij kijkt haar aan met een afwijzende blik in zijn ogen. 'En verder? Wat nu?'

'Wat bedoel je met: wat nu?'

'Ik bedoel precies wat ik zeg. Wat nu? Ga je nu steeds zitten nadenken over Rob? Ga je soms opeens weer van hem houden? Heb je besloten om hem te gaan missen? Je vertelde mij toch dat je voor míj koos? Of klopte dat niet?'

Dit gaat niet goed, denkt ze. Dit gaat zelfs helemaal fout. Ik had niet naar Bram moeten gaan. Hij kan hier niets mee. Natuurlijk vat hij dit verkeerd op. Wat ben ik nu in hemelsnaam aan het doen?

Bram haalt heel nadrukkelijk diep adem. 'Ik vind het vervelend om te zeggen, Lilian. Maar ik zeg het tóch. Het lijkt mij beter als we een tijdje geen contact met elkaar hebben. Ik voel me te veel in jouw leven. Jij bent nog niet klaar met Rob. Nee, zeg nu even niets. Ik neem het je niet echt kwalijk. Het is ook niet mijn bedoeling om voorgoed afscheid te nemen. Alleen een adempauze, tot jij je rouw hebt afgerond en honderd procent ruimte hebt voor mij. Ik kan wachten en ik zal wachten. Maar ik wil voorlopig dus geen contact.'

Lilian heeft het gevoel dat ze bevriest. Ze verstijft en ze voelt de rillingen over haar rug lopen. 'Ik begrijp het niet,' protesteert ze. 'We hebben een paar uur geleden nog afgesproken dat we tweede kerstdag en oudejaarsavond samen zouden zijn. Daar verheug ik me op.'

'Maar ik níét.' Hij is kortaf. Koel. Afstandelijk.

Een totaal andere Bram dan die ze kent.

Hij buigt zich naar haar toe en kijkt weer wat vriendelijker. 'Ik meen het. Dit gaat niet goed. Als wij bij elkaar willen blijven, moeten we nu eerst afstand nemen. Laten we afspreken dat we elkaar drie maanden niet zien, tenzij er iets heel aangrijpends gebeurt. En laten we na die drie maanden opnieuw praten. Geloof me, als we dat níét doen lopen we stuk. En dat zou ik verschrikkelijk vinden. Ik hou van je. Ik wil je niet kwijt. Maar dit moet écht. In ieder geval om mijn liefde overeind te houden.'

Lilian staat op. Ze trekt zijn trui uit en legt hem op de bank. Ze drinkt staande haar beker leeg en loopt naar de deur. 'Dág,' zegt ze, zonder om te kijken. Ze hoort haar mobiele telefoon overgaan en vist het ding uit haar tas. Het is Ivo, ziet ze op de display. Die moet maar even wachten, besluit ze.

Bram pakt haar schouder vast en draait haar naar zich toe. 'We gaan niet boos uit elkaar,' zegt hij. 'Kijk me eens aan. Nogmaals: ik hou van je. Ik wil de rest van mijn leven samen zijn met jou. Maar op dit moment voel ik mij te veel in jouw leven. Ik wil de voornaamste zijn. Je enige liefde. Dat ben je namelijk ook voor mij.'

Lilian schiet vol. Hij trekt haar dicht tegen zich aan en kust haar.

Nog eens. Nog eens.

Haar onderlijf schuurt tegen hem aan. Ze wil hem hier, nú.

Hij laat haar los. 'Ga nu maar. Tot gauw.'

Als ze met een verdwaasd gevoel de straat uitrijdt, realiseert ze zich dat ze niet heeft gezegd dat ze ook van hém houdt.

59

Ze heeft de auto stilgezet in een parkeerhaven en ze denkt na over wat er gebeurd is. De mededeling van Bram dat hij voorlopig geen contact wil hebben, is voor haar gevoel volkomen uit het niets tevoorschijn gekomen. Ze piekert over de mogelijke signalen die zij heeft gemist. Woorden die eventueel al aankondigden dat hij dit besluit overwoog. Maar ze herinnert zich niets in die richting. Ze vraagt zich zelfs af of Bram dit al van plan was en of het hem nét zo overvallen heeft als haar. Soms reageert hij snel geïrriteerd. Hij kan zomaar uit het niets iets afwijzends zeggen of kribbig worden. Maar dat is ook vrijwel direct weer over. Hij herstelt zich altijd snel.

Ze begrijpt dit niet.

Hij was verrast dat ze terugkwam, daar had hij even niet op gerekend. Hij vond het geen prettig idee dat ze op eerste kerstdag bij Ivo wilde blijven, maar hij heeft daar ook niet overdreven moeilijk over gedaan.

Wat kan er dan gebeurd zijn in de korte tijd tussen haar eerste en haar tweede bezoek aan hem?

Het kwam door haar verhaal over het kerkhof. Hij begreep niet dat ze zomaar naar het kerkhof was gegaan. Daar begrijpt ze zelf ook niet veel van, dus op dat punt staan ze op één lijn.

Ze wordt boos. 'Wat maakt het uit dat ik naar het kerkhof ging? Ik ging verdomme naar mijn eigen man, met wie ik bijna vijfentwintig jaar getrouwd ben geweest. Sinds wanneer moet ik daar toestemming voor vragen aan mijn vriendje?' Ze heeft er behoefte aan om hardop te praten. Ze zou het liefst rechtsomkeert maken en het hem eens even haarfijn gaan vertellen. 'Ik doe niemand kwaad als ik het graf van Rob bezoek. Dat is privé. Iets tussen hem en mij. Het ging heel snel, zijn dood. Ik heb geen afscheid kunnen nemen. En dat zou ik gewild hebben: afscheid nemen. Afronden. Accepteren dat het niet is gelukt om onze liefde overeind te houden.' Ze zwijgt een paar seconden en volgt met haar ogen een paartje dat stevig omstrengeld langs loopt. 'Ik moet accepteren dat ik onvoldoende moeite heb gedaan om hem terug te krijgen,' hoort ze zichzelf zeggen.

Ze begint te huilen.

Soms was er opeens iets terug van vroeger, herinnert ze zich. Soms lachten ze spontaan hartelijk om een opmerking van Rob en deed hij er nog een schepje bovenop om de zaak te chargeren. Rob maakte zijn verhalen graag nét iets spannender of humoristischer dan ze in werkelijkheid waren. En Lilian lachte, schaterde het uit.

Soms deed hij dat opeens. En daarna raakte hij haar aan, bijna terloops. En dan verstarde zij. En dat merkte hij. Daardoor was het weg. Later had ze spijt dat ze zo verkrampt had gereageerd. Ze probeerde hem aan te halen. Maar altijd tevergeefs. Dan gaf ze het op

Toen zijn ouders kort na elkaar stierven, mocht Lilian hem troosten. Ze streelde hem over zijn rug, toen hij tijdens de begrafenissen dicht tegen haar aankroop. Ze veegde zijn tranen weg. Ze kuste zijn haren.

Dat liet hij toe.

Later streelde ze zijn gezicht, toen hij de krant zat te lezen. Hij trok zijn hoofd schielijk terug.

Zij vroeg geen verklaring.

Er komen talloze gebeurtenissen in haar op die te maken hadden met het spel van aantrekken en afstoten dat zij speelden. Ze herinnert zich allerlei mogelijkheden die ze allebei lieten liggen. En ze denkt na over de betekenis ervan.

Jij schijnt niet te beseffen dat Rob veel te veel van jou hield.

'Ik hield ook veel te veel van hem,' zegt ze tegen zichzelf. Ze veegt haar tranen weg. 'Ik pik het niet,' mompelt ze. 'Ik laat me niet zomaar aan de kant schuiven. Hij went er maar aan dat ik nu en dan naar het kerkhof wil. Ik ga er niet over liegen. Ik heb er recht op.'

Het regent niet meer. De lucht ziet er weer fris uit. Minder dreigend. Hoe lang staat ze hier al? Ze kijkt op haar horloge. Bijna anderhalf uur! Ze moet hier weg. Ze start de motor en geeft richting aan om te keren. Er is een geluid in haar tas. Haar mobiele telefoon. Waarom hoort ze het signaal niet overgaan op de bluetooth carkit? Ze tuurt naar de display. *Geen verbinding.* Ze zucht diep. Nu kan ze niet gaan rijden. Ze zet de motor weer uit en haalt haar mobiele telefoon uit haar tas. Het nummer van Ivo staat op de display. Ze neemt op.

'Mam, éíndelijk! Waar zit je toch?'

'Ik ben op weg naar huis,' liegt Lilian. Nu maar even geen mededelingen doen over een vriend die het moeilijk heeft met kerkhofbezoek. 'Wat is er aan de hand? Je klinkt nogal opgewonden.'

'Ze hebben Marjo gevonden.'

Stilte.

Lilians hart begint als een bezetene te bonken. 'Wat bedoel je precies?'

'Christina van Leeuwen was hier op de zaak. Het lukte haar niet om contact te krijgen met Marjo. Ze wilde haar ergens over ondervragen en ze dacht dat Marjo aan het werk was, omdat ze thuis de telefoon niet opnam. Maar je weet dat Marjo hier al dagen niet is geweest. Dolf vertrouwde het niet en hij is met Christina meegegaan naar Amersfoort. De deur van haar flat stond op een kier. Ze is dood, mam. Ik denk dat ze is vermoord.'

60

Ik mag van mezelf geen fouten maken. Fouten maken is iets voor stumperige moordenaars. Voor gelegenheidskillers. Dat ben ik niet.

Ik ben een professional.

De moorden brengen me in een staat van euforie. Zelfs de kerstversiering is beter te verdragen. Het groteske, glinsterend verlichte hert dat een slee trekt op het huis van de buren, stoort me nauwelijks.

De laatste moord was een enorme uitdaging. Knap bedacht. Fantastische sluipbewegingen gemaakt. Geen sporen achtergelaten.

Perfect. Ik was perfect.

Soms is moorden goddelijk lekker. Verrekte opwindend. En de grootste opwinding kwam later, toen ik ontdekte dat ik toch nog ergens een volle ampul kaliumchloride had. Ik dacht dat ik de laatste had gebruikt maar ik heb er nog één. Het was puur toeval dat ik hem vond.

Was het toeval? Ik geloof niet in toeval. Toeval bestaat niet.

Deze laatste bewaar ik voor een bijzondere gelegenheid.

Voor de finale.

61

Zodra Lilian het kantoor inkomt, sluit Ivo de deur. Hij omarmt haar stevig. Hij is alleen, ziet ze. 'Waar is Dolf?'

'Die is nog niet terug. Hij heeft me gebeld. Ik heb beloofd om op hem te wachten.'

Ze merkt dat hij erg overstuur is. Hij kan geen minuut stilzitten en morst koffie over zijn broek. Met een geërgerd gebaar veegt hij die weg en vloekt binnensmonds. 'Ik ben nogal geschrokken,' legt hij uit.

'Is er al iemand van het bedrijf op de hoogte van wat er is gebeurd?' vraagt ze.

'Nee, natuurlijk niet. Ik heb Dolf beloofd om te wachten met iets te zeggen, totdat we zelf meer weten.'

'Wat valt er meer te weten dan dat ze dood is?'

'Nou ja, zeg. Bijvoorbeeld hóé dat is gebeurd.'

'Dat begrijp ik. Maar ik kan me niet voorstellen dat we dat al vandaag te weten komen. Dus daarover hoeven we geen informatie te verstrekken. Maar we kunnen toch wél bekendmaken dat Marjo is overleden?'

'Ik wacht liever nader bericht af van Dolf of van Christina,' is het stuurse antwoord. 'Wat maakt het uit, mam? Ze is dood. Net als papa. Wat is er toch aan de hand? Zouden wij ook gevaar lopen?'

Lilian staart uit het raam. 'Ik ben niet van plan om me daarover druk te gaan maken. Ik heb wel wat anders aan mijn hoofd.'

'Wat dan? Dat vriendje van je? Is die belangrijker dan wat er met je personeel gebeurt?' Hij klinkt scherp. Afwijzend. Er rommelt iets onaangenaams tussen hen.

'We zijn tijdelijk uit elkaar. Adempauze.'

'O. Dat wist ik niet. Sorry.' Ivo kijkt langs haar heen. 'Hebben jullie ruzie?'

'Niet eens. Geen ruzie. Geen verschil van mening. Alleen een adempauze. Op zijn initiatief. Hij vindt dat ik eerst mijn rouw moet afronden.'

'Daar valt wel iets voor te zeggen. Toch? Volgens mij is het niet goed om van de ene in de andere relatie te stappen.'

'Niet goed voor wie?' Ze is vinnig, hoort ze zelf. Ze is kwaad. Op Bram, die iets beslist op eigen houtje. Op Marjo, die zonder enige waarschuwing ook opeens doodgaat. Ze schudt haar hoofd om haar eigen banale gedachte.

Ivo pakt haar arm vast. 'Voor mij, mam. Heus, ik gun je van harte een nieuwe liefde. Maar ik ben blij dat ik er nog even niet mee geconfronteerd hoef te worden. Dat is heel egoïstisch, ik weet het. Maar ik wil eerlijk tegen je zijn. Het komt mij goed uit als je nieuwe relatie voor een tijdje op een laag pitje wordt gezet. Mijn vader is dood. Even rustig aan met een plaatsvervanger. Of denk je dat het helemaal over is?'

Lilian haalt haar schouders op. 'Ik weet op dit moment helemaal niets zeker meer.'

'Ben je ook niet bang dat wij gevaar lopen?'

'Nee, waarom zouden wij bang zijn? Kom op, zeg. Ik geloof beslist niet dat Marjo is vermoord.'

'Wat denk jij dan? Ze is dood aangetroffen en haar voordeur stond open. Dat klinkt toch niet goed?'

'Typisch geval van verregaande aandachttrekkerij. Jij weet net zo goed als ik dat Marjo zich vreemd gedroeg. Dat ze helemaal gefixeerd was op ons, op je vader en op mij. Dat ze zichzelf mevrouw Dijkman noemde en in dezelfde kleren verscheen als ik. Ik ben bang dat ze een geslaagde zelfmoordpoging heeft gedaan, terwijl het niet de bedoeling was dat het zou lukken.'

Ivo slaat beide handen voor zijn mond. 'Dat méén je niet.'

'Dat meen ik wél. Volgens mij was het allemaal aandachttrekkerij van haar. En ik denk dat ze te ver is gegaan. Dat het per ongeluk gelukt is. Ik geloof niet dat ze wérkelijk dood wilde.' Ze is ervan overtuigd dat de zaak op deze manier in elkaar zit, merkt ze. Marjo vermoord? Voor wie zal Marjo de moeite waard geweest zijn om te vermoorden?

Haar hoofd denkt nare dingen. Ik moet mezelf weer onder controle zien te krijgen, bedenkt ze. Ik denk dingen die niet door de beugel kunnen. Ik word een vals loeder, als ik niet uitkijk. Een kwaad, vals loeder. Ik moet mijn woede loslaten. Het is opeens heel duidelijk voor haar. Ze is woedend.

Op Rob. Op Bram. Op Marjo.

En op de rest van de wereld.

De telefoon die op het bureau van Ivo staat begint luid te rinkelen. Ivo steekt zijn hand uit om op te nemen maar Lilian is hem vóór. Ze gebaart tegen hem dat hij moet gaan zitten en noemt haar naam.

Het is Dolf. 'Ik kom nu naar Haarlem. Het huis is afgesloten en er is een neef van Marjo gewaarschuwd die haar moeder gaat inlichten.'

'Is er al iets naders bekend?' Ze weet zeker dat hij nu gaat zeggen dat het een gelukte zelfmoordpoging was.

'Vooralsnog houden ze er sterk rekening mee dat ze is vermoord.'

'Hè? Waar blijkt dat dan uit?'

'Dat is nog nergens uit gebleken maar er werd wel een enorme ravage aangetroffen in haar huis. Het is duidelijk dat iemand iets heeft gezocht. Alle kasten stonden open en overal lagen papieren.'

'Wanneer is dat gebeurd?' Lilian voelt haar benen slap worden. Ze gaat op de stoel zitten die voor Ivo's bureau staat.

'Ze denken dat ze al minstens vierentwintig uur dood is. Christina is bij de buren geweest. Dat zijn twee stokoude mensen, zo doof als een kwartel en ook niet meer helemaal tof, als je het mij vraagt. En ik verwacht ook niet veel aanwijzingen van de andere buren die hier wonen. De boel is hier blijkbaar zó grondig geïsoleerd dat niemand je kan horen als je wordt gekild. Het is net een vesting. Ik zou hier nog niet dood gevonden willen worden.' Het is even stil na zijn woorden. 'Nou ja, ik bedoel maar,' zegt hij onhandig. 'Ik kom nu naar jullie toe. Zet maar een borrel voor me klaar. Daar heb ik behoefte aan.'

62

Vlak nadat Dolf het gesprek had beëindigd, belde Christina nog. Ze wilde Lilian en Ivo graag zo snel mogelijk spreken, zei ze.

'Dat worden voor jou geen rustige kerstdagen, denk ik,' opperde Lilian.

'Dit is een zaak voor de collega's uit Amersfoort, maar ik denk dat we wel in overleg blijven,' was het antwoord. 'Ben jij vanavond alleen of ben je bij je vriend?'

Lilian deinsde een moment terug van die vraag. 'Hoezo?'

'Het lijkt me geen slecht idee om niet alleen te zijn.'

'Ik ben thuis en Ivo is er ook.' Ze keek met een vragende blik naar Ivo en die knikte. 'Kan ik het gewoon zeggen?' Hij knikte opnieuw. 'Ivo woont tijdelijk bij mij. Hij kan niet goed alleen zijn.' Christina stelde geen verdere vragen en ze hebben afgesproken dat ze morgenochtend om 10 uur bij hen is. 'Ik vraag me af wat er met ons te bespreken valt over de dood van Marjo,' zegt Lilian. 'Als ik eerlijk mag zijn, heb ik het wel een beetje gehad met die gesprekken. Volgens mij schieten ze niet erg op. We horen ook niets over eventuele vorderingen in het onderzoek over papa's dood. Ik kan me niet aan de indruk onttrekken dat ze nog geen enkel goed spoor hebben.'

'En ik kan me niet voorstellen dat ze daar ons al iets over zouden vertellen, mam. Kom op, waar zit je verstand? Je denkt toch niet dat die lui ook maar enig risico willen nemen dat hun onderzoek in de soep loopt? En je begrijpt toch wel dat ze ook óns in de gaten houden?'

'Wij worden niet verdacht.'

'Wij zijn niet officieel aangemerkt als verdachten. Maar houd er rustig rekening mee dat ze ons kritisch volgen.'

Lilian krijgt het koud van Ivo's laatste woorden. Ze heeft de neiging om uit het raam te gaan kijken en uit te zoeken of er misschien een auto verdekt staat opgesteld op de parkeerplaats. Een auto met twee mannen erin. Mannen die het raam van Ivo's kantoor observeren. Wie weet, wordt zij gevolgd op straat. Ze rilt bij de gedachte. 'Ik denk dat het allemaal wel meevalt,' probeert ze zichzelf gerust te stellen.

Ivo haalt zijn schouders op. 'Wie weet.' Het klinkt niet bepaald overtuigd.

'Ik loop even de zaak in,' besluit ze. 'Ik kom wel weer naar je toe als Dolf er is.' Ze heeft behoefte aan contact met andere mensen. Ze voelt zich met de minuut onzekerder worden. Ze weet ook niet goed hoe ze zich tegenover Dolf moet gedragen. Verwacht hij iets van haar? Had ze moeten reageren op de bekentenis over zijn gevoelens voor haar? Ze denkt dat ze beter uit zijn buurt kan blijven.

Ze heeft geen goed gevoel over hem.

Maar ze is ook niet rustig als Ivo in de buurt is. Hij lijkt wel een vreemde in plaats van haar eigen zoon. Sinds wanneer is hij zo koel? Zo snel geïrriteerd? Heeft ze iets gemist?

Als ze het kantoor verlaat, overvalt haar een sterke drang om Bram te bellen. Ze wil hem vertellen wat er nu weer is gebeurd. Vragen wat hij hiervan denkt. Zich laten geruststellen. Op zijn schoot kruipen. Hij moet ophouden met zijn beweringen dat ze eerst haar rouw moet afronden. Misschien rondt ze haar rouw om Rob wel nooit helemaal af. Misschien besluit ze wel om iets van hem in zichzelf te bewaren en het zelfs te koesteren. Wat is daar tegen? Wie doet ze daar kwaad mee? Ze denkt aan de laatste keer dat ze vreeën. Toen zei hij helemaal niets over rouw afronden. Toen liet hij haar naar adem snakken, zoals alle keren daarvoor. Als je zó goed met elkaar vrijt, moet je ophouden met geneuzel over het afronden van een rouwproces.

Nu wordt ze wéér boos.

Ze ziet dat het rustig is in de zaak. Vanavond is extra koopavond, de laatste koopavond voor Kerstmis. Overmorgen is het Kerstmis. Lilian heeft totaal geen kerstgevoel. De boom die ze een paar dagen geleden gekocht heeft, staat nog achter in de tuin. Ivo zal niet snel aanstalten maken om hem binnen te halen en op te tuigen. Hij geeft niets om kerstversiering. Voor hem had die boom niet gehoeven. Hij vindt alle kerstverlichting bij mensen in de tuin of op de gevel pure verspilling van energie. Lilian vraagt zich wel eens af waar die weerstand vandaan komt. Toen hij nog thuis woonde, vond hij het juist allemaal gezellig. Hoe goed kent ze haar eigen kind eigenlijk? Ze leunt tegen een leren hoekbank en grijpt met beide handen de rugleuning vast.

Er staat iemand naast haar. Een vrouw. 'Werkt u hier?' vraagt ze vriendelijk. 'Ik zoek de glazen vitrinekast uit de advertentie. Maar ik kan hem nergens vinden. Is hij soms al uitverkocht?'

Lilian loopt met haar mee naar de informatiebalie en draagt haar over aan de medewerker die daar staat. Ze schiet snel weer de gang in die naar de kantoren leidt. Ik ga Bram bellen, neemt ze zich voor. Ik wil geen pauze in onze relatie. Ik heb hem nodig. Ik kan het niet alleen.

Ze botst tegen iemand op en ziet dat het Ivo is. 'Mam, ik wil met je praten.'

Lilian volgt hem naar zijn kantoor.

63

Ze zijn maar vast aan de rode wijn gegaan. 'Als we te veel drinken, laten we ons lekker met een taxi naar huis brengen,' heeft Ivo beslist. 'Wat kan óns het schelen? En morgen nemen we weer een taxi naar de zaak of we vragen of Christina ons brengt. De politie is je beste vriend, moet je maar denken. Of wil jij morgen nog vrij zijn?'

Lilian heeft zich voorgenomen om na de kerstdagen weer volledig aan het werk te gaan. Zeker nu Marjo er definitief niet meer is, zal ze zelf vaker aanwezig moeten zijn. Marjo ving altijd veel op als er iets aan de hand was en dat kun je natuurlijk niet verwachten van de secretaresse die nu via het uitzendbureau aan het werk is. Het is ook goed, denkt ze, om weer bezig te zijn. Ze loopt nogal met haar ziel onder haar arm en heeft nergens rust. Het dagelijkse ritme dat het werk met zich meebrengt zal haar goed doen. Dan denkt ze vanzelf ook minder aan dingen waar ze liever niet aan wil denken. Aan wat Dolf zei over Rob, bijvoorbeeld. Dat heeft er op de een of andere manier behoorlijk ingehakt. Veel te diep, vindt Lilian. Dat wil ze niet.

'Ik werk morgen nog niet,' antwoordt ze. 'Ik moet nog inkopen doen voor de kerstdagen. Dat doe ik na het gesprek met Christina.' Nu Bram heeft beslist dat ze elkaar een tijdje niet zien, zal ze voor beide kerstdagen eten in huis moeten halen. Maar ze gaat hem wél bellen, houdt ze zichzelf voor. Hij moet weten wat er allemaal gebeurt. Ze wil het hem vertellen.

Ik bel hem vanavond, denkt ze. Ik ga vroeg naar bed en dan bel ik hem.

Ivo is grauw, ontdekt Lilian. Hij ziet er slecht uit. Ze schrikt ervan. Zou hij ziek zijn?

'Wat zit je vreemd naar me te kijken,' glimlacht hij. 'Je kijkt alsof je iets verschrikkelijks ziet.'

'Ik zie opeens dat je er niet goed uitziet.'

'Dat weet ik. Ik pieker te veel. Mijn gedachten slaan veel te snel op hol.'

'Pieker je nog over de moord op papa?'

'Ook.'

'En waarover nog meer?'

'Ik pieker over jou. Over ons. Over wat er met ons gebeurt.'

Ze voelt haar hart een paar slagen overslaan. Het roffelt in haar borstkas. Het doet pijn.

'Schrik je daarvan?' vraagt Ivo.

'Ja. Behoorlijk.'

'Je bent zo onbereikbaar, mam. Soms kijk je naar me en dan vraag ik me af of je wel weet wie ik ben. Je hebt een afwezige blik in je ogen. Het lijkt wel of... of het je nauwelijks interesseert wat er allemaal is gebeurd.' Hij neemt een flinke slok wijn. 'Papa was heel close met Marjo. Er werd over gekletst in het bedrijf. Ik sprak hem erop aan. Dolf ook. Maar hij wuifde alles weg. En jij deed niets. Je zei niets, je vroeg niets. Heb je er eigenlijk wel eens iets van gemerkt?'

Lilian houdt haar adem in. De woorden van Ivo voelen aan als een klap in haar gezicht. Een pijnlijke klap. Ze wil een goed antwoord geven maar ze krijgt het niet voor elkaar om iets te verzinnen. Ze slikt een paar keer. 'Het is nooit bij me opgekomen dat...' Ze kijkt hem hulpeloos aan. 'Ik ben er pas kortgeleden achter gekomen dat Marjo allerlei fantasieën had over een toekomst met je vader. Ik zag het niet. En misschien heb ik het ook genegeerd. Ik weet het niet. Ik weet op dit moment niets meer zeker.'

'Kun jij je nu voorstellen dat Marjo dood is, mam?'

De vraag overvalt Lilian. Ze weet niet goed waar Ivo naartoe wil. Hij had toch kritiek op haar? En nu gaat het opeens weer over Marjo. Maar zijn vraag zet haar wel aan het denken. Kan zij zich voorstellen dat Marjo dood is? Vanaf het moment dat Ivo haar vertelde dat Marjo was gevonden, heeft ze besloten om daar niets bij te voelen, merkt ze. Waarom eigenlijk? Heeft dat iets te maken met de laatste keer dat ze haar zag?

Ze hadden beter niet naar haar toe kunnen gaan, heeft ze vastgesteld. Als ze eerlijk is, moet ze toegeven dat ze de overval die ze pleegden niet vindt kloppen. Ze vielen zonder pardon bij haar binnen en ontdekten dat Marjo haar huis exact hetzelfde had ingericht als Lilian en Rob. Het moet een beschamende gedachte voor Robs secretaresse zijn geweest dat ze was betrapt. Want dat deden ze, als je het goed bekijkt. Ze betrapten haar. En Lilian vond dat achteraf gezien te ver gaan. Ze is nooit bij Marjo thuis uitgenodigd en ze begrijpt nu waarom niet. Ze weet nu dat dit niet zozeer te maken had met afstand bewaren tussen zakelijk en privécontact. Zoveel afstand was er niet. Marjo kwam gewoon bij Lilian koffiedrinken en spitte haar klerenkast door. Vrouwen onder elkaar, altijd gezellig.

Marjo kocht ook dezelfde kleren als Lilian, weet ze nu.

Zielig.

Pathetisch.

Als ze eraan denkt dat de vrouw voor zichzelf een droomwereld heeft gecreëerd die op háár wereld leek, krijgt ze het benauwd.

Ze voelt zich schuldig. Maar ook kwaad. Die emoties lopen elkaar voortdurend in de weg. Ze veroorzaken een permanente spanning in haar lijf. En behalve spanning ook onrust, machteloosheid en verdriet.

Maar ze wil geen van die emoties echt toelaten. Daarom pompt ze zichzelf vooral op met woede. Als ze eerlijk is tegen zichzelf, wil ze niets liever dan de dood van Marjo negeren.

Vooral niet geloven dat het moord was. Dat is echt een station te ver. Daar komt gedonder van.

'Ik probeer er niet aan te denken,' verbreekt ze de stilte die na Ivo's vraag is gevallen. 'Ik zit vól. Er kan niets meer bij.'

'Ik kan eigenlijk alleen maar denken aan wie daar iets mee te maken zou kunnen hebben,' zegt Ivo langzaam.

64

Ivo begint behoorlijk aangeschoten te raken. Hij schenkt zijn wijnglas opnieuw vol en zet het direct aan zijn lippen.

'Je wordt dronken,' waarschuwt Lilian.

'Lekker, toch?'

'Je wilt graag dronken worden.'

'Ja. Als ik dronken ben, voel ik minder wat ik liever niet wil voelen.'

Er valt een diepe stilte.

'Jij wilt nergens over praten, hè, mam? Hoe komt dat toch? Vroeger praatte je altijd over alles en ging je altijd in op wat ik wilde bespreken. Maar sinds papa dood is... Heb je dat zelf ook in de gaten? Dat je veranderd bent? Dat je op slot zit? Of geldt dat alleen voor mij? Praat je wél met anderen maar alleen niet met mij? Ik mis je zo, mam.'

'Je bent dronken. Jij wordt altijd sentimenteel als je gedronken hebt.' Lilian kan zich nauwelijks voorstellen dat ze dit werkelijk zegt. Ze voelt dat ze geëmotioneerd raakt. Maar ze slikt alles weg.

Ivo doet of hij haar laatste woorden niet heeft gehoord. 'Je bent zo anders, mam. Zo boos.'

Er klinkt een geluid in de gang. Iemand roept iets. 'Ik kom later bij je. Anders morgen, is dat goed?' Het is de stem van Dolf.

'Dolf is er,' stelt Lilian vast. 'Wat zou die allemaal te zeggen hebben? Hoofdstuk zoveel in het drama Dijkman & Co.'

De deur zwiept open. 'Hoi, jullie zijn er gelukkig allebei,' zegt Dolf. 'Daar ben ik blij om. Ik ben kapót. Echt kapót. Wat een ellende is dit. Ik ben me wild geschrokken. Ze lag er zo eenzaam bij...' Opeens snikt hij het uit.

Lilian loopt snel naar hem toe en slaat haar armen om hem heen. 'Rustig maar,' sust ze. 'Hier, ga hier bij het bureau zitten. Wil je een glas wijn?' Ze wacht het antwoord niet af maar schenkt haar eigen halflege glas vol en schuift dat in zijn richting. 'Drink even iets. Dat heb je nodig.' Ze wrijft met haar hand over zijn rug. 'Ik denk toch dat het zelfmoord was,' probeert ze Ivo en Dolf te overtuigen. Ze volgt met haar ogen haar eigen hand die nog steeds over de rug van Dolf strijkt. Ze trekt hem schielijk terug.

'Het was beslist geen zelfmoord,' valt Dolf haar direct in de rede. Hij veegt de tranen van zijn gezicht. 'Het was moord. Maar ik snap er eerlijk gezegd helemaal niets van. Toen ik de flat verliet, trof ik een man die verderop in de straat woont. Die beweerde bij hoog en bij laag dat hij Marjo gisteravond laat naar haar auto heeft zien lopen. Wisten jullie dat ze een zwarte Volvo V70 had? Die schijnt ze een week of twee geleden gekocht te hebben.'

Lilian en Ivo staren hem aan. 'Net zo'n auto als Rob had,' stamelt Lilian. 'Heeft ze na zijn dood dan dezelfde auto gekocht?'

'Dat schijnt zo te zijn. Een zwarte Volvo V70. Maar daar kan zij gisteravond laat nooit in zijn weggereden, want volgens de politiearts was ze toen al dood. En de auto stond ook gewoon op haar vaste parkeerplaats.'

Lilian reageert niet op de laatste woorden van Dolf. Ze heeft het gevoel dat ze stikt. 'Ik dacht dat we alles gehad hadden en nu dit weer. Nu heeft ze ook al dezelfde auto als Rob.'

'Wat maakt dat uit?' Dolf kijkt haar met samengeknepen ogen aan.

'Niets, waarschijnlijk.'

'Waarom zeg je het dan?'

'Omdat ik er niets van begrijp. Omdat ik niet snap hoe het werkte voor Marjo. Wat ze van plan was.'

'Dat kan ik je wel vertellen,' zegt Dolf. 'Ze wilde Rob. Ze liep al jaren als een hondje achter hem aan. Ze heeft zichzelf heel langzaam ingegraven in zijn leven, tot ze er niet meer uit weg te denken was. Ik heb hem talloze keren gewaarschuwd voor haar. Ik zag wat ze deed. Ik doorzag wat ze wilde. Rob niet. Die zocht er niets achter en dat kwam waarschijnlijk doordat hij zelf totaal niet in de richting van een relatie dacht.'

'Ik heb hem ook gewaarschuwd,' valt Ivo Dolf bij. 'Maar hij lachte me uit. Hij noemde haar het paard van de schillenboer zonder borsten.'

Er flitst een beeld door Lilians hoofd. Het shirt dat Marjo droeg. Hetzelfde shirt als zij zelf heeft. En daarna de korte ruk aan het shirt. De aanblik van twee dikke rode strengen op de plaats waar haar borsten hoorden te zitten. Ze kokhalst.

'Wat is er, mam?'

'Ze heeft borstkanker gehad, allebei haar borsten waren geamputeerd. Ik heb het gezien. De littekens. Het was verschrikkelijk. Mijn moeder had ook borstkanker. En mijn zusje. Mijn zusje had het ook. Het is een gen, een erfelijk gen. Misschien ben ik ook drager van het gen. Ik heb me nooit laten testen.' Ze braakt de woorden bijna uit. Ze verwacht dat vooral Dolf niets van haar verhaal zal begrijpen.

'Hier, neem maar een slok,' biedt Dolf aan. 'Jij hebt het ook nodig, zo te zien.'

Lilian drinkt het glas in één teug leeg. 'Ik zou ook wel eens een keer lekker dronken willen worden,' zucht ze. 'Nou ja, lekker... die kater achteraf... toch maar niet.'

'Ik wist dat niet, van het erfelijke gen in jouw familie,' zegt Dolf. 'Wat verschrikkelijk. Wil je niet weten of jij ook drager bent?'

'Nee. Ik heb mezelf tot nu toe altijd kunnen wijsmaken dat

ik het niet heb. En als ik me vergis, merk ik het wel. Als ik vijftig ben, kan ik iedere twee jaar naar de borstenbus voor het bevolkingsonderzoek. Iedere Nederlandse vrouw krijgt vanaf haar vijftigste om de twee jaar een oproep. Ik zie wel wat ik doe als de oproep komt.'

'Dan ga je, mam. Al moet ik je naar die bus sleuren, je gáát. Ik wil niet ook nog eens mijn moeder verliezen.'

Lilian kijkt verrast op. 'Dat is lief van je.' Ze aarzelt een kort moment. 'Je hebt gelijk: ik praat te weinig met je. Ik zit op slot. Dat is niet goed. Wij hebben op dit moment alleen elkaar nog. We gaan praten. Ik beloof het je. We gaan praten.'

'Hoe kwamen we op dit punt terecht?' vraagt Dolf zich hardop af. 'Door mijn mededeling dat Marjo een Volvo V70 had?'

'Een zwarte,' corrigeert Ivo hem.

Het klinkt bijna komisch. Lilian heeft de neiging om te gaan lachen. Maar ze beheerst zich. 'Het begon toen je zei dat ze daar zo eenzaam lag.'

'Ja. Ik werd er beroerd van. Ik ben er eigenlijk steeds beroerder door geworden. Het was soms niet om aan te zien. Die verwoede pogingen van haar om Rob in te palmen. En het ontbreken van enige reactie van zijn kant. Althans, van de reactie die zij wilde zien. Het was soms stuitend. Armoedig. Zo desolaat. En nu zijn ze allebei dood. Wie weet wie ze heeft binnengelaten om haar te troosten. Het is in ieder geval de verkeerde geweest.'

'Wat bedoel je?' wil Lilian weten.

Dolf denkt even na voor hij antwoordt. 'Ik heb Christina beloofd om er verder niet over te praten, in verband met het onderzoek. Maar jullie mogen het wat mij betreft wel weten. Strikt vertrouwelijk. Ze was halfnaakt. Vanaf haar middel.' Hij slikt. 'Ik denk dat ze seks heeft gehad voordat ze vermoord werd.'

65

Dolf is nog erg overstuur en hij blijft maar vertellen wat er allemaal gebeurde vanaf het moment dat ze op zoek gingen naar Marjo. Christina vond het aanvankelijk nergens voor nodig dat Dolf meeging naar Amersfoort maar hij wilde dat per se. Hij voelde zich verantwoordelijk, vertelt hij. Hij is degene die er nadrukkelijk op heeft aangedrongen dat Marjo voorlopig niet op de zaak verscheen en hij is ook degene die haar ziekmelding er heeft doorgedrukt. Dat deed hij om de rust in het bedrijf te waarborgen. Maar hij verwijt zichzelf nu dat hij te weinig rekening heeft gehouden met wat er mogelijk aan de hand was met Marjo. 'Ik vond haar onuitstaanbaar en superlastig,' vertelt hij. 'En toen ze na Robs overlijden ook nog zo gestoord begon te doen over jou, was voor mij de maat vol,' legt hij Lilian uit. 'Dat ging me te ver.'

'Mij ook,' valt Ivo hem bij. 'Jij was echt niet de enige die genoeg had van haar gedrag. En ik vind dat wij ons niet verantwoordelijk hoeven te voelen voor wat zij er allemaal uitkraamde. Het was een goede beslissing om haar met ziekteverlof te sturen. En deze afloop had niemand kunnen voorzien.' Hij kijkt recht voor zich uit, terwijl hij dit zegt. Lilian zit hem nauwlettend te bekijken. Wat denkt hij nu? Hij is tamelijk koel tegen Dolf. Wat is er gaande tussen die twee? Zou Ivo iets weten van Dolfs gevoelens voor haar? Ze kan het zich niet voorstellen. En ze wil hier ook niet aan denken. Het wordt te ingewikkeld. Het leidt nergens toe. Ze kan zich beter bezighouden met de moord op Rob. Hoe zat het precies met Rob? Wie ontmoette hij via Relatie Planet? Hij heeft in ieder geval contact gehad met Madeleine. Is het mogelijk dat Marjo daar iets van wist? En wat wist Madeleine van het contact tussen Rob en Marjo?

Waarom denk ik zo weinig aan Madeleine? vraagt ze zich af. Waarom heb ik nog steeds geen e-mail aan haar gestuurd? Dat heb ik beloofd. Ze komt al over een week of twee terug. Het was onschuldig met Rob. Er is niets gebeurd.

Waarom mail ik niet?

Ze denkt terug aan het gesprek met Madeleine vlak nadat Rob was vermoord. Toen ze erachter kwam dat Rob het wist van haar en Bram. Hij wilde Bram ontmoeten. Is dat gebeurd? Vast niet. Dan had Bram daar iets over gezegd. Hij zal niets achter haar rug om doen.

Is dat waar? De gedachten rennen rond in haar hoofd.

'Wat denk jij ervan, mam?' Ivo draait zich naar haar toe en kijkt haar aan.

'Waarvan? O, van Marjo bedoel je? Ik vind dat jullie een verstandige beslissing hebben genomen met haar naar huis te sturen. Ik beschouw haar gedrag als ziek. En zielig. Ik heb met haar te doen. En ik kan me nog steeds niet voorstellen dat ze is vermoord. Ik blijf het gevoel hebben dat het zelfmoord was.'

'Ben je bang?' vraagt Dolf.

'Waarvoor zou ik bang zijn?'

'Dat het wél om moord gaat en dat dit kan betekenen dat iemand het op jou en je familie heeft voorzien?'

'Nee, totaal niet. Echt niet.' Ze aarzelt.

'Zeg eens wat je denkt,' nodigt Ivo uit.

Lilian zoekt naar de juiste woorden. Ze wil niets zeggen over wat er net allemaal door haar heen schoot. Over de vragen die ze zichzelf stelde. Maar ze kan één gedachte niet uit haar hoofd zetten. De gedachte dat Madeleine en Marjo vochten om dezelfde man. En dat één van hen misschien heeft besloten dat de andere vrouw hem onder geen beding zou krijgen en ze nog liever moordde dan dit te laten gebeuren. Het is een idiote gedachte, vindt ze zelf. Maar ze denkt nog veel idiotere dingen. Het zou haar niet verbazen als de andere vrouw wraak heeft genomen.

'Mam?' Ivo buigt zich wat dieper in haar richting. 'Waar zit je over te broeden?'

'Nergens over.'

'Ik dacht dat we zouden praten,' moppert Ivo.

Dolf bood aan om hen allebei naar huis te brengen en hen dan morgen tegen een uur of twaalf weer te komen halen. Dan zal die Christina wel zijn uitgevraagd, meende hij. Maar Lilian kan zelf nog rijden, is ze van mening. Ze heeft maar één glas wijn gedronken.

Ivo heeft de hele weg gezwegen en hij verdween nadat ze binnenkwamen meteen naar zijn kamer. 'Ik wil even alleen zijn,' zei hij koel.

Ze voelt zich opgelucht. Zij wil zelf ook het liefste haar gedachten onbekommerd de vrije loop laten. Er zit iets te broeden in haar hoofd waar ze niet goed bij kan komen. Zonder dat ze het wil, richten haar gedachten zich voortdurend op één zin die Dolf uitsprak. Hij had het over de zwarte Volvo V70 die Marjo blijkbaar recent heeft aangeschaft. En direct daarna zei hij dat Marjo daar gisteravond laat nooit in kon zijn weggereden, omdat ze toen volgens de politiearts al dood was. Het is de zwarte Volvo, die ergens achter in haar brein voor turbulentie zorgt.

De auto staat nog steeds op de Oranjekade geparkeerd, vlak om de hoek van de Alexanderstraat. Ivo wil er niet in gaan rijden, heeft hij gezegd. Hij houdt niet van zulke grote auto's. Daarom heeft hij Lilian voorgesteld om hem te verkopen. Maar ze hebben tot nu toe geen initiatief genomen om dat te doen. Lilian heeft bedacht dat ze eerst naar de notaris gaan en daarna pas alle zaken definitief afhandelen. De auto staat goed op de kade. Het vignet van de vaste parkeervergunning zit duidelijk zichtbaar tegen de voorruit geplakt. Die vaste parkeervergunning werd altijd door Rob gebruikt. Als de Volvo is verkocht, kan Lilian de vergunning overnemen en hoeft ze niet meer elke keer naar de parkeergarage te lopen. Ze vindt het nogal een gedoe, dat parkeerbeleid van de gemeente Haarlem. Er wordt slechts één vaste vergunning per gezin afgegeven. De rest ziet maar waar hij zijn auto laat. Dat gedoe met de parkeergarage is voor haar gelukkig binnenkort voorbij.

Ik dwaal af, constateert ze. Ik ga zitten nadenken over parkeervergunningen en ik blijf daardoor uit de buurt van wat ik eigenlijk denk. Ik blijf uit de buurt van wat ik niet wil voelen.

Ze loopt naar de keuken en haalt de fles witte wijn uit de koelkast die ze eergisteren heeft opengemaakt. Van witte wijn krijgt ze geen hoofdpijn. Die rode wijn op Ivo's kantoor viel niet goed. Terwijl ze voor zichzelf een glas inschenkt, neemt ze een besluit. 'Actie,' zegt ze tegen zichzelf. 'Gewoon actie. Zien dat er niets aan de hand is en ophouden met jezelf lastigvallen.' Ze grinnikt om de strenge toon die ze tegen zichzelf aanslaat. Met een klap zet ze het glas op de keukentafel en loopt naar de gang. Ze ritst haar jas van de kapstok, steekt de autosleutel van Rob in haar zak en loopt naar buiten.

Als ze de hoek om komt, ziet ze het direct.

De zwarte Volvo van Rob staat op dezelfde plaats waar hij hem zelf heeft neergezet op de dag voordat hij werd opgenomen in het ziekenhuis. 'Neem jij de Volvo voorlopig maar,' adviseerde hij haar. 'Ik vind het een veilige gedachte als je daarin rijdt. En dan hoef je ook niet steeds naar de parkeergarage te lopen. Je weet nooit wat je 's avonds laat tegenkomt op straat.' Ze loopt de kade op en tuurt om zich heen. Een van de straatlantaarns is kapot, het is aardedonker in dit deel van de straat. Maar ze ziet de auto duidelijk staan en loopt erop af. Ze tuurt naar binnen. Het is te donker, ze ziet niets. Wat zal er ook te zien zijn? Ze kan beter weer teruggaan en zich verder geen rare dingen in het hoofd halen. Maar ze blijft turen. Ze heeft het gevoel dat zij niet degene is die de deur aan de bestuurderskant met de afstandsbediening ontgrendelt en dat iemand anders die deur opent en haar hoofd naar binnen steekt. Dat iemand anders de geur in de auto opsnuift.

Robs geur.

Ze voelt de tranen over haar wangen rollen. Ze gaat op de bestuurdersstoel zitten en legt haar hoofd op het stuur. 'Hoe komt het toch dat ik je zo mis?' vraagt ze aan niemand.

66

Hij is thuis, ziet ze direct als ze de straat inrijdt. De overgordijnen in de woonkamer zijn gesloten maar aan de bovenkant van het raam is te zien dat er licht brandt in huis. Er zit weer een ruit boven de voordeur. Niets wijst er meer op dat iemand hier een tijdje geleden een agressieve boodschap kwam afgeven. Lilian parkeert haar auto en loopt resoluut op de voordeur af. Ze belt aan.

Er gebeurt niets.

Het is koud, voelt ze. Er staat een ijzige wind. Ze had beter haar lange leren jas kunnen aantrekken in plaats van het wollen korte jasje dat ze nu draagt. Ze belt nog eens. Gestommel in de gang. Lag hij te slapen?

Zou hij niet alleen zijn?

Ze schrikt zich een ongeluk van deze gedachte. Stel je voor dat ze Bram betrapt met een andere vrouw? Dat hij een pauze heeft voorgesteld om uit te kunnen zoeken wat hij voor die ander voelt? Ze verwerpt deze gedachte onmiddellijk. Ophouden nu, maant ze haar paniek. Bram is helemaal geen type om het met iedereen die zich beschikbaar stelt te doen. Dat weet ze zeker.

Hij zat waarschijnlijk achter zijn computer.

Keek hij rond op Relatie Planet?

Ze wordt beroerd van haar eigen achterdochtige verzinsels. Dit is ziek, denkt ze. Ik denk ziek. Ben ik ziek? Zie ik dingen die er niet zijn? Raak ik langzaamaan de kluts kwijt? Verlies ik mijn grip op de werkelijkheid?

De deur zwiept open. Bram lijkt verrast te zijn als hij haar ziet. Hij strekt zijn armen uit. 'Kom maar gauw,' zegt hij. Dit was een goed besluit, weet Lilian. En ze neemt zich voor om zich niet een tweede keer te laten wegsturen.

Hij is geëmotioneerd, merkt ze. Hij klemt zijn armen om haar heen en smoort haar bijna in zijn omhelzing. Hij beeft. Zijn lippen dwalen door haar hals en zoeken haar mond. De kus die daarop volgt beneemt haar bijna de adem.

'Ik moest naar je toe,' weet ze uit te brengen.

'Het is goed,' kan ze nog net verstaan.

Dit ís goed, weet ze. Dit is waarvoor ze moet gaan. Hier zal ze zuinig op zijn. Voor deze liefde wil ze desnoods vechten. Deze man neemt niemand haar af. 'Er is iets gebeurd,' probeert ze te zeggen. Maar hij trekt haar mee de kamer in en maakt haar jas los. Ze ziet dat hij de open haard heeft aangestoken. Het is heerlijk warm in de kamer. Ze trekt hem in de richting van de haard. 'Lekker bij het vuur,' glimlacht ze. Hij begint haar uit te kleden.

Ze laat zich gaan. Een heel kort moment flitst een herinnering door haar heen. De eerste keer met Rob. Hij kleedde haar uit. Ze kreeg haar eerste orgasme. Een overweldigende ervaring. Maar ze duwt de herinnering weg. Dit is Bram. Hij doet als minnaar niet onder voor Rob. En hij leeft. Hij kan haar buiten zichzelf laten raken met zijn vingers en met zijn mond. Zoals nu. Ze voelt dat ze snel gaat klaarkomen. Ze wil nog wachten. Maar ze redt het niet. Haar vingers klauwen in zijn rug.

Ze schreeuwt. Ze hijgt. Ze rilt. Ze schokt.

Ze huilt.

Hij kust haar tranen weg. Ze kan niet meer ophouden met huilen.

Hij heeft een speciale fles rode wijn uit de kelder gehaald. Eentje die hij heeft bewaard voor een bijzondere gelegenheid. 'Voor onze hereniging, bijvoorbeeld,' lacht hij.

'We zijn nauwelijks uit elkaar geweest,' zegt Lilian.

'Voor mijn gevoel wél.' Bram meent het, ziet ze aan zijn ogen. 'Ik had vanaf het moment dat de voordeur achter je dichtsloeg al spijt van wat ik gezegd heb,' bekent hij. 'Ik kon mezelf wel voor mijn kop slaan dat ik me zo had laten gaan. Dat ik weer zo jaloers was geweest.'

'Weer?'

Hij zucht diep. 'Dit overkomt me niet voor de eerste keer. Ik heb gewoon een jaloerse inslag. Daar had ik als kind al last van en daar heb ik heel wat keren van mijn moeder op mijn donder voor gehad. Ik was altijd bang dat ik aandacht te kort kwam. Dat mijn moeder andere kinderen belangrijker vond dan mij. Zodra ik iets in die richting meende te merken, wilde ik niet meer met die kinderen omgaan. Het heeft te maken met een bepaalde angst om verlaten te worden. Mijn moeder was ervan overtuigd dat zij degene was die deze angst in mij heeft aangewakkerd, als een soort projectie van haar eigen angst.'

'Doordat ze haar man verloor toen ze zwanger was van jou.'

'Ja, zoiets. We waren heel close. Ik duldde nauwelijks iemand naast haar. Ze heeft twee keer een man gehad maar ze liet ze allebei lopen omdat ik heel negatief reageerde. Dat vind ik achteraf verschrikkelijk. Ze verdiende een leuke man.'

'Jij reageerde als een kind. Kinderen overzien niet wat ze teweegbrengen.'

'De tweede keer was ik al zestien. Ik ben daar niet trots op.'

'Nam je moeder het je kwalijk?'

'Niet openlijk.' Bram kijkt langs haar heen. 'Laten we ergens anders over praten. Het is allemaal al zo lang geleden. Er is toch niets meer aan te veranderen.'

Maar Lilian wil graag nog meer weten. Zo vaak vertelt Bram nu eenmaal niet iets over zijn leven. 'Zijn er met vriendinnen die je vóór mij kende dingen gebeurd die je hebben teleurgesteld?'

Hij knikt bedachtzaam. 'Dat kun je wel stellen. Ik heb een uitzonderlijke fijne neus voor het type vrouw dat het begrip trouw met een paar kilo zout neemt. Maar dat wil natuurlijk niet zeggen dat ik jou daarmee over één kam mag scheren. Ik sloeg door, sorry. Jij hebt recht op je rouw. Het is niet mijn zaak. Ik was al van plan om je te bellen. Geloof me.'

'Ik geloof je.'

Ze kussen opnieuw. Hij duwt haar zachtjes weer op de grond en komt op haar liggen. Hij duwt haar benen uit elkaar en dringt bij haar naar binnen. Ze sluit haar ogen.

'Kijk me aan,' zegt hij zacht maar dringend. 'Kijk naar me. Geef je. Geef je helemaal.' Hij pakt haar benen vast, legt haar voeten in zijn nek, trekt haar met een ruk naar zich toe en penetreert haar krachtig.

Het vuur knettert langs haar oren.

Hij beweegt afwisselend langzaam en snel in haar.

Ze kijken elkaar voortdurend aan.

Zijn ademhaling gaat sneller en sneller. Hij stoot hard. Hij sluit zijn ogen. Hij roept haar naam.

67

'Heb je al gegeten?'

Op het moment dat hij de vraag stelt, voelt Lilian haar maag rommelen. 'Ik heb honger,' stelt ze vast.

'Zullen we lekker een hapje gaan eten in het eetcafé hier in de buurt?'

'Ik wil wel even Ivo bellen en zeggen dat ik bij jou ben,' oppert ze voorzichtig. 'Ik ben zomaar het huis uitgerend.'

'Doe maar. En dan vertel je me onderweg wat er aan de hand is. Want volgens mij is er iets gebeurd waar je overstuur van bent.'

'Marjo is vermoord.'

'Wát zeg je?' Hij schrikt.

'Ze is vermoord. En ik denk vreemde dingen over die moord.'

Bram raapt zijn kleren bij elkaar en begint ze aan te trekken. Lilian doet hetzelfde. Als ze aangekleed zijn, streelt hij haar over haar wang. 'En wat voor vreemde dingen denk jij dan?'

Ze gaan samen op de bank zitten.

'Wat wil je?' vraagt Bram. 'Eerst praten? Of eerst bellen? Doe dat maar, bel eerst even Ivo.'

Lilian toetst Ivo's nummer in. Ze krijgt de voicemail. 'Hij neemt niet op. Misschien ligt hij te slapen. Hoe ver is het lopen naar het eetcafé?'

'Een minuut of tien.'

'Dan vertel ik het je onderweg.'

Ze lopen dicht tegen elkaar aan en Lilian vertelt wat ze weet over de moord op Marjo. Ze doet zo nauwkeurig mogelijk verslag van alles wat Dolf heeft verteld maar ze zegt niets over wat ze aanvankelijk dacht over een eventuele wraakactie. Toch heeft de eerste de beste vraag die Bram stelt daar betrekking op. 'Je vertelde eens dat Rob contacten had via Relatie Planet. En Marjo had toch fantasieën over een toekomst met hem?'

Lilian deinst even terug van deze vraag. 'Wat wil je daarmee zeggen?'

'Ik kan me iets voorstellen bij een zekere rivaliteit tussen die verschillende vrouwen.'

'Misschien wel. Maar wat had die nog voor zin toen Rob eenmaal dood was?'

'Tja, dat vraag ik me ook af. Waarom zou je je rivale vermoorden als het onderwerp van je rivaliteit niet meer leeft?'

Lilian stoort zich aan het woord 'onderwerp'. Je hebt het wél over mijn man, zou ze willen zeggen. Maar ze corrigeert haar eigen gedachten direct. Niet steeds zo overgevoelig reageren, denkt ze. Straks haakt hij weer af.

Ze zijn bij het eetcafé aangekomen.'Volgens mij zit het hier behoorlijk vol,' zegt ze als ze door het raam naar binnen kijkt.

Bram tuurt naar binnen. 'Inderdaad, helemaal vol. Dat praat niet lekker. Zullen we teruglopen en zal ik dan een lekkere vette uitsmijter voor je maken? Met ui en kaas en champignons? Uitsmijter à la Bram. Ook voor al uw dameswensen.'

Lilian schatert het opeens uit. Ze port hem in zijn zijde. 'Ik ga hoofdzakelijk met je mee terug voor die dameswensen.'

'Ik had niets anders verwacht,' lacht hij. 'Goed zo. Doe maar vrolijk. Dat levert je energie op. Die somberheid vreet je leeg.'

Ze wordt weer ernstig. 'Het is lekker om aan het lachen gemaakt te worden. We lachen tegenwoordig te weinig, dat is waar. Maar er valt ook weinig te lachen.' Ze zwijgt even. 'We kwamen erachter dat Marjo een zwarte Volvo V70 had gekocht, dezelfde auto als die van Rob.'

Bram kijkt haar verbaasd aan. 'Ik vat het niet.'

'Ik ook niet. Maar het trof me onaangenaam. Ik heb het gevoel dat Marjo als een soort sluipmoordenaar om ons heen heeft gelopen. Het klinkt misschien raar maar in mijn ogen schond ze onze privacy. Mijn privacy.' Ze stopt abrupt. Ik wil niet over Marjo praten, denkt ze. Ik wil niet dat die romp zonder borsten steeds weer voor mijn ogen verschijnt.

'Ga eens verder,' nodigt Bram uit. 'Wat bedoel je precies met dat schenden van je privacy?'

'Het komt door al die vreemde acties. Doordat ze mijn naam gebruikte. Dezelfde kleren kocht als ik droeg. Ons huis kopieerde. En ten slotte ook nog precies dezelfde auto kocht als Rob had. Ik vind het aan de ene kant ziek maar tegelijk ook beklemmend. Eng. Bedreigend.'

'Ze is dood. Ze kan je niet meer bedreigen. Stop met denken over Marjo. Je hebt gelijk: ze was ziek. Niet meer dan dat.'

'Je hebt gelijk.'

'Toch staat je gezicht nog steeds op piekeren.' Hij trekt haar naar zich toe en kust haar. Ze kruipt in zijn armen.

68

Bram staat achter het fornuis en er spettert van alles in de twee grote koekenpannen die hij op het gas heeft staan. Lilian zit aan de keukentafel en praat. Ze vertelt eerst nog eens gedetailleerd wat Dolf allemaal te melden had over hoe hij en Christina Marjo vonden. 'Het is strikt vertrouwelijk, je mag er verder met niemand over praten,' waarschuwt ze. Terwijl ze dit zegt, realiseert ze zich dat er nu alweer iemand nadere informatie krijgt over iets wat niet bekend mag worden. Zo werkt dat nu eenmaal, sust ze haar eigen gedachten. Mensen nemen andere mensen in vertrouwen, je moet je ei kwijt. Maar Bram zal hier beslist niet met anderen over praten.

Hij streelt haar kort over haar neus. 'Ik zwijg er natuurlijk over,' belooft hij.

Ze vertelt verder over hun ontdekking dat Marjo dezelfde auto als Rob bleek te hebben en ze voegt daaraan toe wat een buurman tegen Dolf zei.

Bram kijkt haar opmerkzaam aan. 'Begrijp ik het goed? Beweert die man dat hij haar heeft zien rijden terwijl ze volgens de politiearts al dood was?'

'Hij zegt dat hij haar heeft zien lopen. De auto staat nog op haar eigen parkeerplaats.' Robs auto ook, zou ze willen zeggen. Robs auto staat ook nog steeds op de plek waar hij hem achterliet. Ze denkt aan de geur in de auto. De geur van Rob. De lekkere frisse geur van een lichte aftershave. Rob hield van lichte geuren. Ze voelt dat de emotie haar weer te pakken wil nemen en haalt snel een paar keer diep adem. 'Ik bel Ivo nog een keer,' beslist ze. Ze krijgt weer de voicemail. 'Waar zou hij toch zijn? Hij zei toch dat hij thuis bleef? Waarom neemt hij dan niet op?'

'Zou hij niet gewoon de stad in zijn gegaan?' Bram zet een groot bord voor haar neer met een verrukkelijk ruikende uitsmijter die de boterhammen die eronder zitten helemaal bedekt. 'Eten,' gebiedt hij lachend. 'En je nu niet meer druk maken om je zoon. Die jongen zoekt zijn heil waarschijnlijk bij de meisjes.'

Lilian luistert verbaasd naar hem. 'Meisjes?'

'De meeste mannen gaan achter de meiden aan als ze verdriet hebben,' legt Bram uit. Zijn ogen glinsteren. Hij heeft zichtbaar plezier in haar verbazing. 'Dat is een primitieve drang bij mannen. Het heeft met een oergevoel te maken.' Nu lacht hij echt.

'Je spreekt uit ervaring.' Haar stem klinkt niet vriendelijk, hoort ze.

Hij reageert er niet op. 'Ik ben echt een heel normale man, schat. En inderdaad: ik spreek uit ervaring. Toen ik mijn moeder verloor was geen vrouw in de hele wijde omtrek veilig voor me. Ik besprong echt alles wat beschikbaar was.'

Lilian weet niet hoe ze hierop moet reageren. Bram ziet het en haalt haar even aan. 'Ik denk dat die zoon van jou het benauwd heeft gekregen in het huis van zijn moeder. En dat hij lekker de stad is ingegaan om een pilsje te pakken en een lekker stuk te versieren. Het zal me niet verbazen als jij morgenochtend een vreemde dame tegenkomt in de badkamer.'

Ze deinst terug van het idee.

'Je zou hier kunnen blijven slapen om een onverwachte confrontatie te voorkomen,' stelt Bram voor.

Ze heeft besloten om thuis te gaan slapen. Ze wil fris zijn als Christina van Leeuwen morgenochtend komt en ze verwacht dat er van slapen weinig terecht zal komen als ze vannacht bij Bram blijft.

Hij protesteerde niet toen ze dit aankondigde maar het lukte ook niet om daarna direct op te stappen. Ze hebben nog een keer voor het haardvuur gevreeën en Lilian kan hem nog in haar voelen, als ze terugrijdt naar huis. Hij nam haar en zij liet zich nemen. Hij was hard, een beetje ruw zelfs. Op het moment dat het gebeurde, voelde het goed. Ze wilde zich aan iemand overgeven, ze wilde zich laten bezitten en alle eigen verantwoordelijkheid opzijzetten.

Hij bezat haar op een overweldigende manier. In zijn ogen zag ze een juichende triomf, een bijna verpletterende zelfverzekerdheid. Nu ze aan die ogen terugdenkt, voelt ze een soort hulpeloosheid over zich heenkomen die ze tegelijk verbazingwekkend vindt. Ze was niet hulpeloos. Ze had kunnen protesteren, kunnen zeggen dat ze het te ver vond gaan. Maar vond ze het dan te ver gaan?

Ze schudt haar hoofd en mompelt in zichzelf. 'Ik moet hém niet aansprakelijk stellen voor het feit dat ík me zo miserabel voel. En ik moet mezelf niet zo onderdanig opstellen als het om seks gaat. Ik lijk wel een dankbaar pubertje dat blij is met de aandacht van haar grote idool. Ik ben een volwassen vrouw. We vrijen sámen. Het is mijn eigen beslissing om hem steeds het initiatief te laten nemen. Ik kan ook zelf beginnen en hém alle hoeken van de kamer laten zien.' Ze kijkt zichzelf aan in de achteruitkijkspiegel. Wat denk ik nú? vraagt ze zich af. Sinds wanneer heb ik ambities om een wilde vrijtijger te worden?

Er klinkt een doordringend hard geluid achter haar, waar ze van schrikt. Iemand drukt lang en nadrukkelijk op zijn claxon en ze ziet in de achteruitkijkspiegel dat de automobilist achter haar geërgerde gebaren maakt. Opschieten, seint hij. Dóórrijden!

Het stoplicht springt op oranje. Ze geeft gas en op het moment dat ze de kruising passeert, is er een flitslicht. De auto die achter haar zat is waarschijnlijk door het rode licht gereden. Ze nadert weer een kruising met een stoplicht. Oranje. Gás! Ze kijkt zo onopvallend mogelijk in haar zijspiegel. De auto die achter haar zat is gestopt.

Ze merkt dat ze over haar hele lijf trilt.

Het huis is doodstil. Het is een bekende stilte. Het is de stilte die erop duidt dat er niemand thuis is. Ivo's jas hangt niet aan de kapstok.

Ze wil naar bed. Ze heeft het koud. Ivo heeft de verwarming laag gezet, ontdekt ze. Hij heeft waarschijnlijk ontdekt dat ze was vertrokken en er niet op gerekend dat ze vannacht terugkwam.

Waar zou hij uithangen? Ze heeft er niets mee te maken waar hij uithangt. Hij is volwassen. Hij is een volwassen man.

Toch wil ze het weten.

Haar hart bonkt, voelt ze. Haar voorhoofd is nat. Haar handen trillen.

Er komt nog meer, denkt ze. De ellende is nog niet voorbij.

Ze staat onder aan de trap en luistert naar de stilte die het huis produceert. Het is een beklemmende stilte.

69

Er klinkt een geluid. Buiten. Het komt in de richting van haar voordeur. Het is de motor van een auto. Ze staat stil en luistert. De auto gaat langzamer rijden. De motor pruttelt een beetje. Als ze zich niet vergist, stopt hij nu voor haar deur. Er slaat een portier dicht. De auto rijdt weg. Er naderen voetstappen.

Een rammelende sleutelbos. Geluiden in het slot van de voordeur. De deur gaat open.

Ivo schrikt als hij haar ziet staan. 'Ik dacht dat je niet thuis zou komen.'

'Ik was bij Bram. Ik moest even met hem praten.'

'Dat is oké, mam. Je bent mij geen verantwoording verschuldigd. Zullen we nog een afzakkertje nemen voor we gaan slapen?'

Hij is vriendelijk. Er is geen enkele irritatie meer in zijn stem te horen. Hij kijkt zelfs een beetje blij uit zijn ogen.

'Je kijkt vrolijk,' merkt Lilian op.

Hij glimlacht en duwt haar in de richting van de woonkamer. 'Het zou me niet verbazen als ik zomaar een beetje verliefd ben geworden. Of misschien wel meer dan een beetje.'

'Zomaar?'

'Ja, zomaar. Ik bedoel: wie verwacht nu zoiets? Ik voel me absoluut niet tof door papa's dood en wát ik momenteel ook zoek, geen vaste relatie. Maar ik heb het toch vreselijk te pakken van een leuke jongedame. Ik begrijp er zelf niets van.'

Lilian twijfelt of ze hem vragen zal stellen over het meisje dat hij heeft leren kennen. Maar dat blijkt niet nodig te zijn.

'Ze heet Annemiek,' zegt Ivo. 'Ze is achtentwintig. Het is helemaal mijn type. Stevig gebouwd. Lekker rond. Een beetje een rommelkont. Artistiek. Ze is journalist en ze schildert. Vanaf nieuwjaarsdag komt er een expositie van haar in de schouwburg te hangen. 's Middags is er een receptie. Ik zou het leuk vinden als je dan met me meegaat, want ik wil je graag aan haar voorstellen.'

Lilian moet even een slok wijn nemen. 'Dat gaat allemaal snel,' merkt ze op. 'Hoe lang ken je haar al?'

'Drie dagen. Ik ben nogal aan de scharrel geweest, mam. Ik had nergens rust. Je zult het misschien niet geloven maar ik herkende mezelf niet. Je weet dat ik geen type ben dat alleen zijn piemel achternaloopt. Nou, sinds papa dood is dus wel. Opeens was de beer los. Maar ik kwam gelukkig Annemiek al snel tegen, dus ik heb volgens mij geen ernstige schade aangericht.'

Bram had gelijk, constateert Lilian. Nu weet ze zeker dat ze verder geen vragen gaat stellen.

Ivo kijkt haar afwachtend aan. 'Ga je mee, mam, op nieuwjaarsdag?'

'Ja, natuurlijk.'

'Wat mij betreft slaan we twee vliegen in één klap en neem jij Bram mee.' Lilian staart hem aan. 'Het spijt me dat ik zo afwijzend deed, ik bedoelde het niet kwaad. Het is allemaal wel heel heftig, vind je niet?'

Hij is opeens weer de Ivo die ze kent. De gezellige kletser, die als hij eenmaal begint met praten niet meer kan ophouden en niet naar bed te branden is. Lilian is moe. De grote klok in de gang heeft al twaalf keer geslagen en ze kan haar ogen bijna niet meer openhouden. Ivo heeft niets in de gaten. Hij kletst maar door en hij vertelt heel openhartig dat hij al heel lang verlangt naar een leuke vriendin. Hij had daar al eerder met Lilian over willen praten. Maar volgens hem had zijn moeder genoeg aan haar hoofd met haar eigen relatie. 'Dat klopt toch, mam? Jij maakte je toch zorgen over wat er gaande was tussen papa en jou? Ik dacht eerlijk gezegd dat het een soort midlifecrisis was van jullie. En ik ging ervan uit dat jullie daar ook wel weer uit zouden komen. Papa maakte vaak toespelingen over hoe het vroeger tussen jullie ging. De vonken spatten ervan af, als ik hem goed begrepen heb.'

Voor de tweede keer binnen een paar uur moet Lilian weer aan de eerste tijd met Rob denken. Ze is opeens weer klaarwakker. 'We waren heel verliefd,' geeft ze toe. 'Je vader was mijn eerste liefde. Mijn grootste. We begrepen elkaar zonder woorden. Ik zag aan zijn ogen hoe hij zich voelde en omgekeerd gold precies hetzelfde. We hadden altijd lol samen. Ik voelde me thuis bij hem.'

'En toen werd je zwanger terwijl hij dat niet wilde.'

'Ja. En toen heb ik iets kapotgemaakt wat niet meer te lijmen bleek.'

'Dat vraag ik me af.'

'Je hebt er met je neus bovenop gestaan. Als je goed hebt opgelet heb je gezien dat er altijd een bepaalde grens was aan de gezelligheid tussen je vader en mij. Als het te leuk werd of als ik te dichtbij kwam, haakte hij af.'

'Ik heb ook gezien dat jullie allebei moeite deden om het leuk te hebben. Ik wou dat ik had geweten waar het precies om ging. Dan had ik jullie gedwongen om eruit te komen.'

Ze zwijgen beiden. De klok in de gang slaat één keer. Half-een.

'Ik wil naar bed,' zegt Lilian. 'Ik wil er gerust later verder over praten, dat zou ik zelfs fijn vinden. Maar nu val ik bijna om. En morgenochtend staat Christina om tien uur voor de deur.'

Ivo slaat zijn armen om haar heen. 'Goed, we gaan slapen.

En later praten we verder. Ik durf het bijna niet te zeggen, mam. Maar ik ben zomaar gelukkig.'

'Annemiek,' stelt Lilian vast.

'Annemiek, ja. Ik begrijp er zelf weinig van. Maar dat van papa... dat doet nog wel pijn. Maar weet je, ik kan het niet goed uitleggen, maar ik voel gewoon dat we te weten zullen komen wie hem heeft vermoord. En ik denk dat ik het dan kan accepteren.'

Lilian neemt een snelle douche en ze vist een flanellen nachthemd uit de kast waarin ze zich helemaal kan oprollen. Ze wil slapen. Maar als ze eenmaal in bed ligt, lukt dat niet. Haar gedachten vliegen alle kanten op. Ze denkt aan wat Ivo allemaal vertelde en ze piekert over het vreemde gevoel dat steeds in haar opkomt.

Er klopt iets niet.

Ivo is anders. Onrustig en vluchtig. Hij kijkt haar vaak niet recht aan als hij iets tegen haar zegt. Hij kan zich moeilijk concentreren en is snel aangebrand. Maar nu heeft hij Annemiek. Een nieuwe liefde. Hij stort zich er met hart en ziel in. Typisch Ivo. Altijd voor de hoofdprijs gaan. Alleen tevreden zijn met het beste. Daardoor is hij een goede zakenman, net als zijn vader.

Toch klopt het niet, die plotselinge ommezwaai.

Het lijkt een vlucht te zijn. Maar waar zou hij voor willen vluchten?

70

Er zit een man op haar bed. Een vreemd uitziende man. Hij heeft een grote neus. Lang haar. Maar dat is niet het vreemde aan hem. Het vreemde is dat er na zijn romp niets meer is.

Het is een halve man. Er bestaan geen halve mannen. Soms hebben mensen geen benen, dat is mogelijk. Maar bij deze man is het geen kwestie van het ontbreken van benen.

Hij is half.

Hij volgt Lilians verbaasde blik naar beneden. 'Hallo,' zegt hij. 'Ik ben Sagittarius. Beter bekend als Boogschutter. Je hebt toch wel eens van het sterrenbeeld Boogschutter gehoord?'

'Mijn man is Boogschutter. Wás. Hij was Boogschutter. Hij is dood.'

'O.'

'Wist je dat niet?'

'Nee.'

Natuurlijk niet, denkt Lilian. Niet de hele wereld weet dat Rob dood is. Niet de hele wereld kende hem. Laat staan een man die Sagittarius heet. Een halve man.

Ik droom, weet ze. Ik las een hele tijd geleden ergens iets over Boogschutters en daardoor droom ik er nu over. Waar was dat? In de wachtkamer van de tandarts? Nee. Toen ik voor de laatste keer bij Ivo was? Wanneer was dat precies? Lag daar iets? Zou kunnen. Ivo had het over astrologie. Maar dat had weer iets te maken met Dolf.

'Maak je niet druk,' adviseert Sagittarius. 'Wat maakt het

uit waar je het las? Wat las je eigenlijk? Een voorspelling? Een beschrijving?'

Kan die man gedachten lezen?

'Iets over de karaktereigenschappen,' mompelt Lilian. Ze wil liever niet verder praten. Ze wil dat die halve vent ophoepelt en dat ze wakker wordt. Goed wakker. Ze wil helder kunnen denken, alert kunnen reageren en ze wil zich gerustgesteld voelen. Dat lukt niet zolang die engerd op de rand van haar bed zit.

'Het is een sterrenbeeld dat wordt beheerst door de planeet Jupiter,' legt Sagittarius uit, zonder daartoe uitgenodigd te zijn. Hij lijkt niet te merken dat Lilian van hem wegkijkt. 'Ze zijn spontaan, tolerant, eigenwijs, idealistisch, vrijheidslievend, openhartig, extrovert, overdreven, rusteloos, levenslustig, reis...'

'Stóp!' schreeuwt Lilian. 'Stóp! Hou óp! Verdwijn! Ga een ander lastigvallen.' Ze slaat wild om zich heen. En wordt wakker.

'Waar las ik dat toch?' vraagt ze zich hardop af.

Haar hoofd geeft geen antwoord. Ze zakt weg. Heerlijk gevoel. Als ze nu maar niet weer zo onrustig gaat dromen. Het volgende moment hoort ze de klok in de gang negen keer slaan. Haar linkerbeen slaapt. Ze probeert het te bewegen. Raar gevoel. Tintelingen. Lamheid. Ze beweegt haar tenen. Het been doet weer mee.

Een roffel op de deur van haar slaapkamer. 'Ben je wakker, mam? We hebben ons verslapen. Het is kwart voor tien. Ze zou toch om tien uur komen? Ik ga snel koffiezetten. Kom je?'

Lilian schiet haar peignoir aan en loopt naar de badkamer. Ze probeert zich de afgelopen nacht te herinneren. 'Sagittarius,' zegt ze zacht. 'Hij heette Sagittarius. Halve man. Hij had het over Rob. Waarom droomde ik dit? Waar heb ik iets gelezen over Boogschutters?'

Na de droom zit er een gat in haar geheugen. Er ontbreekt een stuk tijd, voor haar gevoel.

'Je ziet lijkwit,' constateert Ivo. 'Alsof je drie nachten niet geslapen hebt. Slaap je zo slecht? Waarom vraag je geen slaappillen aan de dokter?

'Ik slaap goed. Eerder te diep dan te licht.'

'Het valt niet op. Je wordt er niet mooier op. Grapje, hoor.' Ivo is goed gestemd. Hij neuriet terwijl hij voor zichzelf een tosti maakt. Hij stopt een hele lading kaas en een volle eetlepel gembersnippers tussen twee boterhammen. Lilian begrijpt niet hoe hij het naar binnen krijgt op zijn nuchtere maag.

'Ik denk dat ik er twee neem,' stelt Ivo opgewekt vast. Hij vertoont geen enkel spoor van nervositeit. Zou hij niet meer denken aan de moord op Marjo? Of is hij gewoon niet nieuwsgierig?

Lilian voelt haar lijf verstarren als de naam Marjo in haar gedachten opduikt.

Marjo is dood. Er was iets gaande in haar huis. Ravage. Hoe zat het precies? Het leek erop dat iemand iets had gezocht. Zoiets is er gisteren gezegd. Maar zou Marjo zich dan niet hebben verzet? Zou ze zonder tegen te stribbelen haar huis overhoop hebben laten halen?

Marjo was stevig gebouwd, ze was te zwaar. Maar ook sterk. Ze kon goed van leer trekken. Verbaal buitengewoon agressief zijn. Hoe is het dan mogelijk dat ze is vermoord?

Het was waarschijnlijk tóch zelfmoord, stelt ze vast. Iedereen roept maar wat, zonder het fijne van de zaak te weten. Zelfs Dolf doet eraan mee, met zijn rare opmerking over een half blote Marjo. Allemaal sensatie. Christina zal dadelijk wel met een heel andere uitleg tevoorschijn komen. Als ze al iets vertelt. Laat ze maar niets vertellen. Marjo is dood. Ze hoeft nooit meer bang te zijn dat de kanker terugkomt. Ze hoeft haar eigen verminkte lijf nooit meer te bekijken. Dat is goed.

Ze raakt zo onopvallend mogelijk haar eigen borsten aan. Ze zitten er nog. Ik heb dat gen niet, denkt ze. Ik wil het niet hebben.

'Moet jij niets eten, mam?' Ivo zet zijn tanden in de eerste tosti. 'Lekker, kaas met gember.'

Rob was ook altijd zo dol op kaas met gember. De gedachte doet pijn.

Ze verlangt naar hem. En dat verlangen maakt haar woedend.

71

Christina is laat. Het is al bijna halfelf als ze aanbelt. Lilian heeft van de gelegenheid gebruikgemaakt om uitgebreid te douchen en zich op haar gemak op te maken. Ze heeft rouge gebruikt om haar witte wangen wat kleur te geven en ze ziet in de spiegel dat ze daar behoorlijk van opknapt. Haar rok zit losser dan voorheen. Ze is afgevallen, merkt ze. Het kan ook niet anders. Ze eet de laatste weken onregelmatig en minder. Ze heeft weinig trek. Zou dit een onderdeel van de rouw zijn? Eet je dan minder? Smaakt het eten je niet? Bram wil dat ze haar rouw degelijk afrondt.

Hoe deed ik dat toen mijn moeder stierf? vraagt ze zich af. Maar die vraag is volslagen retorisch. Ze weet heel goed hoe ze toen reageerde.

Met verzet. Met woede. Met onaangepast gedrag.

Met grof verbaal geweld.

Ze werd natuurlijk niet zomaar uit verschillende pleeggezinnen weggestuurd. Ze was verschrikkelijk, weet ze. Een brutale pestkop, die iedereen het bloed onder de nagels vandaan treiterde. En dan vooral de moeders van de gezinnen waar ze geplaatst werd.

Heb ik wel gerouwd om mijn moeder? peinst ze. En om mijn zusje?

Die vraag is net zo retorisch als de eerste.

Hoe moet dat, rouwen? Hoe doe je dat? Heb je daar hulp bij nodig? Zijn daar richtlijnen voor?

Ik wil verder, bedenkt ze, als ze haar lippen stift. Ze klapt haar lippen een paar keer op elkaar. Diep donkerrood. Warme kleur. Nu nog een lekkere laag mascara op haar wimpers. Ze wil er strijdlustig uitzien, vandaag. Haar uiterlijk vormt een soort aanval. De aanval is de beste verdediging, waar die verdediging ook op gericht zal zijn.

Ze zou willen huilen. Niet doen. Ze heeft geen waterproofmascara gebruikt. Ze grinnikt om haar eigen gedachten.

Ivo laat Christina binnen en neemt haar mee naar de woonkamer. Lilian loopt snel naar beneden. Ze wil horen wat er gezegd wordt.

De rechercheur komt direct ter zake. 'We hebben de uitslag van de sectie vanmorgen al binnengekregen. Ze is overleden ten gevolge van een te hoog bloedsuikergehalte. Wisten jullie dat ze suikerziekte had?'

'Suikerziekte?' Ivo kijkt en klinkt ongelovig. 'Sinds wanneer dan? Daar heeft ze nog nooit iets over verteld.'

'Ze is pas een paar weken geleden begonnen met het spuiten van insuline, heb ik begrepen.' Christina spreekt de zin bedachtzaam uit. 'Daar wisten jullie niets van?'

Ivo springt overeind en gaat voor de tuindeuren staan. 'Zou haar vreemde gedrag dáár mee te maken hebben gehad? Ze was zo boos. Zo verongelijkt. Zou het komen doordat ze insuline moest gaan spuiten? Dat lijkt me niet bepaald een pretje.' Hij wendt zich tot Christina. 'Heeft ze... kan het zijn...'

'Het is mogelijk dat ze zichzelf een overdosis insuline heeft toegediend,' beantwoordt de rechercheur zijn onuitgesproken vraag. 'Maar dan hebben we dus nog geen verklaring voor de puinhoop in haar huis. We behandelen deze zaak in eerste instantie als een moordzaak.'

Lilian is blij dat ze op een stoel zit. Ze denkt dat ze van schrik door haar benen zou zakken als ze nu stond.

'Kennen jullie mensen met wie ze omging?' wil Christina weten.

Ze schudden beiden hun hoofd.

'Zeker weten?'

'Ik weet tegenwoordig niets meer zeker,' zegt Ivo. 'Om mij heen valt iedereen dood neer, de een vermoordt de ander. Welke heks heeft dit nu weer op haar geweten?'

Christina roert met een ernstig gezicht in haar koffiekopje. 'Denk jij dat de mogelijke moordenaar een vrouw is?'

Lilian wil dat Ivo verder zijn mond houdt. Hij moet niet zomaar van alles gaan roepen, meent ze. Ze voelt haar hart weer driftig in haar borstkas bonken. Ze krijgt het weer benauwd. Dit gaat niet goed.

'Vertel eens. Hoe keek jij tegen Marjo aan?' De vraag die Christina aan Ivo stelt klinkt bijna alsof hij pas op dit moment in haar opkomt. Maar dat gelooft Lilian niet. Ze is op haar hoede. Niets is meer toevallig, denkt ze. Geen enkele vraag wordt zonder een speciale bedoeling gesteld. En Ivo heeft weer eens niets in de gaten. Ze probeert zijn blik te vangen om hem te waarschuwen.

Maar hij brandt los. 'Het is haar eigen schuld. Ik mag dat misschien niet hardop zeggen maar op dit moment voelt het wel zo. Ze gedroeg zich al tijden lang walgelijk. Ze besloop mijn vader gewoon. Ze kroop in zijn richting. Heel voorzichtig. Heel geleidelijk. Heel stiekem. Maar ik zag het. En ik verzon van alles om haar aandacht van hem af te leiden. Ik haatte dat secreet. Zo, laat het maar eens duidelijk zijn. Ik vond haar een onaantrekkelijke loopse teef.'

Lilian wordt misselijk. Ze probeert de laatste woorden die Ivo uitsprak uit haar geheugen te verwijderen. Maar ze galmen na in haar oren. Vooral de laatste drie woorden. *Onaantrekkelijke loopse teef.* Sinds wanneer is haar zoon zo grof?

Zo ordinair?

Christina wendt zich tot Lilian. 'Vond jij dat ook?'

Nu komt haar maag écht in opstand. Ze moet een paar keer heel diep ademhalen voordat ze kan antwoorden. Ze kan niet naar Ivo kijken en richt haar blik strak op Christina. 'Ik heb blijkbaar niet goed opgelet. Of me ervoor afgesloten. Ik weet het niet meer.'

'Je zag het niet?'

'Ik zal het wel niet hebben wíllen zien. Ik was niet vaak in het kantoorgedeelte van de zaak. Ik hield me vooral bezig met de verkoop, de klantenservice en met het personeel. Ik was druk bezig met mezelf ervan te overtuigen dat het tussen Rob en mij definitief voorbij was. Ik wilde ruimte hebben voor Bram.'

'Ben je er al achter of je man je minnaar kende?'

'Nee. Ik heb Bram daar nog geen vragen over gesteld.'

'Papa heeft een afspraak met hem gemaakt,' valt Ivo Lilian plotseling in de rede. 'Maar hij kwam niet opdagen.'

Er valt een pijnlijke stilte.

'Heeft hij dat aan jou verteld?' Lilian merkt tot haar verbazing dat ze nog geluid kan voortbrengen.

'Nee. Hij heeft nooit iets in die richting tegen mij gezegd. Ik hoorde het van Dolf, na de moord. Ik vertelde hem dat jij een vriend had. Sorry, ik moest het bij iemand kwijt. Hij bleek ervan op de hoogte te zijn. Papa had er met hem over gesproken.'

'Ik denk dat ik maar eens uitgebreid met die Dolf ga praten,' stelt Christina vast. Ze staat op.

'Wat was dat eigenlijk voor een vreemd verhaal van die buurman?' wil Lilian weten. 'Dolf vertelde ons dat hij een buurman van Marjo had gesproken en dat die beweerde dat hij Marjo had zien lopen op het moment dat ze volgens de politiearts al was overleden.'

'Dat zijn we nog aan het natrekken. Maar ga er maar van uit dat er tijdens zo'n onderzoek door iedereen van alles wordt waargenomen en dat maar zelden blijkt dat die tips iets toevoegen.'

'Denk je dat er een verband bestaat tussen de moord op mijn

vader en de moord op Marjo? Als dat ook moord was?'vraagt Ivo.

Christina stopt haar notitieboekje weer in haar tas. 'We houden overal rekening mee.'

'Maar hoe zit het dan met die tweede moord in dat ziekenhuis? De moord die vlak na de dood van mijn vader werd gepleegd? Welk verband heeft die dan met mijn vader en Marjo?'

'Dat zijn we ook nog aan het uitzoeken,' is het antwoord. 'Sorry. Ik kan er geen uitspraken over doen. Ik houd jullie op de hoogte.' Christina gespt haar grote schoudertas dicht. 'Wat ik nog graag van jullie zou willen weten,' zegt ze bijna terloops, 'is waar jullie zondagavond tussen zeven en elf uur waren.'

'Ik was bij Bram,' antwoordt Lilian. We hebben 's middags een strandwandeling gemaakt in Zandvoort, daarna samen bij hem thuis gekookt en hij heeft me tegen een uur of tien naar huis gebracht. Toen ik thuiskwam, ben ik meteen in bed gekropen.'

'Blijf je nooit bij hem slapen?'

Lilian vraagt zich af waarom Christina dat wil weten. 'Jawel. Maar hij moest de volgende ochtend al heel vroeg op, omdat hij een intakegesprek had bij een nieuwe cliënt die in Leeuwarden woont. Die cliënt wilde niet naar Haarlem komen.'

'Heftig,' zegt Christina.

'Business, denk ik?' oppert Ivo.

'Zoiets. Het is zijn werk. Ik heb begrepen dat de klanten niet per definitie voor het oprapen liggen.' Lilian wil niet dat ze verdedigend klinkt. De vraag van Christina bevalt haar eigenlijk niet.

'En jij?' Christina wendt zich tot Ivo.

'Ik was op stap. Kroegentocht gehouden met Dolf.'

'Met Dolf?' Lilian kan haar verbazing niet voor zich houden.

'Met Dolf,' bevestigt Ivo. 'Ik heb hem meegesleurd. Hij zit veel te veel alleen. Ik heb zondagavond mijn nieuwe liefde ontmoet,' zegt hij tegen Christina. 'Ze heet Annemiek. Ik was tussen zeven en elf druk bezig met mijn hormonen de vrije loop te laten. En ik heb een getuige.'

'Oké. Ik houd jullie op de hoogte. En wat Marjo betreft: we hebben gisteravond laat haar broer kunnen bereiken en die zal alles regelen met de uitvaart en zo. Hij heeft me beloofd dat hij vandaag contact zal opnemen met jullie bedrijf.'

'Dat merken we dan wel.' Ivo klinkt koel en zelfs een beetje ongeïnteresseerd.

'Het zal wel een schok zijn voor de medewerkers,' zegt Lilian haastig.

'Denk je?' Ivo trekt zijn wenkbrauwen op.

Ze maakt een uitnodigend gebaar in de richting van Christina. 'Ik laat je even uit.' Ze hoopt dat haar zoon verder zijn mond houdt. Ze ziet heel goed dat de rechercheur scherp luistert naar alles wat er wordt gezegd. En dat veroorzaakt in toenemende mate een onbehaaglijk gevoel bij haar.

Een gevoel van onraad.

72

De stampende hoofdpijn die tevoorschijn is gekomen nadat Christina het pand verliet, is met geen enkele pijnstiller tot bedaren te brengen. Lilian heeft de boodschappen in etappes gedaan. Veel winkels sluiten vandaag al om drie uur in de middag. Bij de warme bakker ontdekte ze dat ze een bestelling had moeten plaatsen. Dat is haar de afgelopen weken totaal ontgaan. Dan maar geen brood en banket van de warme bakker, heeft ze gedacht. Ze is regelrecht naar Albert Heyn in Haarlem-Noord gereden om alles wat ze nodig had in één klap in te slaan. Maar de hoofdpijn was een ernstige stoorzender, die haar belette om alle inkopen in één keer af te handelen. Ze heeft twee keer een paar hoofdpijntabletten ingenomen maar die werkten hooguit tien minuten. De enige manier om van deze ellende af te komen is slapen, weet ze. Geen koffie drinken, niet te veel eten, een ontspannend heet bad nemen en naar bed.

Toen ze Albert Heyn eindelijk verliet, botste ze bijna tegen een man aan die de daklozenkrant stond te verkopen. Hij maakte er een heel theater van, door enthousiast met een krant boven zijn hoofd te staan zwaaien en te roepen dat iedere koper in het nieuwe jaar beloond ging worden voor zijn goedgevigheid. Het leverde hem veel klandizie op en ook Lilian ontkwam er niet aan om een krant mee te nemen. Terwijl ze betaalde, keek ze zo onopvallend mogelijk om zich heen en ontdekte een afvalbak, die een paar meter verderop stond.

Maar de krantenverkoper had het in de gaten. 'U gaat hem toch wel lezen, mevrouw? Op pagina drie staat een verhaal over mij. Ik was ooit chef-kok in een gerenommeerd restaurant in Parijs. En nu sta ik hier. Het kan vreemd lopen in het leven, dame. Geloof me, het kan vreemd lopen. Wees maar zuinig op uw geluk.'

Die woorden dreunen nog steeds in haar hoofd na, als ze zich uiteindelijk in het bad laat glijden. Ze heeft seringenbadschuim gebruikt, omdat dit de enige geur is waarvan ze niet misselijk wordt als ze hoofdpijn heeft. *Wees maar zuinig op uw geluk.* De woorden hebben iets in haar teweeggebracht wat niet goed voelt. Iets wat ze niet wíl voelen.

Ze ligt diep onder het schuim te mijmeren. Ze denkt aan wat Bram nog niet lang geleden tegen haar zei, toen ze een gesprek hadden over de betekenis van geluk. Hij vertelde dat hij vroeger in sombere buien zo weinig mogelijk aan dat woord probeerde te denken, omdat hij bij de herinnering aan situaties waarbij hij zich goed had gevoeld, extra triest dreigde te worden. Dat veranderde toen hij een sensitivitytraining volgde, als vrijwillig onderdeel van zijn opleiding tot loopbaanbegeleider. Dat was een jaar nadat zijn moeder was overleden en hij kort na elkaar een paar heftige maar ook problematische relaties met vrouwen had gehad. Die ervaringen werden nogal stevig uitgediept tijdens de training en de begeleider maakte hem er toen op attent dat hij alleen de sombere kant van zijn ervaringen toeliet. De man dwong hem tijdens de training om juist de gelukmomenten naar voren te halen en vast te houden. Dat veroorzaakte een verandering in zijn denkpatroon. 'Sinds die tijd ben ik opgehouden met het geluk dat ik had te missen. In plaats daarvan ga ik, als ik me niet gelukkig voel, juist nadrukkelijk zitten denken aan de leuke momenten die er waren,' zei hij.

Zou het op die manier werken? Lilian denkt aan vroeger. Ze sluit haar ogen en ziet haar moeder voor zich. Er slaat een golf van heimwee door haar heen. Niet doen, denkt ze. Niet het gemis gaan voelen. Aan de leuke dingen denken. Ze was lief. Zorgzaam. Vrolijk. Ze kleedde zich prachtig. Ze was altijd thuis als wij uit school kwamen.

Lilian herinnert zich regenachtige dagen uit haar middelbareschooltijd als ze naar huis fietste in de stromende regen en tot op haar huid nat werd. Dat was niet erg, omdat ze wist dat haar moeder thuis met een pot thee zat te wachten en met een grote badhanddoek klaarstond op het moment dat ze als een verzopen kat de keuken zou inkomen. Ze kon de hele weg naar huis zitten genieten van dat vooruitzicht.

Het bad is lekker warm. De gedachten aan de thee en de badhanddoek van haar moeder zijn plezierig. Er flitst een beeld van de wachtkamer bij hun huisarts doorheen, maar Lilian schudt krachtig haar hoofd. 'Nee,' zegt ze hardop tegen zichzelf. 'Nee, nee en nog eens nee. Alleen aan leuke dingen denken.' Ze hoort de stem van Rob, de eerste keer vanuit de deuropening. Ze viel direct op die stem. Ze voelt zijn fluisterende lippen die haar oren aftasten. Daar begon ze altijd van te gillen. Dan greep hij haar vast.

Ze voelt zijn lijf dicht bij haar in dit bad. Ze houdt haar adem in. Raak me aan, smeekt ze hem in gedachten. Laat me je handen voelen.

Beneden slaat de voordeur dicht. Ze schrikt op uit haar dromen. Hoe laat is het? Het badwater is afgekoeld. Ze zet de warmwaterkraan aan en sproeit het schuim van haar lijf af.

'Mám!' Er komen voetstappen de trap op. Driftige stappen. Opgewonden stappen. Wat is er aan de hand? Ze schiet in haar badjas en knoopt hem dicht. 'Ben je hier, mam? Kan ik binnenkomen?'

Ze opent de deur van de badkamer. Achter haar loopt het bad met slurpende geluiden leeg.

Ivo heeft een kaart in zijn hand. 'Er stond geen naam op de envelop. Hij lag tussen de andere post. Wat vind je híérvan?'

Het is een witte kaart met een zwart randje. Lilian wil de tekst niet zien maar Ivo houdt hem onder haar neus. 'Lees eens wat erop staat,' beveelt hij bijna.

Ze leest.

Hoer, jij krijgt je straf nog wel.

'Ik bel direct Christina,' zegt ze.

'Dat lijkt me helemaal geen goed idee,' sputtert Ivo tegen.

'Waarom niet?'

'Ik zou dit gewoon verscheuren en in de afvalbak kieperen. Geen aandacht aan schenken. Dan houdt het vanzelf op.'

Lilian leest de tekst nog een keer. 'Dit klopt niet, Ivo. Hoe kan dit bij ons in de bus worden gegooid? Door wie? De andere kaarten kwamen van Marjo. Dat waren ook kaarten met een zwart randje en een vette schuingedrukte tekst. Maar Marjo is dood. Hoe komt deze kaart dan bij ons terecht? Ik bel Christina,' herhaalt ze.

Het voorstel van Ivo om de kaart te verscheuren voelt niet prettig.

Haar hoofd bonkt weer.

73

Direct nadat Lilian Christina heeft gebeld, toetst ze het nummer in van Bram. Ze wil zijn stem even horen. En als ze heel eerlijk is moet ze toegeven dat ze hem het liefst zo snel mogelijk zou willen zien. Ze wil hem hier bij zich hebben. Ze vraagt zich af waarom dat niet zou kunnen. Eens moet het gebeuren, waarom nu dan niet? Op dit moment heeft ze hem nodig.

Ze staat op het punt om de verbinding te verbreken omdat ze denkt dat hij niet opneemt, als ze zijn stem hoort. Hij hijgt een beetje. Hij was de zolder aan het opruimen, legt hij uit. Dat moet al maanden gebeuren. 'Wacht even, ik trek een trui aan. Ik ben helemaal verkleumd van die koude zolder,' zegt hij. Ze hoort aan zijn stem dat hij het koud heeft.

Ivo is naar zijn kamer gegaan. Ze hoort hem rommelen. Hij wil naar Annemiek. Maar Lilian heeft hem gevraagd om te wachten tot Christina is geweest. Die heeft beloofd direct te komen.

'Ik vind dat jij dit erg opblaast,' zei Ivo voordat hij naar boven ging. 'Ik zou juist verwachten dat je onderhand wel genoeg hebt gekregen van al die sensatie.'

Ze begrijpt niets van zijn reactie. En ze snapt ook niet wat hij bedoelde met het woord sensatie. Ze heeft absoluut niet het gevoel dat er in hun leven de laatste tijd sprake is van sensatie. Ze had willen zeggen dat ze dit een onaangenaam woord vindt, zelfs een ongepast woord. Ze had moeten optreden tegen haar zoon, denkt ze nu. Maar ze klapte dicht.

'Wat is er aan de hand?' vraagt Bram.

'Ik heb weer zo'n rare kaart gekregen.'

Stilte.

'Ben je er nog? Ik zei dat ik weer zo'n rare kaart heb gekregen.'

'Ik heb het gehoord.' Zijn stem klinkt schor.

'Wat vind je daarvan?'

'Ik schrik me wild.'

'Ivo wil dat ik er geen aandacht aan schenk. Hij zei dat hij dacht dat ik onderhand wel genoeg had van alle sensatie. Voor mij heeft het niets te maken met sensatie.'

'Nee.'

'Je bent écht geschrokken, hè?'

'Ja, wat dacht je dán? Wat is er toch aan de hand? Weet je zeker dat het net zo'n kaart was als de eerste twee?'

'Ik kan geen verschil ontdekken. Ik heb Christina al gebeld. Ze komt naar me toe.'

'En dat vond Ivo zeker ook niet nodig?'

'Nee. Hij reageerde nogal gepikeerd. Hij wil naar zijn vriendin toe. Hij heeft opeens een nieuwe liefde. Annemiek.'

'Ik zei het je toch? Die is op jacht. En ook al een nieuwe liefde? Hij weet van aanpakken.'

Lilian kan de schertsende toon waarop Bram de laatste woorden uitspreekt niet uitstaan. Ze wil er iets van zeggen maar ze weet niet hoe.

'Hoe reageerde Christina?'

'Koel. Ik had niet de indruk dat ze er ondersteboven van was. Misschien reageer ik wel te heftig en heeft Ivo gelijk. Misschien had ik die kaart gewoon moeten verscheuren. Maar toch... Ik kan me toch beter niet laten opjagen door zulke dingen? Het is toch niet vreemd dat ik me hier onveilig door ga voelen?'

'Is dat wat je voelt? Onveiligheid?'

'Ja. Marjo is dood. Zij heeft toegegeven dat ze die kaarten

aan mij heeft laten bezorgen. Ze wilde Rob en kon hem niet krijgen. De teleurstelling daarover kieperde ze op mijn bord. Ik begrijp het ook nog. Ik raakte niet echt van slag van die kaarten. Maar nu komt er een nieuwe en daar voel ik me onveilig door. Wie doet dit? Wat zit hier achter? Zou ze wel dood zijn?'

'Nu draaf je door. Zal ik naar je toekomen?'

Ze veert overeind. 'Wil je dat? Ik durfde het niet te vragen.'

'Natuurlijk wil ik dat. Vergeet niet dat jíj degene bent die tot nu toe de boot afhield.'

'Ik heb erover nagedacht. Ik wil het verleden achter me laten. En vooral het heden niet meer uit de weg gaan.'

'Ik kom eraan.'

Er wordt gebeld. Bram blijkt het ook te horen. 'Ik denk dat Christina bij je voor de deur staat. Zal ik over een uurtje komen?'

Ze hoort Ivo de trap afdenderen. Ze zegt dat het goed is en verbreekt de verbinding. Er zijn stemmen in de gang. Een vrouwenstem en twee mannenstemmen. Christina heeft iemand bij zich.

Het is Ronald Kras, ziet ze. Hij begroet haar hartelijk. 'Je houdt ons wel bezig, zeg.'

Lilian glimlacht. 'Ja. Ik weet niet goed wat ik hier van moet denken.' Ze nodigt hen uit in de woonkamer. Ivo biedt aan om koffie te zetten. Hij kijkt haar niet aan.

Christina vraagt naar de kaart. Lilian reikt hem aan. De rechercheur pakt de kaart bij het uiterste puntje vast. Ze knikt. 'Die lijkt tamelijk veel op de eerste twee.'

'Maar Marjo is dood. Die kan dit niet bij ons in de bus gedaan hebben,' sputtert Lilian tegen.

Ronald haalt een grote plastic zak tevoorschijn en houdt hem open. Christina laat de kaart erin glijden. 'Heb je de envelop ook?'

Ze loopt naar de gang en grist de blanco envelop waarin de

kaart zat van de lange smalle tafel die onder de grote gangspiegel staat. Ronald staat al klaar met de plastic zak. 'Wat gaan jullie ermee doen?' informeert ze.

'De technische recherche doet in ieder geval een onderzoek naar vingerafdrukken,' antwoordt Christina. 'Heb jij zelf enig idee wie deze kaart gestuurd kan hebben?'

De vraag overvalt haar. 'Nee. Totaal niet.'

Is dat zo? Ze wil niet verder denken.

'Wie weten er iets van die eerste kaarten?'

Ze aarzelt. 'Ivo. Dolf.'

'Wie nog meer?'

'Mijn vriend. Bram.'

'Die was bij je toen je die avond Marjo overviel, hè?'

'Hoe weet je dat?'

Christina glimlacht. 'Marjo was tamelijk ongezouten toen ze de wachtcommandant belde. Het verbaasde me dat je er zelf niets over zei.'

'Ik wil hem erbuiten houden. Het leven is momenteel al ingewikkeld genoeg.'

'Weet hij iets van deze kaart?'

'Ja. Ik heb hem gebeld, nadat ik jou had gesproken. Hij komt over een uurtje naar me toe.'

'Komt hij híér? Hier in huis? Waarom? Waar ben jij in hemelsnaam mee bezig, mam?' Ivo's heeft net de koffie binnengebracht en zijn vraag klinkt buitengewoon geïrriteerd.

Lilian gaat rechtop zitten. 'Ja, hij komt hier. Wat bezielt jou opeens? Je nodigde hem toch zelf uit voor de expositie van je vriendin op nieuwjaarsdag? Waarom zou hij dan nu niet hier kunnen komen?'

'Het is nog geen nieuwjaarsdag. En die expositie is in de schouwburg, niet in dit huis.' Ivo spuugt de woorden bijna in haar gezicht.

'Hij komt nú hiernaartoe. Wen er maar aan. Hij is mijn vriend. Ik heb hem nodig. Er is niets mis met wat wij voor elkaar voelen. En ook al woon jij weer tijdelijk in dit huis, houd er rekening mee dat ík hier beslis wat er gebeurt en niemand anders.' Ze schrikt van haar eigen felheid.

'Ik ben weg,' zegt Ivo. 'Ik pak mijn spullen en ik ga naar Annemiek. Dit is me te heftig.'

74

Lilian heeft zo koel mogelijk gereageerd op de felle reactie en het snelle vertrek van Ivo. Ze schrok ervan maar het leek haar beter om daar niets van te laten merken. Ze zit niet te wachten op indringende vragen van de politie die betrekking hebben op haar zoon. Het is haar nog steeds niet duidelijk wat ze moet denken van zijn gedrag. Maar ze heeft wel het gevoel dat ze hem moet beschermen.

Haar boosheid was écht. Toen Ivo haar ter verantwoording riep voor het feit dat Bram zou komen, werd ze boos. Ze had nog veel meer tegen hem willen zeggen. Ze had willen zeggen dat ze niet van plan is om nog een keer een liefde te verliezen. Ze had willen protesteren tegen de afwijzende toon in zijn stem en tegen de manier waarop hij haar behandelde. De superieure houding die hij aannam. De houding die haar reduceerde tot een klein meisje.

Dat deed Rob ook als hij het op zijn heupen had. Ivo leek op dat moment sprekend op zijn vader. En haar reactie was meer voor Rob bedoeld dan voor Ivo, weet ze. Ze denkt de laatste tijd vaak hetzelfde. Ze denkt regelmatig: Ik had je nodig. Er was niets mis met wat wij voor elkaar voelden. Die gedachten zijn aan Rob gericht. En nu heeft ze ze uitgesproken tegen haar zoon en hadden ze betrekking op haar vriend. Ze meende het toen ze zei dat er niets mis was met hun gevoel. Ze denkt dat ze pas nú, een halfuur geleden, definitief heeft gekozen voor Bram. En zodra ze hem ziet, gaat ze hem dat vertellen.

Ik ben klaar met Rob, weet ze. Ik had het allemaal anders gewild maar het is nu eenmaal zo gelopen. Hij is dood en ik leef. Ik zal hem waarschijnlijk nog regelmatig missen en ik zal ook nog vaak aan hem denken maar ik wil daar toch mijn leven niet verder door laten bepalen. We hebben het samen niet goed gedaan. Het is niet anders. Ik ga het met mijn tweede relatie anders aanpakken. En niemand houdt me daarbij tegen, zelfs mijn eigen kind niet. De boodschap moet duidelijk zijn: Wen er maar aan. Je moeder heeft een andere man. Met hem gaat ze oud worden.

Christina en Ronald lijken totaal niet van plan te zijn om al te vertrekken. Ze hebben duidelijk zin in een praatje en hun interesse geldt Lilians verhouding met Bram. Lilian denkt koortsachtig na over wat Christina al over deze relatie weet. Wat heeft ze wel en wat heeft ze niet verteld? Te veel informatie geven lijkt haar niet handig. Bram moet er zoveel mogelijk buiten blijven, denkt ze. Hij moet geen deel worden van deze hele geschiedenis. Hij is van mijn nieuwe leven.

'Ben je er al achter of je man inderdaad een afspraak had met je vriend?' informeert Christina.

Lilian herinnert zich dat Ivo daar iets over zei toen Christina hier voor de laatste keer was. Rob zou een afspraak hebben gehad met Bram maar die was niet komen opdagen. 'Nee. Ik heb het er nog niet met hem over gehad. We hebben elkaar nauwelijks gezien, sinds Ivo dat vertelde. En als ik eerlijk mag zijn: het interesseert me ook niet. Rob speelt geen rol in mijn relatie met Bram. Ik stel ook geen dieptevragen over de relaties die híj had voordat hij me kende. Wat schiet je ermee op? Dat is geschiedenis. Ik heb mijn handen vol aan het heden.'

'Dus je gaat hem er geen vragen over stellen?'

'Nee,' beslist ze definitief. Ze voelt zich opgelucht.

'Ik wil wel enkele vragen stellen aan je vriend,' zegt Christina.

'Hij kan elk moment komen.' Ze hoort dat ze enigszins bits klinkt. De mededeling van de rechercheur bevalt haar niet.

'Ik nodig hem liever uit op het bureau. Onder vier ogen.'

'Je gaat me toch niet vertellen dat je hem ergens van verdenkt?'

'Zou je dat vreemd vinden?'

Lilian heeft het gevoel dat ze nu wordt getest. 'Heel vreemd,' is haar nog bitsere antwoord. 'Heel vergezocht. Heel onnodig provocerend. En heel kwetsend.'

'Waarom vind je dat kwetsend?' wil Ronald weten. Hij kijkt haar aan op een vriendelijke en uitnodigende manier. Lilian meent medeleven in zijn ogen te lezen. Ze heeft de indruk dat hij de kritische toon in Christina's stem wat probeert te verzachten. Hij kijkt ook heel opvallend niet naar zijn collega als hij de vraag stelt.

'Het voelt voor mij als een veroordeling. Een daad van afkeuring. Iets als: we zullen dat overspelige stel eens even in de tang nemen.'

'Dat klopt totaal niet,' zegt Christina snel. 'Begrijp me goed: dit is een politieonderzoek naar drie moorden. Er zijn drie mensen in korte tijd overleden, waarbij het mogelijk bij alle drie gaat om moord. Dit is geen eenvoudige zaak. Er mag niets maar dan ook niets over het hoofd worden gezien. En iedereen uit de omgeving van de slachtoffers zal worden gehoord. Dus ook jouw vriend. Dat is niet kwetsend, dat is noodzakelijk en correct.' Ze staat op. 'Ik ga terug naar het bureau.' Ze wendt zich tot Ronald. 'Wil jij een afspraak met meneer maken als hij komt? Tot ziens, Lilian. Ik hoop dat je beseft dat ik deze zaak graag zou oplossen. Ik neem de kaart mee voor de technische recherche. En het lijkt me een goed idee als je voorlopig niet alleen bent.'

Lilian knikt. Ze merkt dat ze geëmotioneerd is. 'Ik weet dat je de zaak wil oplossen. Maar het wordt me soms te veel. Nu ook weer die kaart die zomaar in de bus ligt. Iemand schijnt me op stang te willen jagen. En ik merk dat ik er nauwelijks van onder de indruk raak. Ik word alleen boos. Ik krijg zin om iemand op zijn gezicht te timmeren. Zo ben ik normaal gesproken niet. Ik ben geen gewelddadig type. Maar ik sla op tilt van dit soort getreiter.'

'Heb je enig idee wie dit gestuurd kan hebben?' vraagt Ronald.

Ze aarzelt.

'Zeg het eens.'

'Ik weet het niet. Heb je eigenlijk al met Dolf gepraat?' wendt ze zich tot Christina.

'Ja.'

Lilian wacht verdere mededelingen af. Maar Christina zegt verder niets over Dolf. Ze loopt naar de deur. 'Ik kom er wel uit,' mompelt ze. Het lijkt opeens of ze haast heeft.

75

Ze heeft zin in een borrel. Ze biedt de rechercheur er ook een aan. Hij wil wel iets zonder alcohol, meldt hij.

Er wordt gebeld. Lilian loopt naar de voordeur en trekt hem met een blij gezicht open. Bram heeft gas gegeven, denkt ze. Hij is hier sneller dan ze had verwacht. Haar brede glimlach verandert in een ongelovige grijns. 'Madeleine,' roept ze verrast. 'Ben je al terug? O, ik had je willen mailen. Sorry, dat ik dat niet gedaan heb. Ik kwam er niet toe, er is hier van alles gebeurd. Kom binnen. Mijn vriend kan ook elk moment arriveren. En ik heb ook nog bezoek van een van de rechercheurs die bezig zijn met het onderzoek naar de dood van Rob.'

Madeleine staat al met één voet in de gang maar ze stapt schielijk terug. 'Ik ben eerder teruggekomen, ik wilde met de feestdagen in mijn eigen huis zijn. Maar ik moet met je praten, Lilian. Het spijt me, ik heb dingen achtergehouden die ik wist. Ik wil het je graag uitleggen. Maar onder vier ogen. Het is privé.'

Er hangt opeens een gespannen sfeer in de gang. Lilian slikt. Ze heeft het koud. 'Je laat me schrikken. Wat is er in hemelsnaam aan de hand?'

'Kan ik je een dezer dagen ergens ontmoeten? Ergens in de stad? Of misschien beter bij mij thuis? Dan weten we zeker dat niemand ons gesprek kan horen.'

'Allemachtig, wat ís er, Madeleine? Je maakt me bang.'

'Wat doe je de komende dagen? Kun je morgenmiddag om een uur of twee? Of heb je afspraken?'

'Ik zou morgen samen zijn met Ivo, maar die is vertrokken naar zijn nieuwe vriendin. Ik denk dat ik dan bij Bram ben. Hij kan ieder moment hier zijn. Ik ben van plan om met hem mee te gaan naar zijn huis en daar tot na de kerstdagen te blijven. Er is nogal wat aan de hand, weet je. Het is niet in een paar zinnen uit te leggen.'

'Denk je dat het je lukt om er morgenmiddag een uurtje tussenuit te knijpen? Vind je het erg om tegen niemand te zeggen dat je met mij gaat praten?'

'Tegen niemand? Ook niet tegen Bram?'

'Tegen niemand. Je moet voorzichtig zijn, Lilian.'

Lilian staart haar vriendin aan. Ze rilt. 'Wil je niet even binnenkomen voor een kop koffie?'

Opeens doet Madeleine een stap naar voren en ze omhelst Lilian. 'Kom alsjeblieft morgenmiddag naar me toe. En hou het onder ons. Voor je eigen veiligheid. Ik had veel eerder met je moeten praten. Het spijt me zo dat ik dat niet deed.'

'Je maakt me écht bang. Goed, ik zeg niets. Tegen niemand. Deal. Ik ben er, morgen om twee uur. Ik zie wel hoe ik dat organiseer.' Ze knuffelt Madeleine. 'Ik had je écht willen mailen. Ik mis ons.'

'Ik ook. Tot morgen.' Madeleine maakt zich los uit de omhelzing en loopt snel naar haar auto. Lilian zwaait haar na, als ze de straat uitrijdt.

Ze leunt met haar hoofd tegen de deur. Ze wil hier weg. De stad uit, het land uit desnoods. Ze wil niet weten wat Madeleine te vertellen heeft. Het is genoeg geweest, beslist ze.

Ze zou met haar hoofd keihard tegen die deur willen bonken. Zo hard, dat ze de komende tijd op bed moet liggen. Gedwongen rust en afzondering. Alleen Bram mag bij haar. Bram komt eraan, denkt ze. Dat is goed.

Ze loopt peinzend terug naar de kamer. 'Dat was mijn

vriendin, Madeleine,' zegt ze tegen Ronald. 'Ze is net terug uit Australië. Ik ga gauw met haar bijkletsen. Maar ze wilde nu niet storen.'

Buiten klapt een autoportier dicht en een paar seconden later wordt er gebeld. 'Dat zal Bram zijn,' constateert ze. Ze rent naar de voordeur en gooit hem opnieuw open. Op hetzelfde moment voelt ze zijn armen om haar heen en zijn lippen in haar hals. Ze klemt haar lijf tegen dat van hem aan. 'Ronald Kras is er nog,' hijgt ze tussen twee heftige kussen door. 'Maar hij zal wel niet lang meer blijven. Hij wil met jou een afspraak maken op het bureau.'

Bram laat haar direct los. 'Waarom?'

'Ze willen met iedereen uit de omgeving van Rob praten.'

'Ik ben toch niet uit Robs omgeving?'

'Je bent bij mij. Dat is Robs omgeving. Maak je niet druk. Het is een formaliteit. Ze zullen snel genoeg merken dat ik jou overal buiten heb gehouden.'

Bram pakt haar weer vast. 'Je hebt gelijk. Nog even kussen. En zodra die vent weg is...'

Ik ga met hem vrijen in het bed van Rob en mij, denkt ze. Maar nu is het míjn bed. Het wordt tijd dat ik er definitief míjn bed van maak. En als het tóch niet goed voelt, koop ik gewoon een ander bed.

Vandaag begin ik met mijn nieuwe relatie.

'Welkom,' zegt ze. 'Welkom in mijn huis en in mijn leven. Het duurde even eer ik zover was maar ik méén het. Welkom.'

76

'Ik heb kortgeleden zo raar gedroomd,' zegt Lilian. Ze liggen naast elkaar in haar bed, Brams linkerkuit bedekt haar beide knieën. 'Krijg je zo geen kramp?'

'Nee hoor. Ik wil je voelen. Wat heb je precies gedroomd?'

'Over een halve man. Zijn lijf hield op na zijn buik.'

'Jammer. Dan miste je het mooiste deel.'

Ze port hem in zijn zij. 'Mannen denken ook altijd aan hetzelfde. Er was niets erotisch aan die man. Hij zei dat hij Sagittarius heette. Boogschutter. Ik vertelde dat mijn dode man een Boogschutter was. Daarna begon hij uit te weiden over de karaktereigenschappen van Boogschutters.'

'Heb je enig idee hoe je ertoe kwam om dat te dromen?'

'Denk jij dat iemand zelf bepaalt waar hij over droomt?'

'Nou, bepalen... Maar ik geloof niet dat mensen toevallig iets dromen.'

Er schiet haar een andere droom te binnen. De droom dat Rob bij haar in bed lag en dat ze toen ze wakker werd merkte dat het bed de warmte had van twee personen, terwijl zij alleen was. Maar ze duwt die droom van zich af. 'Ik heb me steeds zitten afvragen waar ik iets over Boogschutters heb gelezen. Want ik weet dat ik er een tijd geleden ergens iets over gelezen heb. Ik kan me alleen niet herinneren waar dat was. Waarschijnlijk ergens in een wachtkamer of zoiets. Ja, ik heb iets gelezen.'

'Was het niet bij mij?'

'Bij jóú? Heb jij astrologietijdschriften dan?'

'Niet meer. Ik heb ze kortgeleden allemaal weggegooid. Ik had er nog een heleboel, ze waren van mijn moeder. Soms las ik er wel eens in en het kan heel goed zijn dat jij er bij mij in gebladerd hebt. Nu je het zegt: volgens mij lag er de eerste keer dat je bij me was zo'n blad op de salontafel. Ik heb die week alle bladen aan de straat gezet voor een ophaalactie van oud papier.'

'Dat je dat nog weet.'

'Ik weet alles van iedere minuut die we tot nu toe samen zijn geweest, my dear. En wat die bladen betreft is het misschien niet vreemd dat ik dit nog weet. Er zat voor mij een soort emotionele waarde aan die bladen. Herinneringen aan mijn moeder. Het weggooien was vooral een rationele daad. Ik vond dat ik niet tot in de eeuwigheid alles moest bewaren wat met mijn moeder te maken had.'

'Het zou kunnen dat ik er inderdaad iets over heb gelezen toen ik bij jou was. Maar jij doet toch zelf niets aan astrologie?'

Bram streelt haar gezicht. 'Nee. Maar ik vond het altijd wel interessant als mijn moeder erover vertelde. Ze was niet zweverig of zo. Ze had ook veel belangstelling voor iriscopie. En daar lees ik ook graag over. Weet je wat dat is: iriscopie?'

'Iets met je ogen?'

Hij draait haar hoofd naar zich toe. 'Het heeft te maken met het kunnen lezen van iemands ogen. In de pupillen is te zien welk menstype je bent. Jij bent het lymfatische type, een gevoelsmens. Ik zag het al de eerste keer dat ik in je ogen keek.'

'Daar heb je me nog nooit iets over verteld,' zegt Lilian. Ze vindt het een eng idee dat Bram haar ogen schijnt te lezen.

'Je hoeft er niet van terug te deinzen, het is maar een theorie. Ik ben altijd voorzichtig met hierover iets te vertellen. Mensen vinden je nogal snel vreemd als je hier belangstelling voor hebt. Ik vind het een machtig interessante materie en als je wil, zal ik je er binnenkort nog veel meer over vertellen.'

'Waarom vertel je het me nú?'

'Omdat ik je vertrouw. Omdat ik het waardeer dat je me in dit bed toelaat. Dat is voor mijn gevoel een blijk van vertrouwen van jouw kant. En dat doet me goed.'

Ze slaat zijn armen om zijn hals. Ze is ontroerd door zijn laatste woorden. Hij klemt haar aan zich vast. 'Ik wil je niet kwijt,' fluistert hij in haar oor. Zijn lippen zijn overal. Hij komt in haar. 'Ik wil je niet kwijt,' blijft hij herhalen.

77

De stad is uitgestorven. De meeste huizen zijn donker, bij een enkel huis hangt een verlichte ster voor het raam. Bijna alle buitenverlichting is gedoofd. In de verte luiden klokken. Lilian luistert naar het geluid en denkt dat het ergens uit het centrum vandaan komt.

Bram heeft voorgesteld om in zijn huis te gaan slapen en het eten dat ze voor de eerste kerstdag heeft ingeslagen, mee te nemen. 'Dan koken we morgen samen een mix van wat jij en wat ik in huis hadden gehaald.'

Hij heeft niet gezegd waarom hij in zijn eigen huis wilde slapen. Lilian vermoedt dat hij aanvoelde dat het voor haar nog net een stap te ver zou zijn op dit moment om de nacht samen in haar huis door te brengen. De vrijpartij in haar bed is genoeg voor vandaag. Dat merkte ze toen ze na een halfuurtje geslapen te hebben, tegelijkertijd wakker werden. Ze voelde zich verdrietig en verward. Ze wilde wég.

Ivo heeft niet meer gebeld. Lilian gaat er maar van uit dat hij bij Annemiek is. Hij meldt zich wel weer als zijn ergernis verdwenen is.

'Waar denk je aan?' Bram streelt een kort ogenblik over haar knie.

'Niets belangrijks.'

'Toch niet aan die idiote kaart?'

Ze realiseert zich dat ze de kaart totaal uit haar gedachten heeft gezet. 'Helemaal niet. Moet ik me daar zorgen over maken?'

‘Liever niet. Maar ik zou me kunnen voorstellen dat het je toch niet lekker zit. Het heeft iets unheimisch, vind ik.’

‘Ik heb besloten om me door niemand meer op stang te laten jagen. En ik wil niet in angst leven. Maar het zit me inderdaad niet echt lekker. Daarom sluit ik me ervoor af.’

‘Tot er wéér een kaart komt?’

‘Als er nóg een kaart komt, heb ik waarschijnlijk een serieus probleem. Maar zover is het nog niet.’ Ze denkt opeens aan het korte bezoek van Madeleine. ‘Had je speciale plannen voor morgen?’

‘Niet bepaald. Ik was alleen van plan om morgenmiddag even op bezoek te gaan bij een cliënt van me, die een paar dagen geleden plotseling is opgenomen in het ziekenhuis. Het is een aardige man, die een halfjaar geleden weduwnaar geworden is. En twee maanden later kreeg hij te horen dat hij door een organisatiewijziging boventallig ging worden. Hij heeft geen kinderen. Ik vind het sneu dat hij met de kerstdagen moederziel alleen in dat ziekenhuis ligt. Maar ik kan ook na de kerstdagen langsgaan.’

‘Nee, je gaat morgenmiddag,’ beslist ze. ‘Dat is aardig van je. Dan ga ik een paar uur naar huis, tut ik me lekker op en kom daarna weer naar je toe.’

‘En dan koken we samen,’ stelt Bram voor.

‘Ja.’ Ze vindt het een prettig idee dat ze geen smoes hoeft te verzinnen om naar Madeleine te gaan. Ze voelt een onaangename spanning op haar maag staan als ze terugdenkt aan de woorden die haar vriendin uitsprak. *Je moet voorzichtig zijn, Lilian.*

Wat bedoelde ze daar in hemelsnaam mee?

Ze wil aan Bram vertellen dat ze door Madeleine is uitgenodigd om te komen praten. Dat moet kunnen, denkt ze. Het voelt niet goed om geheimen voor hem te hebben. Maar ze heeft Madeleine beloofd om dat niet te doen. Ze aarzelt.

‘Ga je Ivo nog bellen?’

Ze schiet overeind. 'Hoezo?'

'Nou, gewoon. Is dat zo'n vreemde vraag?'

'Nee. Ik heb alleen op dit moment weinig zin om na te denken over Ivo. Ik denk dat het goed is dat we elkaar een paar dagen niet zien. We reageren nogal sterk op elkaar.'

Er schiet een kat de straat op, waardoor Bram boven op zijn rem moet gaan staan. De auto komt met een schok tot stilstand. De kat schiet een tuin in en verdwijnt in de struiken.

'Alle mensen,' zucht Lilian, 'dat scheelde maar weinig. Goed dat we onze gordels hebben omgedaan.'

'Als jij je gordel niet had omgehad, was ik doorgereden,' zegt Bram.

Ze voelt haar maag weer opspelen. Ik hoop dat je dat niet meent, denkt ze.

Maar ze zegt het niet.

Als ze uitstappen, hoort ze in de verte de laatste klanken van de klokken wegebben. Daarna wordt het stil. Doodstil. Bram loopt naar de voordeur om hem te openen. Hij knipt het licht in de gang aan. 'Ga maar gauw naar binnen, ik heb de verwarming aangelaten,' nodigt hij haar uit. Als ze langs hem loopt, pakt hij haar stevig vast. 'Ik ben zo blij dat dit jaar bijna voorbij is,' zegt hij. Hij drukt haar tegen zich aan. 'Zo blij. Ik vond de afgelopen weken een nachtmerrie.' Zijn stem begeeft het. Hij snikt het uit.

Ze slaat haar armen om hem heen en houdt hem vast. 'Stil maar. Rustig maar,' troost ze. Ze is een beetje overdonderd door zijn plotselinge emotie. 'Ik heb me helemaal niet gerealiseerd hoe het voor jou is geweest. Sorry. Het spijt me dat ik daar niet bij stilstond.'

Hij blijft huilen. Ze kust zijn haren, zijn voorhoofd, zijn mond. Ze proeft zijn tranen.

78

Ze ligt al ruim een uur in het donker te staren en heeft al allerlei houdingen geprobeerd om in slaap te komen. Naast haar ligt Bram te ronken. Hij sliep zodra zijn hoofd het kussen raakte.

Toen hij een beetje gekalmeerd was, hebben ze samen nog een glas wijn gedronken. Bram was stil. Hij zat dicht tegen haar aan en zei dat zijn huilbui hem had opgelucht. Verder kwam hij niet. En ze heeft ook niet verder gevraagd.

Ze houdt het niet uit in bed en ze besluit om een tijdje beneden te gaan zitten. Ze glipt in de kamerjas van Bram en trekt de ceintuur strak om haar middel. De jas is haar te groot maar dat hindert niet. Hij is gemaakt van dik velours en zit in ieder geval lekker warm. Heel behoedzaam sluipt ze de trap af. Als ze in de gang is, luistert ze ingespannen of Bram niet wakker is geworden. Hij snurkt een beetje, hoort ze. Ze glimlacht.

In de woonkamer knipt ze de grote schemerlamp aan die naast de bank staat. Ze kruipt op de bank en klikt met de afstandsbediening de televisie aan. Zou er nog ergens iets worden uitgezonden? Op Nederland 1 en 2 is het testbeeld met kerstmuziek. Op een van de Duitse zenders is een concert. Bekende klanken.

Beethoven.

Ze schakelt snel door. Maar het is al te laat. Ze heeft het gehoord. Het kan niet missen. Op Duitsland wordt een van de pianoconcerten van Beethoven uitgezonden. Niet het eerste. Ze schakelt terug en luistert aandachtig. Het derde. Ze trekt haar benen onder zich en rolt zichzelf helemaal op, terwijl ze de pianomuziek op zich af laat komen. De eerste paar minuten houdt ze haar wijsvinger dicht bij de knop op de afstandsbediening waarmee ze de televisie in één klap kan uitzetten. Ze houdt er rekening mee dat ze van het ene op het andere moment niet verder naar dit concert wil luisteren, omdat het haar te veel wordt.

Maar dat gebeurt niet. Ze geniet. De muziek maakt haar rustig. Ze neuriet sommige stukken mee. En ze herinnert zich de avonden dat ze samen met Rob naar de pianoconcerten luisterde. Allebei languit op een bank, een glas wijn binnen handbereik. Zwijgend. Soms een beetje deinend. Zij neuriede de stukken mee die ze allebei het mooiste vonden en Rob maakte daarbij dirigeergebaren. Op zulke momenten zei hij dat hij in een volgend leven dirigent wilde worden.

Dat waren de goede momenten. De momenten zonder ruzie. Zonder verwijten.

Zonder afwijzing.

De uitzending wordt onderbroken voor een korte pauze. Lilian voelt dat ze koude voeten heeft. Ze vraagt zich af waar Bram zijn sokken opbergt. In zijn slaapkamer staat behalve het grote bed alleen een lange smalle tafel tegen de muur, met een televisie erop. Naast het bed staan nachtkastjes maar Lilian weet dat daar alleen boeken in liggen. Ze loopt de trap op en maakt voorzichtig de deur van de logeerkamer open. Daar staat een dressoir, weet ze en een grote hang-legkast. Misschien zitten er sokken in een van de laden van het dressoir. Ze schuift heel zacht de bovenste la open.

Truien en handschoenen.

De tweede la. Truien. Hij heeft veel truien, ontdekt ze.

De derde la. Sokken. Ze liggen keurig gesorteerd op kleur. Lilian pakt een paar zwarte uit de la. Ze wil hem weer dichtdoen maar dat lukt niet. Ze schuift de la eerst wat verder open en probeert hem daarna weer te sluiten.

Achter in de la zit iets wits. Lilian buigt zich voorover om te zien wat het is. Ze tuurt. Haar hand komt naar voren om het witte ding vast te pakken. Ze schudt ongelovig haar hoofd als ze de witte envelop tussen haar vingers voelt.

De sokken laat ze los. Ze opent de envelop. Er zit een witte kaart in met een zwarte rand. Er staat iets op de kaart.

Het is jouw schuld, jouw schuld, jouw schuld dat Rob dood is.

Ze staart naar de woorden die in haar gezicht schreeuwen.

Jouw schuld, jouw schuld, jouw schuld.

Ze heeft opeens een droge keel. Als ze probeert te slikken, krijgt ze het gevoel dat ze stikt. Ze moet hoesten maar ze onderdrukt het. Bram mag nu niet wakker worden. Ze hoort hem snurken.

Ze denkt een paar seconden diep na. Daarna schuift ze de kaart terug in de envelop en steekt die in de zak van de kamerjas.

In haar hoofd proberen zich allerlei vragen naar voren te dringen, maar ze weert ze af. Ze pakt de sokken op en stopt ze ook in de zak van de kamerjas. Haar blik glijdt door de ruimte om haar heen. Ze schrikt als ze haar eigen bewegingen ontdekt in de spiegel die de hele rechterkant van de hang-legkast beslaat. De kast zit dicht. Ik heb niets in die kast te zoeken, denkt ze. Toch opent ze de spiegeldeur.

Er hangen kostuums. Van rechts naar links ziet ze twee zwarte pakken, drie donkerblauwe en drie grijze, waarvan er één een dunne krijtstreep heeft. Alles hangt kaarsrecht. Lilian kijkt nog eens om zich heen. De kamer is keurig opgeruimd. Er is nergens een stofje te bekennen. Opeens realiseert ze zich dat Brams hele huis altijd superschoon is. Hij houdt niet van smerigheid, heeft hij haar wel eens verteld.

Rob was rommelig. Die zag nooit ergens stof. Hij had ook nooit in de gaten dat er tandpastaresten op het glas op de wastafel in de badkamer zaten. Opgedroogde tandpastaresten.

Daar gruwt Lilian van. Ze ergerde zich aan Rob als hij zijn glas niet goed omspoelde.

De badkamer van Bram glimt en blinkt altijd.

Echt opmerkelijk. Misschien is hij zo schoon op zijn huis, doordat hij zo lang bij zijn moeder heeft gewoond. Dat zal het zijn.

Het klopt niet dat ik in zijn kasten loer, denkt ze. Ze voelt zich een indringer. Haar hand glijdt in de zak van de kamerjas. De envelop zit er nog. Betekent dit dat Bram óók een kaart heeft gekregen? Maar waarom staat er dan een tekst op die voor háár is bestemd?

Er klopt iets niet. Ze leunt met haar hoofd tegen de spiegel en probeert beter te ademen. Rustiger. Dieper.

Ze loopt terug naar de overloop en sluit de deur van de logeerkamer heel behoedzaam. Ze luistert aan de deur van de slaapkamer. Bram is harder gaan snurken.

Hij zaagt.

Ik moet weer naar beneden, denkt ze. Beneden kan ik nadenken. Ze doet een stap in de richting van de trap. Maar haar blik is gericht op de andere trap in de ruimte. De trap die naar de zolder leidt.

Ze huivert.

Heel in de verte hoort ze dat het derde pianoconcert verder gaat. Vlak bij haar is het gesnurk van Bram.

Ze is nog nooit op de zolder van dit huis geweest. Ik heb er ook niets te zoeken, denkt ze. Dit is niet mijn huis, ik kan hier niet zomaar overal rondneuzen. Er valt ook niets rond te neuzen. Ik zocht sokken en die heb ik. Verder zocht ik niets. Die envelop kan ik maar beter verscheuren.

En vergeten.

Ze trekt snel de sokken aan. Ze beweegt haar tenen om ze warmer te maken. Haar voeten voelen aan als ijsklompen. Haar handen zijn ook al zo koud. Ze wrijft ze over elkaar heen. Ze rilt.

De zoldertrap staart haar aan. Ik heb daar echt niets te zoeken, probeert ze zichzelf tegen te houden. Ze verlangt naar Rob maar ze schudt dat verlangen met een geïrriteerd schoudergebaar van zich af. Laat me met rust, denkt ze. Je bent dood. Je hebt geen plaats meer in mijn leven. Eigen schuld.

Het helpt niet.

Ze loopt de zoldertrap op.

79

Op de hele vloer van de zolder ligt vaste vloerbedekking. Dik, hoogpolig tapijt dat lekker zacht en ook warm aanvoelt aan haar voeten. Ze sluipt eroverheen en bedenkt dat niemand haar hier kan horen lopen. Door de stilte op de zolder kan ze de geluiden van beneden in de gaten houden. Het pianoconcert is niet meer te horen maar het gesnurk van Bram nog wel. Het lijkt of hij iedere minuut harder gaat snurken.

Het felle licht van de twee tl-buizen in de nok prikt aan haar ogen.

Wat doe ik hier? vraagt ze zich af. Zoek ik iets? Waarom ben ik in hemelsnaam naar boven gelopen?

Er ritselt iets onder het schuine dak. Ze houdt haar adem in.

Is hier iemand?

Het dak kraakt. Het klinkt als gekreun. Ze hikt van de schrik door het geluid en slaat een hand voor haar mond. Ze speurt met haar ogen de nok af en luistert scherp.

De stilte om haar heen lijkt ook zijn adem in te houden.

Ze heeft de neiging om naar beneden te rennen.

Ze wil weg uit dit huis. Er is iets veranderd in de sfeer. Het is een moeilijk definieerbare verandering. De kaart met de vreemde tekst heeft er mee te maken. Maar er is meer. Ze kan er geen vinger achter krijgen.

Wat is er opeens aan de hand?

Tegen de rechte wand die tegenover de trap ligt staat een kledingkast. Het is een houten kast met schuifdeuren. Onder de schuine dakwanden ziet ze stapels kartonnen dozen en twee enorme kisten. De kisten zijn gemaakt van heel donker hout. Bijna zwart. Ze zien er dreigend uit.

Lilian hijgt. Ze hoort het zelf. Ze moet hier weg. Ze wil niet naar de kisten kijken maar tegelijk kan ze haar ogen er niet van afhouden. Er is iets dat haar naar de kisten drijft. Ze aarzelt. Haar handen aarzelen boven het deksel van de grootste. Ze ademt een paar keer diep door.

Ze opent de kist.

Er zitten overhemden in. Ze zijn keurig opgevouwen. Ze lijken nieuw. Witte overhemden. Haar handen tillen de bovenste hemden op en leggen er een paar op de vloer. Nog een laag overhemden. Deze zijn lichtblauw. Ze haalt er weer een paar weg.

Haar hand raakt iets zachts aan. Ze schrikt. Het lijkt een pluk haar. Ze trekt haar hand snel terug. Wat is dit?

Een hoofd? Ze kokhalst.

Het is een pruik, ontdekt ze. Een pruik van halflang blond haar. Meer niet. Geen hoofd. Geen mens. Ze gruwt van haar eigen lugubere fantasie. Ze schuift de pruik voorzichtig opzij. Er ligt iets wits onder. Een witte lange broek. En een witte hes.

Dit lijkt een verpleegstersuniform. Ze trekt de broek en de hes in één beweging uit de kist.

Ze ziet een zwarte lap liggen. De stof voelt aan als wol.

Lilian aarzelt. Met haar vingertoppen raakt ze de zwarte wollen stof aan. Ze houdt een stukje vast. Dan pakt ze met een resoluut gebaar een groter stuk van de stof en trekt hem omhoog. Haar hart begint wild te bonken.

Het kan niet, denkt ze. Ik droom. Dit gebeurt niet echt. Ik heb een nachtmerrie. Dat heb ik wel vaker. Ik moet wakker worden. Dit is geen zwarte jas. Hij heeft geen damessluiting. Het is geen grote maat.

Ik sta niet op een zolder. Ik lig in bed.

Er ritselt weer iets achter haar. Ze wil gillen.

De zolder lijkt naar haar te kijken. Ik ben hier wél, denkt ze. En ik moet hier weg.

Beneden is het stil. Het gesnurk van Bram is niet meer te horen.

Lilians vingers betasten de zwarte jas. Er zit iets in een van de zakken. Sleutels. Autosleutels.

Er hangt een ijzeren label aan de bos. Ze tuurt naar de letters op het label. Vijf letters.

Volvo.

80

De taxichauffeur kijkt haar via de achteruitkijkspiegel aan. 'Gaat het wel goed, dame?'

Ze knikt. 'Er is nogal wat gebeurd, de laatste tijd,' mompelt ze.

'Ik zie het aan u.'

Een paar minuten kon ze totaal niet meer nadenken. Het was doodstil in huis. Opeens besefte ze waar ze was en wat er was gebeurd. Ze smeet de jas, de pruik en het uniform weer in de kist en propte de overhemden er bovenop. Ze deed het licht van de zolder uit en sloop de trap weer af.

Bram snurkte niet meer. Maar hij maakte nog wel geluiden. Hij ademde steeds diep in en floot een beetje bij het uitademen. Ze luisterde ernaar en voelde haar eigen verbijstering, die een beklemd gevoel veroorzaakte. Ze zag hem in haar gedachten liggen. Zijn vertrouwde lijf. De mond die zo geweldig kon kussen.

Ze sloop de slaapkamer in, griste haar kleren van de stoel en viste haar handtas van de grond. Ze kleedde zich snel aan op de overloop en rende naar beneden. Ze controleerde haar tas. Alles zat erin. Vooral haar mobiele telefoon. Ik moet een taxi zien te krijgen, dacht ze. Maar er mag hier niemand aanbellen. Ze overwoog serieus om te gaan lopen. Hoe lang zou ze erover doen? Hooguit veertig minuten. Maar ze wilde niet riskeren dat Bram merkte dat ze was weggegaan en haar achterna zou komen. Ze trok haar jas aan en opende de voordeur. Toen ze buiten stond, hoorde ze de torenklok in de verte slaan. Vier keer. Ze trok de voordeur heel voorzichtig in het slot en rende de straat in. Op de hoek van de eerste zijstraat belde ze de informatiedienst en vroeg het nummer van een taxicentrale. De computer gaf haar het nummer en de blikken stem meldde erbij dat ze kon worden doorverbonden. Toen de centralist van de taxicentrale zich meldde, had ze haar stem in bedwang. Ze vertelde waar ze was en vroeg per direct een taxi. Het zou tien minuten duren, hoorde ze. Ze liep de tuin in van het huis waar ze stond en stelde zich verdekt op achter een grote den. Toen ze na een minuut of acht een auto de straat in hoorde rijden kwam ze tevoorschijn. Haar hart maakte een sprong van opluchting toen ze de geel verlichte letters op het dak van de auto ontdekte. Ze zwaaide wild naar de chauffeur en stapte direct in.

'Een kort ritje,' zegt de man, als hij stopt voor haar huis. 'Maar het is verstandig dat u een taxi nam. Je weet tegenwoordig niet meer wat je op straat tegenkomt 's nachts.'

Lilian betaalt hem en geeft hem een stevige fooi.

'Dank u hartelijk, dame. Ik wens u fijne dagen toe. Met vrede in uw hart.'

Lilian staart hem aan. 'Vrede,' mijmert ze. 'Dat zal wel niet één twee drie lukken.' Ze stapt uit.

Op het moment dat ze de sleutel in het slot van de voordeur steekt, staat ze opeens stokstijf stil. Ze realiseert zich dat ze de kaart die ze in de sokkenla vond in de zak van Brams kamerjas heeft laten zitten.

81

Zodra de voordeur achter haar dichtvalt, schuift Lilian de grendels die zowel aan de bovenkant als aan de onderkant zitten met een ruk naar links. Rob wilde die grendels een halfjaar geleden opeens op de deur zetten. Het was in de periode dat hij begon te merken dat er iets niet goed zat in zijn lijf. 'Het is veiliger,' beweerde hij. 'Er kan dan minder gemakkelijk worden ingebroken.' Ze had het gevoel dat hij iets probeerde te doen aan zijn eigen gevoel van onveiligheid. Hij maakte zich zorgen over zijn gezondheid en dat kon ze van zijn gezicht aflezen. Maar hij wilde niet over zijn angst praten. Ze heeft de grendels nog nooit gebruikt. Maar nu is ze blij dat Rob zijn zin heeft doorgedreven.

Ze draait de deur op slot en stopt de sleutel in haar handtas. Dat doet ze anders nooit. De sleutel hangt altijd aan het sleutelrek dat aan de wand tussen de deur van het toilet en de trap naar boven is bevestigd. Alle sleutels hangen daar keurig op een rijtje. Ook de sleutelbos van Rob zit er nog tussen. Lilian controleert of er niets ontbreekt. Ze kan haar eigen hart horen kloppen. Het bonkt. Het stuitert bijna in haar borstkas. Ze hijgt. En ze begint te huilen.

De klok in de gang slaat vijf keer. Eén keer. Zes keer. Eén keer. Zeven keer. Ze heeft zich opgerold in de stoel van Rob, met haar voeten onder haar romp. Haar handen zitten in de mouwen van haar jas. Ze heeft haar winterjas nog steeds aan, haar dikke wollen das nog steeds om. Ze zou in bed willen liggen en uren achter elkaar willen slapen. Maar dat durft ze niet. Ze wil in de gaten houden wat er bij de voordeur gebeurt. Ze luistert naar de geluiden in de straat.

Er zijn geen geluiden. De straat slaapt. De stad slaapt ook nog. Het is eerste kerstdag, denkt ze. De mensen slapen uit op eerste kerstdag. Haar buren links zijn op wintersport. Haar buren rechts staan op vrije dagen nooit op vóór tien uur. Als er iets gebeurt en ik schreeuw om hulp hoort niemand me, piekert ze. Ze spitst haar oren. Gaat haar mobiel?

Stilte.

Het leek erop dat hij ging. Eén keer. Ze luistert gespannen. Er gebeurt niets. Ik moet hier weg, denkt ze. Hij kan hier naartoe komen. Ik kan beter niet alleen zijn. Ze vist de telefoon van de tafel en zoekt in het geheugen naar het nummer van Madeleine.

Ze aarzelt. Is het verstandig om op dit uur haar vriendin te bellen? Wat moet ze zeggen? Wat kán ze zeggen? 'Ik heb bij Bram op zolder in zijn spullen gesnuffeld. Ik vond daar vreemde dingen. Een blonde pruik en een lange zwarte jas.' Madeleine zal willen weten wat daar vreemd aan is. Als Lilian gaat vertellen dat Marjo een lange zwarte jas had, kan ze erop rekenen dat haar vriendin haar wenkbrauwen zal optrekken en zal antwoorden dat een groot deel van de Nederlandse bevolking waarschijnlijk een lange zwarte jas heeft. Maar hoe zit het dan met de kaart die ze vond? Ze kan niet helder denken. Er zit een soort mist in haar hoofd. Ze heeft hoofdpijn. Ze is misselijk. Haar keel is droog. Ze ademt moeilijk.

Ze begint weer te huilen. Haar schouders schokken, ze snikt en snottert. Ze krijgt de hik. Ze wordt er duizelig van.

De klok slaat halfacht. Lilian haalt een paar keer diep adem en bij de laatste keer houdt ze haar adem zo lang mogelijk in.

Nog eens. En nog eens. De hik is over. Ze loopt naar de keuken en vult het Senseoapparaat met water. Ze maakt een kop koffie voor zichzelf. En ze denkt na. Madeleine wilde haar iets vertellen over Rob. Iets wat ze al eerder wist maar wat ze verborgen heeft gehouden. Ze kan dit beter maar zo snel mogelijk weten, besluit ze. Ze maakt nog een kop koffie, loopt terug naar de kamer en zoekt opnieuw het nummer van haar vriendin op in het bestand.

Madeleine klinkt slaperig. 'Hoe laat is het?' wil ze weten.

'Kwart voor acht. Sorry dat ik je zo idioot vroeg bel.'

'Wat is er aan de hand, Lilian?'

'Dat weet ik niet precies. Maar ik wil wél graag zo snel mogelijk weten wat jij me wilt vertellen.'

'Oké. Zal ik naar je toe komen?'

Lilian aarzelt. Bram zal onderhand wel ontdekt hebben dat ze weg is en misschien komt hij naar haar huis om een verklaring te krijgen voor haar vreemde gedrag. Maar het is ook mogelijk dat hij erachter is dat ze op de zolder is geweest. En dat hij de kaart in de zak van zijn kamerjas heeft opgemerkt. Ze rilt. Ze wordt weer misselijk.

'Ben je er nog?' vraagt Madeleine. 'Wat is er gaande, Lilian? Ben je bang? Waarom hijg je zo?'

Lilian herstelt haar ademhaling direct. 'Ik kom liever naar jou toe. Misschien wil ik een paar dagen blijven. Is dat goed? Ik ben er over een kwartier.'

Ze rent naar boven en propt een weekendtas vol met toiletspullen, schone kleding en het boek dat ze aan het lezen is. Ze controleert of alle kranen dicht zitten, zet de verwarming op 15 graden en bedenkt nog net op tijd dat ze de oplader van haar mobiel moet meenemen. Ik ga een paar dagen niet naar huis, denkt ze. Ik zorg ervoor dat ik even niet te vinden ben. Ze voelt dat ze weer geëmotioneerd wordt maar ze slikt een paar keer en houdt de tranen tegen. Als ze de voordeur opent, kijkt ze eerst voorzichtig de straat in en pas als ze heeft vastgesteld dat er niemand loopt, stapt ze de deur uit. Ik ga met de zwarte Volvo, besluit ze opeens. Die staat het dichtst in de buurt. Ik loop niet eerst naar de parkeergarage. Ze rent de kade op en haalt intussen de reservesleutel van de Volvo uit haar portemonnee. Ze beeft, merkt ze, als ze de sleutel in het slot wil steken. Daardoor lukt het niet. Ze concentreert zich op haar handen en het lukt haar om ze in bedwang te krijgen. Ze doet een nieuwe poging.

Ze glipt de auto in en vergrendelt direct het slot. Dat voelt veilig. Niemand kan de deur openmaken. Niemand kan haar uit de auto trekken. Niemand kan haar belagen.

Ze voelt dat ze rustig wordt. Ze voelt nog iets.

Iets vreemds. Iets dat niet kan kloppen.

Ze voelt zich beschermd.

82

Ik herkende haar direct, die trut. Al was ze dan ook veel vetter dan vroeger. Toen was het een aangekleed skelet. Maar met lekkere tieten.

Haar halflange blonde haar leek nog steeds op touw. Grauw touw. Onverzorgde pieken.

Ze stond op Rob te wachten en toen hij met driftige passen op de auto afliep, zag ik haar uitstappen. Hij maakte een kort gebaar met zijn handen en ik begreep dat hij wilde dat zij reed.

Ze had nog dezelfde hongerige blik in haar ogen. De gruwelijk geile blik. De afhankelijke blik. Ze zouden zulk soort vrouwen door een hengst moeten laten bestijgen. Een keer of vier achter elkaar. Dan zijn ze wel genezen.

Ze was mijn eerste liefde.

We zaten in dezelfde groep voor de opleiding tot verpleegkundige. Zeventien vrouwen en één man.

Ik.

Ik werd verliefd op die geile ogen en die lekkere tieten. Niet op haar. Zij zat er toevallig aan vast.

Die ogen lonkten, lokten me. Ik verdronk er bijna in. Als we vreeën smeekte ik haar me aan te kijken. Haar ogen maakten me wild. Ik wil altijd de ogen van een vrouw zien als ik met haar vrij.

Marjo droomde van verloven en trouwen. Marjo sprak over

kinderen. Ze werd een wurgslang. Ze wakkerde mijn lust om te doden aan en ik sloeg voor de eerste keer toe.

Moeder had iets in de gaten. Ze stelde scherpe vragen. Ik ontweek haar. Ik snauwde haar af. Ik waarschuwde haar zich niet met mijn leven te bemoeien. Moeder had naar me moeten luisteren.

Ik was woedend op Rob. Hij wilde de relatie met Lilian herstellen.

Het was de toon die hij aansloeg. De zelfverzekerde blik in zijn ogen.

Ik nam me voor om die lul eens goed te grazen te nemen. De ampullen kaliumchloride brandden bijna in mijn zak.

Toen het gebeurd was, dacht ik direct aan Lilian. Ze was voor altijd van mij.

Een bloedgeile gedachte.

Ik maakte haar wakker en neukte haar.

Ik nam een enorm risico toen ik samen met Lilian naar de flat ging. Maar ik wist dat er weinig kans zou zijn dat Marjo me herkende. In de tijd dat ik met haar vree was ik veel dikker en zag ik er totaal anders uit.

Toen Marjo vroeg waar ik woonde, begreep ik dat ze me tóch had herkend.

Mijn besluit stond direct vast. Ik ging Marjo verwijderen.

Definitief.

Ze verwachtte me. Ik zag het aan haar ogen, toen ze de deur voor me opende. Ze keek weer als vroeger. Maar ze was onzeker.

Ze geloofde me toen ik zei dat ik haar nooit had kunnen vergeten. Vrouwen geloven altijd wat ik zeg. Soms meen ik ook wat ik zeg.

Ik meende alles wat ik tegen Lilian zei. Maar ze heeft in de grote kist gekeken.

83

Er is een geluid naast haar. Het komt uit haar tas. Het is haar mobiele telefoon. Ze kijkt op de display. Anoniem.

Bram belt altijd anoniem, weet ze. Dat doet hij, omdat hij niet wil dat zijn cliënten zijn privénummer kennen. Hij heeft een speciaal nummer voor zijn bedrijf.

Heeft Bram wel een bedrijf? Ze huivert. Ze start de motor en klemt haar handen om het stuur.

Is het wel verstandig om nu naar Madeleine te gaan? Kan ze niet veel beter zo snel mogelijk Christina van Leeuwen bellen en haar vertellen wat ze heeft ontdekt? Zou het niet verstandig zijn om Ivo te vragen naar huis te komen? Desnoods samen met zijn nieuwe vriendin? Moeten er niet zoveel mogelijk mensen in haar buurt zijn de komende dagen?

Ze hoort dat ze piepend ademhaalt. Rustig, maant ze zichzelf. Je niet gaan opfokken. Ik moet niet thuis blijven, weet ze opeens heel zeker.

Ze geeft gas.

Madeleine staat al op de uitkijk voor het raam van haar woonkamer. Ze woont in een ruime flat in Schalkwijk. Een flat kom je niet zo snel binnen. De slaapkamers liggen aan de achterzijde en hebben geen balkon. Daar stapt niet zomaar iemand door het raam. Het is een goed idee om hier voorlopig te blijven.

Lilian parkeert de auto en loopt snel naar de toegangsdeur. Voordat ze naar binnen gaat, kijkt ze achterom.

Niemand volgt haar. Niemand kijkt naar haar. De lift is beneden. Ze glipt naar binnen en drukt op de 8. Als de lift stopt, haalt ze opgelucht adem. Madeleine komt haar al tegemoet. 'Wat kijk je angstig,' zegt ze. 'Wat is er in hemelsnaam gebeurd, Lilian?'

Ze voelt dat ze duizelig wordt. Ze grijpt zich aan haar vriendin vast. 'Het komt door Bram,' stamelt ze.

'Heeft hij de relatie verbroken?'

'Ja.' Het antwoord floept eruit en verdringt alle woorden die ze zou willen zeggen. Het is één grote brij van teksten in haar hoofd. Ze probeert een paar zinnen, waarmee ze kan uitleggen wat er aan de hand is, vast te grijpen. Het lukt niet. Ze krijgt geen zinnig woord te pakken.

'De schoft. Met Kerstmis nog wel. En alsof jij al niet genoeg aan je hoofd hebt.' Madeleine duwt haar in de richting van haar flat.

Er staat een prachtige kerstboom in de hoek bij het raam. Hij hangt vol zilveren ballen en het valt Lilian op dat ze allemaal een bijzondere vorm hebben. Ze loopt naar de boom en bewondert hem. 'Waar heb je dat allemaal vandaan? Wat prachtig.' Ze beseft dat ze haar aandacht wil afleiden van haar angst. Ze voelt heel goed dat ze staat te trillen op haar benen. Maar ze probeert dat uit alle macht te negeren.

Madeleine trekt haar mee naar de grote bank. 'Kom, ga eens zitten. Wil je iets drinken? Koffie met iets sterks erin? Heb je al iets gegeten? Zal ik een lekker ontbijt maken? Ik heb heerlijke stol. Met spijs.' Ze doet op een aandoenlijke manier haar best om Lilian op haar gemak te stellen. Ze slaat een arm om haar heen. 'Je ziet eruit alsof je een enorm pak slaag hebt gehad.'

'Zo voel ik me ook.' Haar stem hapert. 'Zou het mogelijk zijn dat Bram iets te maken heeft met de moord op Rob?' vraagt ze zich hardop af. Ze is zich een kort moment totaal niet bewust van de aanwezigheid van haar vriendin.

'Ja,' antwoordt Madeleine. 'Dat zou kunnen.'

Lilian schiet overeind. 'Wat bedoel je daarmee?'

Madeleine staat op en loopt naar de grote boekenkast die een hele wand van de woonkamer bedekt. Ze pakt een boek en slaat het open. 'Hier is hij. Het is een brief van Rob. Hij wilde dat ik hem bewaarde en ik moest hem aan jou geven, mocht hij de operatie niet overleven.'

Ze pakt een envelop uit het opengeslagen boek. 'Ik had hem al veel eerder aan je moeten geven,' zegt ze zacht.

84

Het geluid maakte me niet direct klaarwakker. Het was er en het bleef minstens een kwartier om me heen zweven. Ik dacht eerst dat ik het droomde. Ik lag op mijn rug en had niet in de gaten dat ik alleen was. Ik dacht aan seks. Overweldigende seks. Vastgebonden handen en voeten.

Een zweep.

Ik kreeg een stijve. Mijn hand zocht haar borsten.

Ze was weg. En het volgende moment wist ik van welk geluid ik wakker was geworden.

De voordeur. Ze had het huis verlaten. Waarom? Wat was er gebeurd terwijl ik sliep? Had ze iets ontdekt? Hoe had ik zo diep kunnen slapen? Ik slaap nooit diep. Ik hoor altijd alles wat er in mijn omgeving gebeurt.

Ik vertrouw niemand.

Maar nu had ik voor de allereerste keer iemand die naast me lag volledig vertrouwd. En het was direct verkeerd afgelopen.

Ik liep zonder aarzelen snel naar de zolder en zag het al toen ik op de bovenste traptree was. De rechterkist was verschoven. Hij stond niet meer kaarsrecht naast de linkerkist. Ik opende hem. De eerste laag overhemden was duidelijk van zijn plaats geweest. De blauwe hemden eronder lagen zelfs scheef.

Ik vervloekte haar. Waarom verpesten vrouwen altijd alles?

Ik had me voorgesteld dat ik met Lilian een nieuw leven kon beginnen. In een ander huis. Zonder verleden. Ik wilde niet dat ze erachter kwam dat ik ooit in een dorp in de buurt van Gro-

ningen woonde. Dat ik daar in het academisch ziekenhuis bijna drie jaar in de opleiding voor verpleegkundige had gezeten. Dat ik Marjo kende uit die tijd.

Ze moest niet ontdekken dat ik daar ben weggestuurd. De leidinggevende heeft nooit rechtstreeks gezegd dat ze vermoedde dat ik iets te maken had met de diefstal van ampullen kaliumchloride en opiaten.

Verstandig van haar.

Ik voelde dat mijn lijf was afgekoeld en ik liep naar beneden om mijn kamerjas aan te trekken.

Het ding hing niet op zijn plaats. Ik knipte het grote licht aan in de slaapkamer en zag de jas op een van de stoelen liggen die achter het bed staan. Ik zag nog meer. Een paar sokken op de grond en een witte kaart in een van de zakken van de kamerjas.

Er klonk beneden een geluid. Ik liep kalm de trap af. Het bleek de televisie te zijn. Ze is naar beneden gegaan, constateerde ik. Ze heeft waarschijnlijk niet kunnen slapen. Zou de kaart die ze heeft gekregen haar toch overstuur hebben gemaakt? Misschien had ik die beter niet in haar brievenbus kunnen stoppen. Ik had beter naar mijn eigen twijfelachtige gevoel daarover moeten luisteren. Maar ze had wél precies zo gereageerd als ik had verwacht. Ze belde mij. Ze had me nodig. Ze haalde me binnen in haar huis. Ze liet me in haar bed. Ik was eindelijk waar ik wilde zijn. Midden in haar leven. Op de plaats van de klootzak die haar niet waard was. Ik zou ervoor zorgen dat ze die kaart gewoon vergat. Ik kon geamuseerd toekijken hoe de politie zich in allerlei bochten wrong om te achterhalen waar hij vandaan kwam. Ze zouden alleen de vingerafdrukken van Lilian en Marjo vinden. Ik heb heel bewust handschoenen gedragen toen ik op zoek ging in Marjo's huis. Ze lag achter me. Ze was niets meer dan een spierwitte vette vleesmassa.

Het was link om terug te gaan. Ik besloot dat ik beter geen risico's meer kon nemen. Voor je het weet, maak je een fout en loop je misschien tegen de lamp. Ik kreeg het benauwd bij de gedachte alléén al. Er schoten beelden door mijn hoofd van een lege cel en van een gesloten deur. Ik kreeg nauwelijks adem toen ik daaraan dacht.

Ik ga voortaan weer heel secuur te werk. Het is geen spelletje.

Het is bittere ernst.

Waarom moest ze uitgerekend nú op strooptocht gaan? Waarom kon ze juist déze nacht niet slapen? Waarom heb ik de kist niet eerder leeggemaakt? Waarom heb ik de laatste kaart die ik vond toch nog bewaard? Waarom ben ik onvoorzichtig geweest?

Ik was nooit eerder onvoorzichtig. Mijn moorden verliepen perfect.

Ze had niet naar de zolder mogen gaan.

Ze zijn allemaal hetzelfde, die wijven. Ze doen lief in je gezicht maar achter je rug naaien ze je.

Ik voel me genaaid.

Ik had het kunnen weten. Lilian lijkt op moeder. Ze is net zo zorgzaam als moeder, net zo verstikkend lief, net zo begripvol. En uiteindelijk net zo achterdochtig. Het is net zo'n achterbakse sloerie.

Ik zal met haar moeten doen wat ik met moeder deed.

85

Het lukt maar niet om warm te worden. Madeleine heeft een soort berentrui tevoorschijn gehaald en Lilian heeft zich daarin helemaal opgerold. Haar voeten zitten stevig ingepakt in een paar wollen sokken. Sokken die van Rinus waren. Zijn kleren liggen nog steeds in de kast, vertelt Madeleine. Ze kreeg ze terug in twee zwarte plastic vuilniszakken. Twee plastic vuilniszakken, hoe verzinnen ze het? Op de dag van zijn overlijden. Hij was nauwelijks naar het mortuarium gebracht of zijn kast moest al worden leeggemaakt. Er stond alweer een nieuwe patiënt te dringen om te worden opgenomen. Toen werd ze boos. Daarna woedend. Ze had de hele dag zin om iemand in elkaar te rammen. 'Ik heb hulp gezocht,' vertelt ze. 'Ik lees nu veel over de ziekte waar Rinus aan leed. Parkinson. En over dementie. Dat had ik veel eerder moeten doen. Een paar dagen geleden ben ik begonnen in een boek dat pas is verschenen. *Leven met dementie*, van Frans Hoogeveen. Er gaat een wereld voor me open.'

Lilian luistert naar het verhaal dat haar vriendin duidelijk kwijt wil. Wat haar betreft mag Madeleine nog wel een uurtje doorgaan met gal spuwen over het verpleeghuis waar haar man woonde en over alles wat daar misging of niet deugde. Zolang Madeleine praat, kan zij luisteren en hoeft ze niet na te denken over haar eigen situatie. Hoeft ze ook niet te vragen naar de brief. Er is dus een brief, die Rob aan Madeleine heeft gegeven en die aan Lilian is gericht. Ze heeft er een dubbel gevoel over.

Aan de ene kant wil ze weten wat hij haar te zeggen had, aan de andere kant vreest ze iets te weten te komen waar ze niets meer mee opschiet. Rob is dood. Wat hij schrijft, is niet meer actueel. Het komt uit het verleden. Rob is verleden. Ze moet ophouden met naar hem te verlangen. Vooral nu, op dit moment, in deze omstandigheden. Het zou verstandig zijn als ze actie ondernam. Iemand moet gaan uitzoeken wat er aan de hand is met Bram. Op het moment dat haar gedachten op dit punt belanden, schudt haar lijf bijna van het rillen. Er schieten beelden door haar hoofd. Beelden van seks met Bram. Beelden van zijn lichte dwang, zijn ogen die haar dwongen hem aan te kijken, zijn krachtige bewegingen. Beelden van haar overgave.

Ze voelt zich weerloos. Aangetast. Toen ze vreeën voelde ze zich aangeraakt. Nu is dat anders. Nuchter nadenken is moeilijk, merkt ze. Het is toch heel simpel? Ze moet Christina van Leeuwen bellen. Ook al is het Kerstmis, dat dondert niet. Er klopt iets niet met Bram. Er is iets verschrikkelijks aan de hand. Te verschrikkelijk om uit te spreken. Toch zal ze iets moeten zeggen. Ze kan er niet omheen. Ze kan niet blijven ontkennen wat ze denkt. Aan wat ze gezien heeft zonder daar acht op te slaan.

Ik ga hem verraden, denkt ze. Ze is verbaasd over haar eigen conclusie.

'Je luistert niet,' stelt Madeleine vast.

'Toch wel, je had het over het verpleeghuis.'

'Ik heb het intussen al een paar minuten over Rob.'

Lilian zwijgt beduusd.

'Ga je me nog vertellen wat er aan de hand is?' Madeleines stem klinkt niet boos. Maar wel een beetje ongeduldig.

'Misschien kunnen we het over de brief hebben,' stelt Lilian voor. Ze heeft opeens het gevoel dat ze beter eerst kan weten wat er in de brief staat.

Madeleine reikt haar een envelop aan met haar naam erop.

Lilian herkent het handschrift van Rob. Haar hart slaat drie slagen over. Ze slikt.

Ze pakt de brief aan.

'Rob was heel erg aan het zoeken,' zegt Madeleine. 'Hij hinkte voortdurend op twee gedachten. De ene gedachte was gericht op een toekomst zonder jou. Opnieuw beginnen met iemand anders. De andere gedachte zocht een weg terug naar hoe het was tussen jullie. Hij kon maar niet beslissen om niet meer van je te houden.'

'Dat klinkt verwijtend,' constateert Lilian.

'Sorry. Ik was erg op hem gesteld.'

'Alleen maar op hem gesteld?' Ik zit haar te sarren, stelt ze vast. Waarom doe ik dit? Waarom zou ze niet meer dan vriendschap voor Rob hebben mogen voelen? Is liefde verboden? 'Dat klonk niet aardig. Nu is het mijn beurt om sorry te zeggen. Neem me niet kwalijk. Ik ben in de war.'

'Waarom vertel je me niet wat er aan de hand is?' Madeleines stem klinkt uitnodigend.

Lilian aarzelt. Verraad, schiet het door haar hoofd. Ze probeert het woord te verdringen. Niks verraad, bestrijdt ze zichzelf. Het is zoals het is. Je hebt die kist zelf gezien. Je zag wat erin zat. Je weet dat het niet klopt. Ze wil niet terugdenken aan de warme momenten met Bram. De manier waarop hij luisterde. Troostte. Zijn armen om haar heen sloeg. De intensiteit van de seks met hem. Ze wil niet weten hoe hij haar nam. Hoe ze zich door hem liet nemen. Ze is bang dat haar trots verandert in afschuw. En dan is ze alles kwijt wat er was. 'Het gaat over Bram. Ik wil hem niet kwijt,' zegt ze.

'Maar dat is toch al gebeurd? Je zei toch zélf dat hij de relatie verbroken heeft?' Madeleine lijkt geïrriteerd. 'Je wil er zeker niet aan,' stelt ze vast. 'Je ontkent het.'

Lilian haalt haar schouders op. 'Laat ik eerst maar de brief eens lezen,' stelt ze voor. 'Ik heb het gevoel dat ik eerst die brief moet lezen.' Ze draait de envelop een paar keer om. Dan ritst ze de brief er met een resoluut gebaar uit.

'Ik zit in de keuken,' zegt Madeleine. 'Roep me maar als je zover bent.'

86

Als moeder me vroeg wat ik later wilde worden, zei ik altijd: 'Jou.' Ik droomde ervan om als ik groot was mijn moeder te zijn. En ik was ervan overtuigd dat het me zou lukken om er net zo mooi te gaan uitzien als zij. Ik had immers al dezelfde bruine ogen, net zulke lange wimpers, hetzelfde dikke donkerblonde haar? En later bleek tot mijn grote opluchting dat ik nauwelijks baardgroei kreeg en ik dus ook hetzelfde gladde gezicht hield. Ik heb het talloze keren horen zeggen. 'Wat lijk jij op je moeder.'

Ze heeft het me vanaf mijn vroegste jeugd voorgehouden. 'Jij komt uit mij. Jij bent bij mij in de plaats van je vader. Ik hou van niemand zoveel als van jou. Wij horen bij elkaar. Altijd. Daarom lijken we ook zoveel op elkaar. Kijk maar in de spiegel. Één gezicht.'

Later realiseerde ik me dat ik die gelijkenis kon gebruiken om niet als mijzelf herkend te worden. Zoals nu, nu ik heb besloten om voorlopig even onder te duiken. Ik moet ervoor zorgen dat ik niet word herkend als man. Daarom ben ik voorlopig een vrouw. Moeder.

Moeder gaat naar een motel.

Ik moest terug naar Amersfoort.

Lilian wilde liever in haar eigen huis slapen en ik drong er niet op aan dat ze die nacht bij mij zou zijn. Ik reed snel naar mijn eigen huis en propte een doosje slaaptabletten in mijn jas-

zak. Daarna haalde ik de laatste ampul kaliumchloride uit de kist op zolder, een rubberen band en een injectiespuit met voor de zekerheid twee extra naalden. Ik besloot ook de blonde pruik mee te nemen. Ten slotte pakte ik een fles chablis uit de kelder. Ze dronk vroeger altijd chablis, wist ik nog. Nog geen kwartier nadat ik was thuisgekomen, was ik alweer op weg naar Marjo.

Ergens in de verte sloeg een torenklok. Eén keer. Het was halfeen in de nacht. De meeste huizen waar ik langsreed waren donker. Toen ik de flat van Marjo naderde, zag ik dat er bij haar nog licht brandde. Ze verwachtte me.

Het slot van de toegangsdeur van de flat maakte een geluid waar ik van terugdeinsde. Het was een snerpend, doordringend geluid. Het leek op het geschreeuw van een krolse kat. Ik duwde snel de deur open en schoot de lift binnen.

Ze hing tegen de deurpost aan en ik zag aan haar hele houding dat ze had gedronken. Ze keek lodderig uit haar ogen.

Lodderig en geil. 'Ik weet wat jij komt doen,' hikte ze. 'Jij komt neuken.'

Ik duwde haar snel naar binnen. 'Wil je dat?'

Ze zuchtte diep. 'Het is heel lang geleden dat iemand me aanraakte,' lalde ze. 'Veel te lang geleden. Ik heb niet zo'n mazzel als die achterbakse trut die jij aan de haak geslagen hebt. Ik heb niet zo'n lijf, ik heb niet zo'n mooie kop en ik ben niet zo geslaagd in het leven. Waarom ben je toen weggegaan?' jankte ze. 'We hadden het toch goed? Je had me nooit mogen laten zitten.' Ze timmerde met beide handen op mijn borst.

Ik pakte haar vuisten vast en keek haar aan. 'Ik ben er nú. Waarom dacht je dat ik ben teruggekomen?'

'Waarom dan? Blijf je bij me? Ga je niet meer naar haar?' Ze rolde met haar ogen en haar bovenlijf maakte een sprongetje toen ze opnieuw hevig hikte.

'Nooit meer,' beloofde ik.

Ze sloeg haar armen om mijn hals en op hetzelfde moment

voelde ik haar natte lippen op mijn mond. Ik dacht aan niets. Haar tong kronkelde tegen mijn tanden en duwde die van elkaar. Mijn maag begon te bewegen.

Ik maakte me los en wees op de fles chablis die ik had meegenomen. 'We nemen eerst een lekker glas. Ik hoef niet meer te rijden.' Ze kirde. Ik zag tranen in haar ogen.

Ik wil het uur dat daarop volgde voor altijd uit mijn geheugen wissen. Maar tot nu toe is dat niet gelukt. De herinnering kan er niet genoeg van krijgen om me lastig te vallen. Het verhitte gehijg van Marjo vult alle hoeken van de kamer. Haar kronkelende lijf onder mijn handen beweegt om me heen. Mijn vingers worden weer beurs en ik voel mijn vingertoppen tintelen. Opeens volgt haar rauwe gil en roept ze schokkend en sidderend mijn naam.

Ik legde snel mijn vrije hand op haar mond. Ze ging rechter op zitten. 'Ik heb dorst. Geef me nog eens een glas voordat je opnieuw begint.'

Ik reikte haar het glas aan. Ze dronk het in één teug leeg. Ik keek tevreden toe. Ik had twee slaaptabletten in het glas gegooid. Het zou niet lang meer duren voordat ze in slaap viel.

Mijn timing klopte. Ik zei dat ik even naar het toilet moest en toen ik terugkwam lag ze al te snurken. Ik liep naar de koelkast om een glas frisdrank te nemen. Daar ontdekte ik de flesjes insuline. Ik speurde op haar benen en armen naar prikplekken en vond ze.

Het zou op zelfmoord kunnen lijken. En ik kon de kaliumchloride bewaren voor een andere keer.

Ik vulde de eerste spuit. Uiteindelijk spoot ik bijna twee flesjes in haar rechterbovenarm leeg. Ik wist nog dat ze linkshandig was.

87

Het is doodstil in de flat. Lilian luistert naar mogelijke geluiden in de keuken. Daar zit Madeleine te wachten tot ze haar roept.

Ze heeft de brief op tafel gelegd en kijkt naar de letters. Ze dansen voor haar ogen. Ze wendt haar blik ervan af.

Ik kan het niet, denkt ze. Ik wil het niet. Ik ben bang. Het is het beste als ik het niet te weten kom. Wát hij ook geschreven heeft, het lost niets op. Hij wordt er niet levend van.

Ik kan er niet meer op reageren.

Toen ze pas getrouwd waren, liet hij vaak briefjes voor haar achter als hij een paar dagen de stad uit was voor zaken. Ze vond ze op de meest onmogelijke plaatsen. Aan het lepelrek in de keuken. Vastgeplakt op de stofzuigerslang. Aan de binnenkant van de spiegelkast in de badkamer. Tussen haar slipjes.

Het waren altijd vurige liefdesbetuigen. Hij schreef gewoon op wat hij dacht. Ze bloosde ervan. Ze sliep met die briefjes onder haar hoofdkussen.

Het is al zo lang geleden gebeurd, in een ander leven. De spanningen, de ruzies, de verzoeningspogingen, het verdriet hebben het verleden kapotgemaakt.

Of niet?

Ze schudt haar hoofd. Het helpt niet om terug te kijken. Het lost niets op. Waarom heeft ze daar toch zoveel behoefte aan? Waarom kan ze Rob niet loslaten? Waarom bleef hij aan haar trekken, ondanks haar gevoel voor Bram? Heeft dat iets met deze brief te maken?

Ze pakt hem op. Het is zijn handschrift. Een krachtig handschrift. Schuinschrift. Hij heeft op school schuin leren schrijven. Het is een leesbaar handschrift. Het is evenwichtig.

Sterk.

Rob was een sterke persoonlijkheid. Een doe-mens. Een doorzetter. Rob was nergens bang voor.

Is hij overmoedig geweest? Heeft hij het gevaar niet gezien?

Ze strijkt met haar vingers over de brief. Ze wil hem voelen. Maar ze voelt niets anders dan het papier. Het stugge papier.

Ik kan de brief verscheuren, denkt ze. Ik kan tegen Madeleine zeggen dat ik besloten heb hem niet te lezen. Hartelijk dank voor het bewaren, maar toch liever niet. Er is al genoeg aan de hand in mijn leven. Er kan echt niets meer bij. En zeker geen boodschap van mijn dode man.

Hij is te laat. Hij had eerder moeten zeggen wat hij blijkbaar te zeggen had. Ik heb hem kansen genoeg gegeven.

Ze grijpt de brief en aarzelt.

Ze begint hem te lezen.

88

Lieve Lilian,

Het is een vreemd idee, je een brief te schrijven die je misschien pas zult lezen als ik niet meer leef. Ik overweeg al heel lang om alles wat ik denk gewoon eens op te schrijven en dit aan je te laten lezen bij een geschikte gelegenheid. Maar tot nu toe kwam het er niet van. Ik durfde niet, laat ik het maar eerlijk zeggen. Ik was bang voor je afwijzing. Ik denk dat ik al veel te lang heb gewacht. Maar de ontmoeting met je vriend, een paar dagen geleden, heeft alles anders gemaakt. Ik heb opeens het gevoel dat ik moet opschieten. En ik hoop dat het uiteindelijk niet zal gebeuren dat je dit pas na mijn dood leest. Dat ik het toch zelf tegen je ga zeggen. Dat de operatie goed afloopt en de kanker uit mijn lijf wordt gehaald. Dat er nog een toekomst voor me is. Voor ons.

Als ik terugkijk op alle jaren die achter ons liggen, voel ik verbijstering. En die verbijstering betreft vooral mijn woede en mijn onverzettelijke onwil om daar vanaf te stappen. Ik leek vastgesnoerd te zitten in mijn eigen koppigheid. Dat klinkt of ik er niets aan kon doen, bedenk ik me. Klopt niet. Ik snoerde mezelf vast. Ik wees je af. Ik wilde kwaad zijn. En als ik íéts in mijn leven zou willen terugdraaien is het die woede.

Het is voer voor psychologen, denk ik, de kant die ik koos. Ik weet niet of wij hier uiteindelijk op eigen kracht uit kunnen komen en ik zal me niet verzetten als jij daar hulp bij wil halen. Je kent mijn weerstand tegen psychisch gepeuter. Maar als het ons betreft, wil ik van mijn geloof vallen.

Ik wil het allemaal niet mooier maken dan het was. Ik wees je af en ik zocht mijn heil bij andere vrouwen. Het waren er velen, door de jaren heen en ik heb een paar keer op het punt gestaan om je voor een andere vrouw te verlaten. Nu zit ik er vaak over na te denken waarom ik eigenlijk niet vertrok. Was het mijn katholieke opvoeding? Ik zal niet ontkennen dat ik er niet aan moest denken om mijn vrome moeder te confronteren met een echtscheiding. Het feit dat mijn ouders zo oud werden, heeft zeker een rol gespeeld. Maar dat was niet de enige reden. Ik kan er niet omheen: jij was de voornaamste reden dat ik niet voor een ander koos. Ik wilde je terug. En tegelijk negeerde ik je.

Mijn ogen gingen pas open toen ik ontdekte dat ik digitaal verliefd was geworden op mijn eigen vrouw. Ik zag je wegduiken achter de vrouw die vóór je liep. Mijn afspraak kwam niet opdagen en reageerde niet meer op de berichten die ik stuurde. Het was een duidelijke optelsom. Ik hield je in de gaten en zag dat je was aangeslagen. Maar je zei niets. Je stelde geen vragen. En ik evenmin.

Daarna gebeurde er iets met me wat ik zelf nog steeds niet goed begrijp. Ik begon je te volgen. Als je niet thuis was, snuffelde ik rond op je computer en ik ontdekte met wie je op Relatie Planet aan het chatten was. Je liet je gemakkelijk betrappen door de naam van je kind als wachtwoord te kiezen. Ik ergerde me eraan en tegelijk vertederde het me. Het lukte me om uit te vogelen wie de man was met wie je omging. Aanvankelijk had ik het idee dat deze vriendschap niet veel voorstelde en voor jou meer een vlucht was dan een serieus plan. Maar toen ik erachter kwam dat je bij hem sliep en zag hoe je opfleurde, begon ik me te realiseren dat deze man een mogelijkheid voor jou zou kunnen zijn om onze relatie te beëindigen. En ik besefte dat ik je niet wilde verliezen.

Jij gaat om met Bram. Hij heeft grootse plannen voor jullie toekomst. En daar wil ik niet van weten. Ik wil dat wij weer wíj worden. Partners. Maatjes. Ik voel nog veel voor jou. Het is nooit weg geweest. Ik ben een ongelooflijke stupide trotse gek die zich jarenlang heeft verschanst achter zijn gekwetste ego.

Zo, dat is eruit.

Ik heb Bram ontmoet en ik vond hem een onaangename man. Het idee dat hij jou aanraakt, vervult me met weerzin. Neem me niet kwalijk dat ik het op deze manier zeg. Het is de waarheid. Ik zeg tegen mezelf dat ik me gedraag als een jaloerse minnaar. Een minnaar op non-actief. Die dat aan zichzelf te wijten heeft. Maar het is niet alleen jaloezie. Er zit iets anders onder, iets wat ik moeilijk kan definiëren. Het lijkt op angst. Ik voel me bedreigd. Er is iets in die man waar ik van terugdeins.

We hebben elkaar maar kort gesproken. Hij gaf me bijna geen ruimte om iets te zeggen. 'Ze is van mij,' zei hij. 'Ze is alles waar ik altijd naar heb verlangd. En ik ben alles waar zij altijd behoefte aan heeft gehad. Jouw beurt is voorbij. Je kansen zijn verkeken. Laat haar gaan. Blijf uit haar buurt. Ik waarschuw je.'

Ik zei dat ik niet van plan was om jou los te laten. Ik begon uit te leggen dat ik tot de conclusie was gekomen dat ik je al jarenlang verkeerd behandelde. Ik zei ook dat jij mij nooit had verlaten en dat ik ervan overtuigd was dat jouw gevoel voor mij nog bestond. Dat ik voor je zou vechten. Dat ik me niet opzij liet schuiven door een passant van Relatie Planet. Ik werd woedend omdat hij deed of je zijn bezit was.

Hij liep weg.

Ik haat hem. Ik wil dat hij uit jouw leven verdwijnt. Ik ben bang dat hij je iets aandoet.

Toen de oncoloog me vertelde dat het foute boel was in mijn darm, viel alles opeens op zijn plaats. Het is een vreemde gedachte dat ik eerst de dood in de ogen moest kijken eer ik besefte wat jij voor me betekent. Op dit moment moet de kanker uit mijn lijf gehaald worden en daarna zien we verder. Maar ik hou rekening met complicaties en zelfs met een verkeerde afloop. Daarom heb ik besloten om mijn gevoelens voor jou op te schrijven, in de hoop dat ik dit allemaal later toch zelf tegen je kan zeggen.

Ik geef deze brief aan Madeleine en als alles goed gaat, haal ik hem weer op en laat ik hem jou lezen. Ik zie je lieve gezicht voor me.

Ik heb je veel verdriet gedaan. Het spijt me, dat kan ik niet vaak genoeg zeggen.

In augustus zijn we 25 jaar getrouwd. Laten we gewoon opnieuw beginnen.

Ik hou van je. Dat gaat nooit voorbij.

Rob

89

Ze weet niet hoe lang ze al met de brief in haar handen zit en ze de zinnen blijft opzoeken die de meeste indruk op haar maken. Eigenlijk is het hele verhaal één grote overval op haar gevoel, maar er zitten een paar zinnen tussen die ze blijft herlezen.

Als ik íéts in mijn leven zou willen terugdraaien, is het die woede.

De woorden hameren in haar hoofd. Ze vraagt zich af hoe dit mogelijk is. Hij heeft nooit iets in die richting tegen haar gezegd.

Echt niet? 'Wij moeten meer vriendjes zijn,' zei hij regelmatig. 'Geen ruziemaken.' Dan zweeg ze. En ze dacht: spreek eens voor jezelf.

Ik ben een ongelooflijke stupide trotse gek die zich jarenlang heeft verschanst achter zijn gekwetste ego.

Ze voelt een golf van emoties over zich heen denderen als ze dit leest. Alles zit erin. Woede, afkeer, zelfs walging. Waarom heeft hij die trots zo lang gekoesterd? En waarom heeft zij hem zélf niet voor een voldongen feit gesteld? Waarom heeft ze nooit gezegd: Tot hier en niet verder? De zin klinkt gruwelijk eenzaam. De woorden maken háár eenzaam. Haar ogen dwalen over de brief. Ze zoekt de passages op waarin hij zegt dat hij van haar houdt. Ze kan er niet genoeg van krijgen om die te lezen. Maar achter die behoefte zit een gevoel dat zich niet laat wegdrukken.

Angst.

Ik heb Bram ontmoet. En ik vind hem een onaangename man. Er is iets in die man waar ik van terugdeins.

Rob heeft Bram ontmoet.

Bram heeft hier niets over verteld.

Waarom niet? En wie weten er iets van deze ontmoeting?

Er klinkt een geluid in de gang. Lilian kijkt op en ziet Madeleine binnenkomen. 'Rob heeft Bram ontmoet,' zegt ze.

'Dat weet ik.' Er valt een diepe stilte na deze woorden. 'Ik maakte mezelf wijs dat hij een hartstilstand had gekregen na de operatie,' legt Madeleine uit. 'Ook al wist ik dat dit niet de waarheid was. De waarheid was op dat moment te absurd. Ik was nog niet eens bekomen van de dood van Rinus. En toen stierf Rob. Zomaar. Het klinkt misschien vreemd, maar ik kon de gedachte dat hij vermoord was, niet verdragen. Daarom vluchtte ik naar Australië en daar probeerde ik om alles van me af te zetten. Het was een chaos in mijn hoofd. Ik besefte dat ik toch veel meer fantasieën had over een toekomst met Rob dan ik wilde toegeven. Daar moest ik afstand van nemen. Ik wist dat het er nooit van zou zijn gekomen, als hij was blijven leven. Ik zou nooit meer voor hem geweest zijn dan een praatvriendin. Hij wilde jou en niemand anders. Dat was een heftige confrontatie.'

'Je had die brief.' Lilian wil niet horen wat Madeleine voor Rob voelde. Ze hoort de afwijzing in haar stem.

'Ja, ik had die brief. Hij bracht hem bij me, vlak voordat hij geopereerd zou worden en hij liet me beloven dat ik hem aan jou zou geven als hij de operatie niet overleefde.'

'Je gaf hem niet.'

'Nee. Ik was er nog niet aan toe. Sorry. Maar ik ben nooit van plan geweest om hem te houden. Geloof me, alsjeblieft. Ik had alleen wat tijd nodig. En ik wist aanvankelijk niet dat Rob Bram ontmoet had. Daar kwam ik pas achter toen ik de brief las. Het spijt me, ik heb de envelop geopend en de brief gelezen. Op een terras in Sydney, met het schaamrood op mijn kaken. Ik kon mezelf maar niet toestaan om afstand te nemen van mijn fantasieën over hem. Terwijl hij nota bene dood was. Ik bleef rekening houden met de mogelijkheid dat ik een toekomst met hem had. Het lezen van de brief leek me de enige mogelijkheid om mijn eigen dwaze gedachten uit te schakelen. De brief was voor jou. Ik wist dat hij veel van je hield. Het was nodig om het met mijn eigen ogen te lezen. Nogmaals sorry.'

Lilian wuift het excuus met haar handen weg. 'Het maakt niet meer uit. Rob was een charmante man. Hij schijnt voor hordes vrouwen aantrekkelijk geweest te zijn.'

Madeleines gezicht vertrekt een paar seconden. Maar ze herstelt zich weer. 'Ik besefte dat ik als de donder naar huis moest en jou die brief moest geven. Om je te waarschuwen. Hij had een vreemd gevoel over Bram,' zegt ze zacht. 'En ik moet er niet aan denken dat Bram iets met de moord op Rob te maken heeft.'

Lilian loopt naar het raam. Ze speurt met haar ogen de straat af.

'Wat doe je?' wil Madeleine weten.

'Ik denk dat ik die rechercheur moet bellen. Christina van Leeuwen.'

'Waarom?'

'Er klopt te veel niet.'

'Je maakt me bang.'

'Jij hoeft niet bang te zijn.' Lilian kijkt haar vriendin recht aan. 'Niet bang zijn. Dit gaan we oplossen.' Ze voelt een ijzige kilte over zich heenkomen. Er schiet weer een zin uit de brief in haar gedachten.

Ze is van mij. Jouw beurt is voorbij.

'Forget it,' sist ze tussen haar tanden.

90

Ze had niet in die kist moeten kijken. Ik begon écht te geloven in de mogelijkheid van een toekomst samen. Ik vertrouwde haar. Maar ik vertrouwde moeder ook. Ik had nooit gedacht dat moeder zou gaan dreigen dat ze me ging aangeven. We waren één persoon. Dat heeft ze zelf altijd gezegd. Niets kon ons scheiden. Ik zou mijn leven gegeven hebben om haar te verdedigen als het nodig was geweest. Ze had nooit een ultimatum mogen stellen. Ze had me moeten nemen zoals ik was. Ik heb die lust nu eenmaal. Het is een kick.

Ik leef voor die kick.

Niemand zal het vreemd vinden dat ik voorzichtig was, toen ik Lilian net kende. Dat ik eerst eens goed ging uitzoeken met wie ze omging, dat ik het zekere voor het onzekere nam. Terwijl ze sliep, kon ik de namen en adressen in haar agenda overnemen.

Een lumineus idee. Ik heb een vooruitziende blik, zei moeder altijd. Een té vooruitziende blik, zelfs. Ze waarschuwde me ervoor. Toen ze eenmaal wist waar ik mee bezig was, had ze het daar voortdurend over. 'Je denkt te ver,' zei ze. 'Je hebt te veel behoefte aan extreem. Blijf in de realiteit. Haal geen foute gedachten in je hoofd. Laat ze gewoon niet toe. Zorg ervoor dat je gezond blijft denken.'

Moeder begreep niets van de drang die in mij zit. Ze dacht dat ze me kon veranderen. En toen ze erachter kwam dat dit niet zou lukken, ging ze dreigen.

Ik moet niet zoveel aan moeder denken. Ze is dood. Ze had hartklachten. Daar maakte ze zich zorgen om. Ik in eerste instantie ook. Tot ik besefte dat het op een hartaanval kon lijken.

Een acute hartstilstand, was de diagnose van de huisarts. Hij klopte me troostend op mijn bovenarm. 'Het is een mooie dood voor haar geweest, jongen,' zei hij. 'Maar voor jou is het verschrikkelijk dat je haar hebt moeten vinden.'

Het was goed bedoeld. Ik huilde. Mijn tranen waren echt. Ik had haar liever geen slaaptabletten gegeven. Ik had liever geen kaliumchloride in haar ader gespoten. Maar ik kon niet anders. Ze wilde me verraden. Niemand mag mij verraden.

Ook Lilian niet.

91

Madeleine probeert iedereen aan het eten te krijgen. 'Hier, proef eens,' biedt ze Lilian, Christina en Ronald de schaal met de sneden kerststol, dik besmeerd met roomboter, aan. 'Ze zijn van een bakker uit Heemstede, ik kreeg de stol van mijn buurvrouw. Die bakker is dit jaar uitgeroepen tot de beste kerststollenproducent.' Het klinkt dom, vindt Lilian. Misplaatst, zelfs. Ze weert de schaal met een geïrriteerd gebaar af. Madeleine zet hem op tafel. 'Nou, als iemand zich bedenkt...'

Christina verscheen een kwartier nadat Lilian had gebeld, direct gevolgd door Ronald. Ze luistert aandachtig naar het verhaal dat Lilian vertelt en maakt aantekeningen op haar notitieblok. De brief van Rob is nog niet ter sprake gekomen. Ze zou die brief het liefst voor zichzelf willen houden, maar ze begrijpt dat dit niet mogelijk is. Ze vertelt wat er gebeurde toen ze niet kon slapen en op zoek ging naar sokken voor haar koude voeten. Als ze haar ontdekking van de kist op zolder beschrijft, ziet ze Madeleine huiveren. Zelf voelt ze niets. Haar lijf is leeg. Het verslag gaat over iedereen, behalve over haar. Ze is hier niet. Ze wil hier niet zijn.

Christina kijkt haar peinzend aan. 'Gaat het wel? Zullen we even pauzeren?'

Maar ze vertelt verder. Ze wil haar verhaal zo snel mogelijk kwijt. Ze wil dat de rechercheurs daarna nóg sneller actie ondernemen. En ze wil vooral dat ze haar verder niet meer lastigvallen. Ze heeft behoefte aan rust. Aan afzondering. Ze moet ergens helemaal alleen zijn en tot zich laten doordringen wat er is gebeurd.

Haar woede naar buiten laten komen. Haar walging uitkotsen.

Haar verdriet toelaten.

Ze wil Rob terug. Haar stem hapert. Ze duikt in elkaar. Het lukt niet langer om de tranen tegen te houden.

Christina wrijft over haar rug en zegt lieve dingen tegen haar. Het is een prettig gevoel. Lilian wordt langzaam rustiger. Ze snuit luidruchtig haar neus in de zakdoek die Madeleine haar aanreikt. 'Dat moest er even uit. Sorry.'

'Niks sorry,' werpt Christina tegen. 'Helemaal niks sorry.'

'Wat gaat er nu gebeuren?' wil Madeleine weten.

'Het is eerste kerstdag,' zegt Lilian. 'Ik denk dat jullie niet op werk zitten te wachten.' Ik doe het wéér, denkt ze. Ik schiet wéér in de ontkenning.

'Ik ga direct in overleg met onze chef,' legt Christina uit. 'Het is belangrijk om jouw verklaring zo snel mogelijk op papier te hebben. Ik wil je vragen om met me mee te gaan naar het bureau. Zodra er een verklaring is, kunnen we actie ondernemen.'

'Actie? Wat moet ik me daarbij voorstellen?' Ze merkt dat ze het antwoord niet wil horen. Maar ze ontkomt er niet aan.

'We zullen een bezoek moeten brengen aan Bram Hendriks. Huiszoeking doen. Hem misschien aanhouden.'

Lilian rilt.

'Ben je bang?' informeert Christina.

'Ik weet het niet. Bang? Misschien ook. Maar ik ben vooral woedend. Ik wil dit niet. Ik denk allemaal tegenstrijdige dingen. Het kan niet wáár zijn dat...Wat moet ik doen? Waar moet ik heen? Naar huis?'

'Ik heb liever dat je een paar dagen hier blijft,' zegt Madeleine. 'Ik wil graag voor je zorgen.' Ze legt aarzelend een hand op haar arm.

'Laten we eerst die verklaring gaan opstellen,' stelt Christina voor.

Madeleines hand blijft op Lilians arm liggen. Lilian wrijft er een kort moment over. 'We hebben nog heel wat te bespreken,' zegt ze.

'Ik hoop dat je wil praten,' aarzelt Madeleine.

Lilian staat op. 'Ik ga met je mee,' richt ze zich tot Christina. 'Maar ik wil eerst graag even mijn zoon bellen. Hij is gisteren nogal geïrriteerd weggegaan en hij weet totaal niet wat er aan de hand is.'

'Vraag hem om hierheen te komen,' stelt Madeleine voor. 'Is het niet beter dat ze voorlopig niet in haar eigen huis is?' wendt ze zich tot Christina.

Die haalt haar schouders op. 'Daar kan ik op dit moment weinig zinnigs over zeggen. Misschien kunnen we dit bespreken als we bij Hendriks zijn geweest.'

Lilian voelt haar hele lijf rillen als de rechercheur de achternaam van Bram uitspreekt. 'Ik vraag hem of hij hierheen komt,' belooft ze Madeleine. 'Dan raak jij ook die kerststol kwijt, hij is namelijk nogal zoet ingesteld,' glimlacht ze.

Ivo reageert ongerust. 'Ik had al vanaf het moment dat ik vanmorgen wakker werd een vreemd gevoel, mam. Het spijt me dat ik zo vervelend reageerde.'

'Het hindert niet,' sust Lilian. Ze noemt het adres van Madeleine.

'Mag Annemiek meekomen?'

'Annemiek móét meekomen.'

'Doe je voorzichtig, mam?'

'Ik heb politiebescherming, moet je maar denken. Maak je maar niet druk, ik kom weer heelhuids terug.'

Christina stelt voor dat ze met haar auto naar het bureau gaan. Ronald rijdt achter hen aan. Lilian gaat naast haar zitten. Ze voelt zich rustig worden. Ik zit hier veilig, denkt ze. Ze is bewapend.

Vreemde gedachte. Waarom denkt ze nu aan een wapen? Ben ik tóch ergens bang voor? vraagt ze zich af. Ze kijkt om zich heen maar ziet niets anders dan geparkeerde auto's. Christina rijdt snel de parkeerplaats af. Op het moment dat ze die verlaten, ziet Lilian in een flits een witte auto staan waar een vrouw in zit. De vrouw buigt zich net voorover.

Ze heeft iets bekends.

92

Ik besefte op de day after dat die vette teef gevonden zou kunnen worden, terwijl ze nog niet dood was. Ik moest voorkomen dat ze in staat zou zijn om nog iets te zeggen.

Het was een ongekend spannend avontuur. Ik voelde me een kleine stoute jongen die verboden smerige dingen ging doen. Het enige minpuntje was de geest van moeder. Ze viel me nu echt lastig door zich aan me te tonen. Ze was er niet toe te bewegen om van de achterbank van mijn auto te verdwijnen. Ik schold haar uit. Het hielp niet.

De straat waar Marjo woonde was uitgestorven. Ik parkeerde de auto zo dicht mogelijk bij haar flat. Haar sleutelbos rammelde in mijn zak. Ik was trots op het feit dat ik een avond eerder zo alert was geweest om Marjo's sleutelbos mee te nemen. Wie denkt nu aan zulke details?

Móí!

Ik nam de trap om te voorkomen dat iemand me zag. De flat was doodstil. Ik sloop naar boven. Op de bovenste etage heerste een diepe rust. Een diepe dodelijke rust.

Ze was dood. Ik zag het direct toen ik binnenkwam. Ze voelde nog warm aan. Ik denk dat ze net was overleden. Haar naakte onderlijf was afstotelijk om naar te kijken. Ze was bijna kaal van onderen. Ik herinnerde me het stekelige gevoel aan mijn vingertoppen. Ik rukte de handschoenen die ik droeg uit en ging snel mijn handen nog eens wassen.

Ik dacht na. Het zou op zelfmoord lijken. Dat was aan de

ene kant een rustgevend idee maar aan de andere kant zinde het me niet dat niemand zou weten dat ze was vermoord. Ik wilde erkenning. Anonieme erkenning, dát wel. Maar het was niet te verkroppen dat niemand zou weten wat er was gebeurd. Ik rommelde aan de laden van het dressoir en gooide de papieren die erin zaten op de grond. Toen ik de smaak eenmaal te pakken had, leefde ik me ook uit op de andere kasten in de kamer. In de laatste kast vond ik de twee kaarten die Marjo waarschijnlijk nog wilde sturen. Ik nam ze mee. Je weet maar nooit waar ik ze nog voor kan gebruiken, dacht ik.

Toen ik terugliep naar de voordeur zag ik de zwarte lange jas en kreeg ik een geweldig idee. Ik trok de jas aan en sloeg de sjaal om mijn nek die ik uit een van de mouwen haalde. Ik liet de voordeur op een kier staan en nam weer de trap om beneden te komen. Volgens mij was er niemand op straat, toen ik weer wegreed. Maar je weet nooit of mensen toevallig zitten te gluren. Ik dook zo diep mogelijk weg in de sjaal. Ik draaide met mijn kont, zoals die wijven dat ook altijd doen. En ik negeerde de stem van moeder die nog steeds op de achterbank zat.

Maar achteraf bekeken was het allemaal heel link. Het ging eigenlijk te ver. Ik moet mezelf beter in bedwang houden, anders gaat mijn drang om de zaken wat aan te dikken buitensporige proporties aannemen en wordt het overkill. Het spel moet overzichtelijk blijven. Ik ben niet te pakken. Door niemand.

Bék dicht, moeder. Je bent dood. Hartstilstand, weet je nog wel? Een natuurlijke dood, ook al stelde je verbijsterde huisarts een sectie voor. Ik lag op mijn knieën te snikken dat ik het niet zou overleven als er ook nog iemand in mijn moeder snééd.

93

Annemiek is aardig. Lilian mag haar op het eerste gezicht. Ze is stevig gebouwd maar niet dik. Eerder vol. Mollig. Ze heeft prachtig haar. Een dikke bos donkere krullen. Stralende ogen. En ze is overduidelijk verliefd op Ivo. 'Fijn dat je er bent,' zegt Lilian. Dat méén ik, denkt ze. Eindelijk een vrouw in mijn buurt die niet verliefd is op Rob.

Ivo knuffelt haar bijna plat. 'Ben je boos op me, mam?'

'Hou op, natuurlijk niet.'

'Madeleine heeft me verteld wat jij allemaal tegen Christina hebt gezegd.'

'Dat vind je toch wel goed?' vraagt Madeleine. 'Hij was erg ongerust.'

Lilian wuift haar onzekerheid weg. 'Natuurlijk. Het is niet te geloven,' wendt ze zich tot Ivo. 'Ze gaan hem ophalen. Huiszoeking doen. Hij zal zich verraden voelen.'

'Mam, je hebt toch geen medelijden met die griezel?'

'We weten nog helemaal niet zeker of hij iets heeft gedaan. Ik heb die kaart gevonden, maar wat zegt dat? En die zwarte jas met die blonde pruik? Trekken we niet te snel onze conclusies?'

'Maar er stond toch ook iets over hem in die brief, mam?'

Ze is direct weer bij de les. 'Hij heeft Rob ontmoet,' mompelt ze. 'Je valt wél met je neus in de boter,' richt ze zich tot Annemiek.

'Ik kan me voorstellen dat jullie willen weten wat er precies is gebeurd,' antwoordt die rustig. 'Vertel eens iets over je vriend.'

Lilian voelt zich opeens kwetsbaar. 'Mijn vriend? Bram? Ze gaan hem ophalen. Er klopt iets niet met Bram. En ik heb niets in de gaten gehad.'

'Zit dat je dwars?'

'Zit dat me dwars?' vraagt Lilian zich hardop af. 'Meer dan me lief is. Ik voel me... dom. Ontzettend dom. Belazerd. Gebruikt. Woedend. Verdrietig. Maar toch... we weten nog niet wat er wérkelijk aan de hand is.' Ze kijkt Ivo vertwijfeld aan. 'Ik wil niet dat hij iets met de moord op je vader te maken heeft.'

'Ik ook niet, mam. Maar als dat wél het geval blijkt, zullen we dat onder ogen moeten zien. En dat doen we dan samen. Je kunt op me rekenen.' Zijn stem hapert.

Annemiek pakt hem vast. Ze slaat in één beweging ook een arm om Lilian heen. 'Op mij óók,' zegt ze eenvoudig.

Ze eten krentenbrood en drinken warme chocolademelk. Madeleine zegt dat ze van plan is om iedereen vol te stoppen met lekker eten. 'Als je maag goed gevuld is, kun je beter tegen slecht nieuws,' beweert ze. Ze laat zich niet uit over welk slecht nieuws ze het heeft.

Lilian probeert zich te concentreren op het gesprek. Annemiek vertelt over haar expositie die vanaf nieuwjaarsdag te zien is in de schouwburg. Ze is er duidelijk trots op. Ivo zit er even trots naast.

'Waar denk je aan?' wil Ivo weten.

Lilian aarzelt. 'Aan hoe snel het opeens gaat. Met jou. Met jullie.'

'Ik loop hard van stapel, bedoel je. Zo ken je me niet als het om vrouwen gaat. Maar troost je, ik ben toch echt een echte Dijkman. Die zijn ook experts op het gebied van kop in het zand steken.'

Er valt een stilte na Ivo's woorden. De laatste zin heeft Lilian onaangenaam getroffen. 'Vind je dat?' verbreekt ze de stilte. 'Vind je dat we de kop in het zand steken?'

'Ja, mam, dat vind ik. Jij en papa deden het jaren ten opzichte van elkaar, ik deed het ten opzichte van de acties van Marjo. En kijk wat het ons heeft gebracht. We zijn alles kwijt. En we praten nog steeds nergens écht over. Ik heb me voorgenomen om het heel anders te gaan doen. Ik ga van mijn hart geen moordkuil meer maken.'

'Wat klinkt dat hard,' zegt Annemiek. 'Is dat je bedoeling? Hard zijn?'

Ivo kijkt haar verwonderd aan. 'Helemaal niet. Ik bedoel het zoals ik het zeg. Ik wil het anders gaan doen in mijn leven. Dat betekent niet dat ik het verleden wil veroordelen. Maar het diende nergens toe. Er ging heel veel verloren,' eindigt hij zacht.

'Dat is waar,' beaamt Lilian. Ze heeft haar stem weer onder controle. 'Je hebt helemaal gelijk. Het diende nergens toe. Ik moet daar de laatste weken ook altijd aan denken. Maar ik leidde mezelf steeds af met de gedachte dat het verleden niet meer te veranderen is. Ik wilde me op het heden storten. Maar het heden lijkt nu toch een nachtmerrie te worden.' Ze hoort een geluid, ergens in de kamer. 'Mijn mobiel,' stelt ze vast.

Ivo vist het ding uit haar tas. Ze gebaart hem dat hij moet aannemen.

'Met Ivo Dijkman,' zegt hij kort.

Lilian voelt haar hartslag plotseling in de hoogste versnelling gaan. Ze staat op om haar mobieltje van Ivo over te nemen.

'Hallo? Met Ivo Dijkman op het toestel van Lilian.' Hij kijkt op. 'De verbinding is verbroken,' deelt hij mee. Hij tuurt naar de display.

'Anoniem,' stelt Lilian vast. 'Toch?'

Op hetzelfde moment schrikken ze zich allemaal een ongeluk van het geluid van de deurbel. Lilian voelt dat ze wankelt en gaat snel zitten. Madeleine loopt naar de gang en roept iets in de intercom. Ze komt de kamer weer in. 'Het zijn Christina en Ronald. Nu zullen we het hebben.'

Als de rechercheurs binnenkomen, ziet Lilian direct aan hun gezichten dat er iets aan de hand is. Ze klemt zich vast aan de stoelleuning.

'Bram Hendriks is spoorloos verdwenen,' valt Christina met de deur in huis. 'En de huiszoeking heeft niets opgeleverd. Maar we hebben hem ook nagetrokken en dat leverde enkele opmerkelijke ontdekkingen op. Ik wil graag dat je nog een keer met me meegaat naar het bureau, Lilian. We moeten ernstig praten.'

94

Madeleine is het er totaal niet mee eens dat Lilian vandaag naar de zaak wil. 'Ik vind het een onrustige gedachte dat je daar onbeschermd rondloopt. Wie weet staat hij je ergens op te wachten.'

Maar Lilian is vastbesloten. 'Ik blijf zoveel mogelijk op kantoor en help de secretaresse die Marjo vervangt. Ze schijnt het heel goed te doen. Ivo wil haar in vaste dienst nemen en hij heeft me gevraagd of ik het daar mee eens ben. Maar dan zal ik toch eerst eens moeten zien hoe ze werkt.' Ze vindt het een idioot idee dat Bram haar iets zou willen aandoen, heeft ze tegen Madeleine gezegd. En ook tegen Ivo, die dezelfde tegenwerpingen had als haar vriendin. Hij vertrouwt het niet dat Bram van de aardbodem verdwenen lijkt te zijn. Iemand verdwijnt niet zomaar zonder reden, beweerde hij gisteravond. Dan heb je iets te verbergen.

Lilian en Madeleine hebben de avond van tweede kerstdag voor het grootste deel languit voor de televisie doorgebracht. Er waren verschillende oude films te zien en ze hebben eerst naar *Annie* en daarna ook nog naar *The Sound of Music* gekeken. Lilian merkte wel dat Madeleine graag wilde weten waarom ze ook een groot deel van tweede kerstdag bij Christina op het bureau is geweest. En Ivo bleef daar ook vragen over stellen, toen hij en Annemiek in de loop van de avond langskwamen. Maar ze heeft er niets over losgelaten. 'Het is beter als ik daar nog even niets over zeg, dat heeft Christina me dringend geadviseerd,' legde ze uit. Ze kon aan Madeleine en Ivo merken dat ze teleurgesteld waren. Annemiek reageerde met meer begrip. 'Dat zal ze niet voor niets geadviseerd hebben,' zei ze. 'En je zult ook niet voor je plezier zoveel uren met haar in gesprek zijn geweest.'

Terwijl ze naar de films keken, probeerde Lilian alles wat er op beide kerstdagen was gebeurd uit haar hoofd te zetten. Dat lukte nauwelijks. De uren op het bureau bleven door haar gedachten razen. Ze repeteerde de afspraken die ze met Christina en Ronald heeft gemaakt. En ze moest ook steeds aan de man denken, die Christina aan haar had voorgesteld. Het was moeilijk om zich op de films te concentreren. Ze merkte dat ze voortdurend met een half oor luisterde of ze buiten iets hoorde. Er werden regelmatig rotjes afgeschoten op straat en iedere keer als het knalde schrok ze zich wild. Ze zag dat Madeleine naar haar keek en ze voelde dat haar vriendin vragen wilde stellen. Maar gelukkig deed ze dat niet. Vlak voordat ze naar bed gingen zei Madeleine dat Lilian erop kon rekenen dat ze voor haar klaarstond, wát er ook gebeurde. En dat ze alles kon vertellen wat ze kwijt wilde, omdat zij zou zwijgen als het graf. Toen heeft ze haar hartelijk omhelsd. Maar niets verteld.

'Eet nog iets,' dringt Madeleine aan. 'Je ziet zo bleek. Het is beter als je iets in je maag hebt.'

'Ik heb geen trek, sorry. En ik heb een raar gevoel in mijn buik.'

'Pijn? Heb je pijn? Wat is er aan de hand?'

'Het zeurt een beetje. Je kent het wel: dat treiterpijntje als voorbode van je menstruatie. Maar ik zit midden in mijn cyclus. Dus dat kan helemaal niet.'

'Misschien ben je ontregeld door de spanning, dat kan toch?'

'Misschien. Maar ik ben altijd stipt op tijd en ik heb wel eens vaker spanningen gehad. Nou ja, het gaat wel weer over, denk ik. En zo niet, dan ben ik snel weer terug.'

'Zou je in de overgang zijn? Je hebt er de leeftijd voor.'

Lilian pakt haar handtas en stift nog even haar lippen. Opeens hapt ze naar lucht. 'Aú! Hè, verdorie. Wat een rotpijn, zeg.' Ze loopt naar de gang. 'Als dit niet overgaat, bel ik mijn huisarts. Het voelt niet tof.'

'Doe dat toch meteen. Ik vind het geen prettig idee dat je nu in je auto stapt.'

Lilian wuift het advies van Madeleine weg. 'Het zakt al weer. Ik denk dat het inderdaad spanning is. En misschien wel de overgang. Laat me maar. Als het erger wordt, bel ik écht mijn huisarts.'

'Je komt vanmiddag toch weer hiernaartoe?'

'Ja. Je zit nog even met me opgescheept.' Ze probeert luchtig te klinken. Maar haar gezicht laat zien dat ze pijn heeft. Ze loopt snel naar de lift en zwaait nog even, voordat de deur sluit. Terwijl de lift naar beneden zoeft, leunt ze even tegen de wand aan. 'Help,' fluistert ze. 'Ik kan dit niet.' Als ze buiten komt, schiet ze snel haar auto in, start de motor en geeft gas. Wégwezen, denkt ze. Het is stil op straat. Veel mensen werken niet tot na Nieuwjaar, weet ze. Lekker rustig. Ze merkt dat ze weer wat ontspannen wordt. Als ze het terrein van het bedrijf oprijdt, voelt ze zich zelfs al iets beter. Ze parkeert haar auto op een van de directieplaatsen en ze loopt snel in de richting van de ingang. Vanuit haar ooghoeken ziet ze een witte auto het terrein oprijden.

De secretaresse heet Roberta en dat vindt Lilian een foute naam. Ze kan er niets aan doen, de vrouw brengt een regelrechte afkeer bij haar teweeg. Waarom heet dat mens in hemelsnaam zo? En wat bezielt Ivo om haar een vaste aanstelling te willen geven?

Ik ben onredelijk, stelt ze vast. Ik wijs op voorhand iemand af door haar naam. Dat meisje kan er niets aan doen dat ze Roberta heet en dat ik die naam direct associeer met mijn dode man. Ze spreekt zichzelf vermanend toe. Geef haar een kans, oreert ze in gedachten. Beheers je een beetje.

Ze is onrustig. Gejaagd.

Opgefokt.

Ze loopt doelloos heen en weer in haar kantoor, geeft de planten water en verlegt voor de tiende keer de stapel post die ze nog moet doornemen. Morgen is het de 28ste, mijmert ze. Ze hebben om halftwaalf een afspraak bij de notaris. We zullen er niet zijn, weet ze opeens heel zeker. Er gaat van alles gebeuren. Ze schudt driftig haar hoofd. Nu ophouden! Stoppen met die paniek!

Ze is misselijk. Haar maag rommelt. Het beschuitje met jam dat Madeleine er heeft ingepropt komt steeds omhoog.

Er klopt iemand op de deur. Ze verstijft. De deur gaat open. 'Komt u koffiedrinken?' vraagt Roberta. Lilian spuugt in één beweging haar maaginhoud uit. 'O god, wat is er aan de hand?' roept Roberta. 'U bent ziek. Bent u ziek? Hebt u ergens pijn? Ik roep uw zoon.'

Lilian slaat dubbel. Ze reikt naar de telefoon. 'Een dokter,' stamelt ze. 'Een ambulance. Ziekenhuis.' Ze zakt door haar knieën.

Roberta rent de gang op en schreeuwt om hulp.

95

Ik moest weten waar Lilian was. Niet thuis, dacht ik. Er was geen enkele beweging in dat huis waar te nemen. Maar ik heb er niet lang voor de deur gestaan. Het was te gevaarlijk.

Ze was bij Madeleine. Ze had de Volvo van Rob meegenomen. Die stond op de parkeerplaats bij de flat.

Ik wilde één keer proberen of ik haar telefonisch kon bereiken. Ze mocht één kans van me hebben om te praten. Haar zoon was inmiddels ook gearriveerd, samen met een vreemde vrouw. De nieuwe vriendin, waarschijnlijk. Maar verder had ik niemand zien verschijnen. Ze had dus nog geen politie ingeschakeld. Misschien wilde ze praten. Wie weet, kon ik haar ergens naartoe lokken. Maar toen ik haar belde op haar mobiel, nam haar zoon aan.

Dan niet, Lilian. Je kansen zijn verkeken.

Het was koud in de auto. Ik kroop zo diep mogelijk in moeders wollen jas en probeerde mijn handen te verwarmen met mijn adem. Het leek me niet verstandig om de hele nacht in de auto te blijven zitten. Het was waarschijnlijk een beter idee om terug te gaan naar het motel en na te denken over de volgende stappen die ik kon nemen. Op het moment dat ik de motor wilde starten, kwamen er twee auto's de parkeerplaats op rijden. Als ik het niet dacht. Ze had dus tóch de politie gebeld.

Ze hadden me niet in de gaten. De stumpers. Vertrouw maar op de politie, was moeder altijd van mening. Ze weten wat ze doen.

Ik had de neiging om hard te gaan lachen maar ik hield me in.

Nog geen tien minuten later zag ik ze weer naar buiten komen, samen met Lilian. Die stapte in bij de vrouwelijke rechercheur. Ze reden rakelings langs me. Op het moment dat ze me passeerden, boog ik me naar het dashboardkastje. Daarna startte ik de motor en vertrok.

Ze heeft de politie ingeschakeld. Dat had ze beter niet kunnen doen. Nu moet ik ingrijpen.

Het spijt me, Lilian. Maar het kan niet anders.

Ik ben vanmorgen al vroeg naar de straat gereden waar Madeleine woont. De donkere make-up van moeder staat me goed. Ik bekijk mezelf in de achteruitkijkspiegel. Wauw! Ik ben zowaar een aantrekkelijk wijf geworden.

Ze komt naar buiten. Haastig loopt ze naar haar auto. Ze struikelt over een losliggende trottoirtegel maar ze blijft overeind. Zodra ze is ingestapt, start ik mijn motor.

Ze gaat gewoon naar haar werk. Ik houd goed in de gaten of iemand haar volgt.

Niemand.

Er hangen overal grote borden met de mededeling dat de winteropruiming is begonnen. Het is druk. Allemaal koopjesjagers.

Ik vlucht naar boven, waar het rustiger lijkt. Ik moet toegeven dat hier mooie meubelstukken te vinden zijn. Een grote leren fauteuil staat uitnodigend naar me te kijken. Ik zak erin weg. Hij zit heerlijk. Als ik niet van plan was om me in Buenos Aires te vestigen, zou ik hem direct kopen.

Achter me roept een verkoper iemand. Riep hij Ivo? Er komt een jonge man tevoorschijn, die precies hetzelfde loopt als Lilian.

Ivo. Zoon Ivo. Ik had je stiefvader kunnen worden, knul. Als je moeder een beetje had willen meewerken.

Jammer. Het was een lekker stuk. Een meegaand type. Volgzaam in bed. Ze had een geil lijf. Maar ze blijkt achteraf gezien toch een gore sloerie te zijn.

Hij lijkt me een aardige vent. De man die hem riep wijst op een kras in het leer van een andere stoel. 'Laat hem maar naar beneden brengen,' beslist Ivo.

Er is wéér iemand die hem roept. Een vrouw. Ze roept niet zozeer, ze schreeuwt. Ze is in paniek. Hij maant haar aan om rustiger en vooral zachter te praten. Hij luistert naar wat ze hem vertelt. Daarna rent hij weg.

Er is iets aan de hand met Lilian.

96

Lilian kijkt steeds naar de klok, daar is ze mee begonnen op het moment dat ze door twee verpleegsters deze kamer werd binnengereden. Het is kwart over zeven.

Rob lag op precies dezelfde kamer, stelde Ivo een beetje verwonderd vast toen hij haar bezocht. Hij wil graag dat ze zijn moeder naar een andere kamer overplaatsen, heeft hij tegen het hoofd van de afdeling gezegd. Hij vindt het een angstaanjagend idee dat ze in de kamer ligt waar zijn vader is vermoord. Het afdelingshoofd heeft beloofd dat ze zullen proberen om haar vanavond nog een andere kamer te geven.

Ze heeft zich er niet mee bemoeid. Ivo probeerde haar steeds gerust te stellen. 'Slaap jij maar eerst die narcoseroes uit,' zei hij toen hij vertrok. 'Wat ben je dizzy, zeg. Maar wél lekker rustig.'

Hij is zich kapotgeschrokken, vertelde hij. Toen hij Lilians kantoor bereikte, lag ze dwars over haar bureau heen, met de telefoon in haar hand. Hij wist niet wat hij hoorde toen ze tussen haar gekreun door doodleuk zei dat ze zelf 112 al had gebeld. Even later hoorden ze de geluiden van een ambulance naderen. 'Onvoorstelbaar dat je zo alert reageerde, mam,' zei hij bewonderend, toen hij naast haar zat. 'En dat je zo helder kon denken, ondanks die pijn.'

Ze heeft het allemaal met gesloten ogen aangehoord. Ze heeft geen pijn meer, heeft ze hem verzekerd. Ze voelt zich naar omstandigheden goed. Er is een heftig ontstoken blinde darm uit haar buik gehaald en dat was maar nét op tijd, maar verder is alles goed.

'Ik dacht altijd dat een ontstoken blinde darm eerst begon te waarschuwen,' grinnikte Ivo, terwijl hij over haar hand wreef. 'Maar uitzonderingen zullen de regel wel weer bevestigen.' Hij probeerde het hele kwartier dat hij bij haar was opgewekt te doen maar ze zag dat de paniek nog niet uit zijn ogen verdwenen was. 'Ik dacht écht dat ik nu ook mijn moeder kwijtraakte,' bekende hij, toen hij afscheid nam. Daarna begon hij te huilen. Ze probeerde hem over zijn haren te aaien maar hij trok haar arm weg. 'Straks schiet het infuus eruit,' protesteerde hij. 'Kijk maar uit.' Ze voelde zich het kind in plaats van de moeder. En ze vond het een prima gevoel.

De hele zaak was in rep en roer toen ze werd afgevoerd, vertelde Ivo. Grote paniek. Hij heeft in de tijd dat zij op de uitslaapkamer lag, het personeel bijeengeroepen en verteld wat er was gebeurd. Iedereen wilde weten waar ze lag, om een kaart te kunnen sturen. Hij verwacht een hele lading post, zei hij lachend. Ook van klanten. Er waren veel klanten in de zaak die om het adres vroegen. Zo kom je er nog eens achter hoeveel mensen zich bij je betrokken voelen, meende hij.

Lilian liet hem maar ratelen. Het kwam door de schrik, dat hij aan een stuk door kletste, dacht ze. Hij heeft ook meteen een telefoonaansluiting voor haar geregeld, maar hij heeft beloofd dat hij iedereen zal vragen om pas morgen te gaan bellen.

Ze is in slaap gevallen, merkt ze. De klok boven de deur wijst opeens kwart voor tien aan. Iemand heeft het grote licht in de kamer uitgedaan en het lampje boven haar bed aangeknipt. Het is doodstil in de kamer. Ze voelt dat ze beeft.

Ze is bang. Ze wil hier weg. Ze kijkt weer op de klok. Veertien voor tien. Waar is dat ding van de zusteroproep gebleven? Hij bungelt boven haar hoofd. Ze drukt op de knop.

Vrijwel direct gaat de deur open en verschijnt er een verpleegkundige. 'Hebt u gebeld?'

'Ja. Ik ben bang. Het is hier zo stil.'

'Dat is meestal het geval als het tegen tienen loopt. De meeste patiënten slapen al of liggen nog televisie te kijken. Wilt u dat niet?'

'Is er nog iemand van de recherche aanwezig?'

'Ze waren nog bij u, maar u sliep. Ik zal even kijken of ze nog ergens op de afdeling zijn.' Als ze bijna bij de deur is, gaat hij open en verschijnt Christina van Leeuwen.

Lilian is opgelucht. 'Ik voel me hier helemaal niet op mijn gemak,' zegt ze, zodra de verpleegkundige is verdwenen.

'Alles is onder controle,' probeert Christina haar gerust te stellen.

'Toch ben ik bang. Weten jullie al waar Bram is?'

'We hebben een spoor, het wordt momenteel onderzocht. Maar je bent hier veilig. Alle in- en uitgangen worden bewaakt. Hij kan niet ongezien binnenkomen.' Christina legt even een hand op Lilians arm. 'Ik kan me voorstellen dat je hier toch niet rustig ligt. Maar ik verzeker je dat er niets met je kan gebeuren.'

'Dus er wordt goed opgelet?' Ze kijkt weer naar de klok.

Christina volgt haar blik. 'Er wordt heel goed opgelet. Ik ga nu, het is al laat. Maak je maar geen zorgen.'

Ze drukt toch maar op de afstandsbediening voor de televisie die boven het voeteneinde van haar bed hangt. Ze zapt langs enkele kanalen en komt midden in een discussie over de doodstraf terecht.

Ze luistert naar een vurig betoog van iemand die vóór is. Iemand anders begint iets over God en de Bijbel te wauwelen. Ze zet het geluid af en kijkt naar de verhitte gezichten en de strijdlustige bewegingen die de kemphanen maken.

Ze heeft niemand binnen horen komen.

Ze ziet de vrouw pas als ze pal naast het bed staat. Het is een slanke vrouw met een dikke bos zwart haar, dat ze in een paardenstaart draagt. Om haar donkere winterjas heeft ze een enorme rode omslagdoek geslagen.

Haar lichaam verkrampt van schrik.

De vrouw heeft iets bekends. Haar houding, de manier waarop ze zich beweegt. Lilian probeert haar aan te kijken maar ze kan haar ogen niet zien door de donkergetinte glazen in haar bril. Ze ruikt sterk naar parfum.

Te sterk. Ze zou haar willen vragen om niet zo dicht bij het bed te komen, maar ze krijgt geen woord over haar lippen. Ze staart naar de vrouw, die bewegingloos naast het bed staat. Wie is die vrouw? Wat komt ze doen?

'Dag, Lilian,' zegt de stem van Bram.

Ze spert haar ogen wijd open. Haar hand grijpt naar de knop van de zusteroproep. Maar hij is haar vóór. In één beweging rukt hij het snoer van de oproep uit het contact en klikt hij haar handen ergens mee vast. Ze staart naar beneden. Hij heeft haar handboeien omgedaan.

Ze opent haar mond maar er komt alleen een piepend geluid uit haar keel. Ze heeft het benauwd. Ik stik, denkt ze. Ik krijg geen lucht meer. Ze richt in paniek haar blik op de klok boven de deur.

'Het is tien voor elf,' zegt Bram vriendelijk. 'De avonddienst draagt nu over aan de nachtdienst. Dat duurt ongeveer een halfuur. Je hoeft niet bang te zijn. Ik doe je geen pijn.'

'Waarom heb je je als vrouw verkleed?' Ze kan haar eigen stem niet verstaan.

'Ik ben mijn moeder geworden,' glimlacht hij. 'Ik wilde als kind al mijn moeder zijn.'

97

De hele zaak vulde zich van het ene op het andere moment met paniek. Er liepen mensen rond die beweerden dat er een aanslag was gepleegd en iemand van de directie zwaargewond op de grond lag. Anderen spraken dat weer tegen en maanden de paniekzaaiers tot rust. Enkele mensen kregen bijna ruzie.

Er kwam een ambulance met loeiende sirene het parkeerterrein oprijden. Ik liep naar de trap en zag twee mannen in groengele pakken het pand inkomen. Ze duwden een brancard voor zich uit. Een jonge vrouw stond te gebaren waar ze naartoe moesten.

Het ging allemaal heel snel. De mannen verdwenen uit het zicht maar ze kwamen nog geen tien minuten daarna weer tevoorschijn. Er lag iemand op de brancard, zag ik toen ik boven aan de trap stond. Er was geen twijfel mogelijk. Het was Lilian. Een van de verpleegkundigen hield een fles boven het hoofd waar een slang aan vastzat.

Ze hadden een infuus bij haar aangelegd. Ik maakte bijna een sprong van vreugde. Maar ik beheerste me.

Ik merkte het direct toen ik de auto startte. Er waren ogen op mij gericht. Ik voelde het. Maar ik zag ze niet.

Shit!

Toen ik wegreed, zag ik achter me een donkerblauwe auto uit de rij tevoorschijn komen. Ik vloekte.

Er kwam een grote vrachtwagen de hoek om en ik kon nog

net langs het ding heen manoeuvreren, voordat het gevaarte de hele toegang tot het parkeerterrein blokkeerde. De blauwe auto achter me zat vast.

Ik gaf gas.

Er flitsten drie keer lichten achter me, toen ik op weg naar het centrum door rode lichten reed. Ik stak mijn middelvinger op naar het hele politieapparaat. Tegen de tijd dat die bonnen verstuurd worden, zit ik al lang onbereikbaar in de zon en heb ik waarschijnlijk al voor de tiende keer een vurige latina gepaald.

Ik dacht na. Het leek me niet verstandig om naar het motel te gaan. Ik kon er vergif op innemen dat het daar ook wemelde van de politie. Ik prees mijn eigen vooruitziende blik, waardoor ik alles wat ik nodig had om het land te verlaten bij me had. Paspoort, geld, pinpas. Ik kon rechtstreeks door naar Schiphol om het ticket op te halen en de eerstvolgende lijnvlucht te nemen. Maar ik was vooral trots op mezelf, omdat ik de spuit met kaliumchloride en de handboeien bij me had. Ik moest alleen mijn plan bijstellen. Het zou niet lukken om Lilian in haar eigen bedrijf naar me toe te lokken, te boeien en in één beweging de dodelijke vloeistof in een van haar aderen te spuiten. Maar eigenlijk was de gelegenheid die ik nú kreeg een veel beter scenario. Ze hadden haar een infuus gegeven. Ik moest alleen te weten zien te komen in welk ziekenhuis ze lag en daar even langsgaan. Me ergens opsluiten totdat de kust veilig was, bij haar binnensluipen en de naald in de infuusslang steken.

Ik kreeg een stijve toen ik daar aan dacht. Terwijl ik door de stad reed, rukte ik me af. Ik kwam klaar toen ik voor een rood stoplicht stond. In de auto naast me zat een wijf. Ze leek op Marjo. En ik zag aan de afkeurende blik op haar smoel dat ze in de gaten had waar ik mee bezig was.

Ik stak mijn middelvinger nog eens op.

Ze waren overal. Ik zou sluw moeten zijn. Zodra ik in het ziekenhuis was, glipte ik de eerste de beste kamer in die niet op slot was. Het bleek een kantoor te zijn. Ik dook onder het bureau en wachtte.

Er gebeurde niets. Er kwam niemand binnen, er ging geen telefoon. Vanaf mijn schuilplaats zag ik een deur die waarschijnlijk uitkwam op een tuin. Ik sloop naar buiten. Er was inderdaad een binnentuin. Er brandde geen licht, er heerste een doodse stilte.

Het was donker. En koud. Ik dacht aan warme dingen. Een haardvuur.

We vreeën voor het haardvuur. Ze kronkelde onder mijn vingers.

De binnentuin voelde aan als een onmetelijke leegte. De leegte drong diep in mij door. Ik onderdrukte een schreeuwende vloek.

Nergens meer op terugkijken. Lilian is passé. Ze heeft me verraden. Ze heeft het verpest.

Afrekenen en wegwezen.

En nooit meer omkijken.

98

De laatste zin die Bram heeft uitgesproken galmt nog na in Lilians hoofd. *Ik wilde als kind al mijn moeder zijn.*

Ze kijkt naar hem en vraagt zich af hoe het komt dat ze het niet eerder heeft gezien.

Het vreemde. Het afwijkende.

De waanzin.

'Ga weg, alsjeblieft,' zegt ze. 'Rén. Zorg dat je buiten komt en verdwijn.'

'Waarom zou ik?'

'Om niet in de problemen te komen.'

'Ik kom nooit in de problemen. Daar ben ik te slim voor.'

'Dit keer niet. Je bent erin getuind. Maak het niet erger dan het is. Ga weg, alsjeblieft.' Ze komt nog steeds niet verder dan fluisteren. Haar hele lijf staat strak van spanning. Ze kijkt steeds op de klok.

'De tijd gaat heus niet sneller, ook al kijk je nog zo vaak op die klok,' snauwt Bram opeens. 'Wat doe je hysterisch. Maar ik heb je dóór. Denk maar niet dat ik je geloof. Jij wilt beslist niet dat ik kan wegkomen. Jij wilt er graag getuige van zijn dat ik word opgepakt. Je weet al lang wat je allemaal gaat zeggen, straks in de rechtszaal. Helemaal fout, dame. Helemaal fout gedacht. Er komt geen proces. Geen getuigenverklaring. Jij zult nooit in een rechtszaal staan. Jij zult helemaal nergens meer staan. Het is voorbij, Lilian. Denk maar aan Rob. Je hield toch zoveel van hem? Jullie sterven in hetzelfde bed. Als dát geen bewijs is van eeuwige trouw, weet ik het niet meer. En dat hebben jullie dan ook nog dankzij mij kunnen bereiken.'

'Je bent gek.' Lilian heeft haar stem terug.

Bram kijkt verrast op. 'Dat zou kunnen kloppen.'

Hij haalt met een snelle beweging iets uit zijn jaszak. 'Het is in een paar seconden gebeurd,' grijnst hij. Voordat Lilian kan reageren, steekt hij de naald in de infuusslang en drukt hij de spuit leeg.

Lilians gezicht vertrekt in een vreemde grimas. Ze krimpt eerst in elkaar, daarna schiet haar lichaam overeind en blijft een paar seconden halverwege het bed hangen. Met een klap valt ze terug in de kussens. Haar wijd open ogen staren hem aan.

'Zoals ik al zei: het is voorbij, Lilian. *I'm very sorry.* Maar ik kon niet anders,' zegt hij kil. Hij staat snel op, steekt de lege spuit in zijn zak en sluipt naar de deur. Vlak voordat hij die opent, kijkt hij nog even op de klok. 'Elf uur. Tijd van overlijden: één minuut voor elf.'

Hij grijnst. Op hetzelfde moment deinst hij achteruit doordat de deur met een enorme kracht wordt opengegooid. Er springen een paar mannen boven op hem. Hij schopt om zich heen en raakt één van hen recht in het gezicht. Er stormen nog een paar mannen binnen. Ze hijsen hem overeind en draaien zijn armen op zijn rug. Hij hoort een klik. Zijn handen zitten vast. Hij kijkt de mannen aan met een verachtende blik in zijn ogen. 'Jullie zijn een beetje te laat, mensen,' sneert hij.

Er komt een vrouw naast hem staan. 'Bram Hendriks, ik arresteer u op verdenking van poging tot moord op Lilian Dijkman. U hebt het recht om te zwijgen.'

'Poging tot?' valt hij Christina in de rede. 'Laat naar je kijken, snol.'

Hij wordt de gang op geduwd.

'Naar het kantoor,' zegt Christina. 'Ik kom zo.' Maar op het laatste moment lijkt ze zich te bedenken. Ze grijpt hem vast, steekt haar hand in een van zijn jaszakken en haalt er een sleuteltje uit. 'Ik denk dat we dit nodig hebben,' zegt ze kort.

Bram begint te lachen. 'Maak de boeien maar los en doe rustig een poging om te reanimeren,' hikt hij. 'Allemachtig, wat zijn júllie stom, zeg.' Hij wordt opeens ernstig. 'Hoe wist jij...'

Iemand geeft hem een stevige duw in zijn rug. 'Loop door, stuk ongeluk.'

'Ronald, beheers je,' waarschuwt Christina.

Bram kijkt achterom en ziet een paar verpleegkundigen de kamer in gaan waar Lilian ligt. Zijn harde lach galmt door de gang.

99

Het hele kantoor zit vol politie. Het is blauwe uniformen waar je maar kijkt, afgewisseld met lui die bijna meelijwekkend zijn in hun pogingen om te doen of ze er niet bij horen terwijl ze stuk voor stuk zijn te herkennen als rechercheurs door hun typische uniformiteit van kleden. Ze dragen allemaal een spijkerbroek, leren jack en bruine schoenen. Dat soort mensen heeft werkelijk geen greintje gevoel voor originaliteit. Ze staren me aan. Ik staar net zo lang terug tot ze hun ogen neerslaan.

Dit circus zint me voor geen meter. Maar ik kan op dit moment geen kant op. Ze had gelijk, Lilian. Ik ben erin geluisd. Ze hebben haar met opzet in dit ziekenhuis op dezelfde kamer gelegd waar Rob lag. Daar ben ik ingetrapt.

Dom. Puur dom. De truc was zo doorzichtig als glas. Hoe is het mogelijk dat ik het niet in de gaten had? Ik ben veel te veel belust geweest op de kick van onvoorzichtigheid. Op de bloedstollende spanning van risico's nemen. Ik ben doorgeschoten. Hoe kom ik hier uit?

Er is geen enkel lid van het verpleegkundig team te bekennen in dit kantoor. Die zijn nu natuurlijk aan het proberen om Lilian weer tot leven te wekken. Maar de triomf is voor mij. Ze kunnen me erin luizen, ze kunnen me overmeesteren, ze zullen me waarschijnlijk opsluiten, maar het zal hun nooit lukken om me een minder perfecte moordenaar te maken dan ik ben. Dat zou ik het liefste in hun gezicht willen schreeuwen. I'm the king of death. Kijk naar me, sukkels.

Bewapende nitwitten. Klootzakken met drie strepen op je mouw.

Motherfuckers.

Ik zie opeens dat moeder op een van de bureaus zit. Ze kijkt me verwijtend aan. Als we even wachten, zou Lilian wel eens naast haar kunnen gaan zitten.

Moeder zou heel goed met Lilian hebben kunnen opschieten. En Lilian met haar.

Toch jammer.

'Kijk voor je,' snauw ik. Ik kan die verwijtende blik van haar opeens niet meer verdragen.

'Ik kijk waar ik wil,' zegt een lid van de geüniformeerde garde.

'Ik heb het niet tegen jou, zak.'

Er duwt iemand tegen mijn schouder. 'Kop dicht. Zolang jou niets wordt gevraagd, word je ook niet geacht iets te zeggen.'

'Nou, lazer eens op,' schreeuw ik tegen moeder.

'Tegen wie heeft hij het nu?' vraagt iemand die achter me staat.

'Niet op reageren, hij ziet spoken.'

Waar wachten ze eigenlijk op? Zouden ze werkelijk denken dat de vrouw die ik een paar minuten geleden een enkele reis naar de eeuwigheid heb bezorgd, nog tot leven te wekken is?

Stelletje stomme klootzakken.

Er is beweging op de gang. Geroezemoes. Er schijnt eindelijk iets te gebeuren.

De deur gaat open. Er komt een vrouw binnen, die zwaar leunt op de arm van de politieteef die me net officieel heeft gearresteerd. In mijn hoofd begint iets te suizen. 'Hou hem tegen,' hoor ik iemand roepen.

Het wordt zwart om me heen.

Koude natte lappen op mijn gezicht. Iemand voelt mijn pols. Er staat iets wits voor me. 'U bent er weer,' zegt het wits. Het is een mannenstem. 'Drinkt u maar iets.' Er wordt een glas tegen *mijn lippen gedrukt. Ik drink. Het is water. Koud water. Ik probeer langs de witte jas te kijken.*

Ze staat er nog steeds en ze leunt nog steeds op de arm van de vrouw die haar begeleidt. Ze is lijkbleek. Ze draagt gewone kleren. Er is geen infuus.

Ze ademt.

'Je ziet het goed,' zegt de vrouw. 'Dit is Lilian. Ze leeft. En ze heeft haar rol uitstekend gespeeld.'

Iemand gilt.

Ben ík dat?

100

Christina heeft Lilian thuisgebracht en direct Ivo gebeld. Hij was er binnen een kwartier, samen met Annemiek. Zijn gezicht is één groot vraagteken. 'Hoe kan dit, mam? Je bent vanmorgen toch geopereerd?'

Christina vertelt over het plan. Het plan dat ze bedachten, nadat ze erachter kwamen dat ze Bram Hendriks veel eerder hadden moeten natrekken.

Toen Lilian vertelde wat ze had gevonden in de kist bij Bram op zolder, kwam alles in een stroomversnelling terecht. Christina en Ronald ontdekten enkele opmerkelijke zaken. Bijvoorbeeld, dat Bram een ochtend per week in een uitvaartcentrum werkte als lijkenverzorger. Dat hij pas drie jaar in Haarlem woonde en daarvoor zijn hele leven in Oost-Groningen had gewoond, samen met zijn moeder. Om dat te weten te komen, moesten ze zowel de burgemeester van Haarlem als die van Groningen storen bij hun kerstdiner. Die zorgden ervoor dat ze toegang kregen tot de digitale bestanden van de burgerlijke stand. En later ontdekten ze dat er bij zijn vroegere huisarts twijfels bestonden over de plotselinge dood van Brams moeder, maar dat er geen enkel bewijs was voor moord. Via de huisarts kwamen ze er ook achter dat Bram jaren geleden in het academisch ziekenhuis van Groningen een opleiding had gevolgd voor verpleegkundige maar daar was weggestuurd.

Toen ze hem niet thuis troffen en huiszoeking deden, vonden ze op zolder een lege kist. Maar in de badkamer lag een kam waar nog enkele haren in zaten. Die werden direct vergeleken met materiaal dat ze bij het bed hadden gevonden van de vrouw die vlak na Rob werd vermoord. Ze ontdekten dat de haren van dezelfde persoon waren. Voorlopig is hun conclusie dat die moord gepleegd is om de politie op een dwaalspoor te brengen. Omdat Bram in het niets leek te zijn opgelost, bedachten ze een manier om hem in de val te lokken en schakelden Lilian in.

'Je was niet ziek,' constateert Ivo vol ongeloof in zijn stem.

Ze schudt haar hoofd.

'Je bent ook niet geopereerd? Maar je had wél een infuus?'

'Allemaal nep,' antwoordt Christina. 'De directeur van het ziekenhuis is een van mijn beste vrienden. Het zat hem nog steeds heel erg dwars dat er twee keer achter elkaar iemand in zijn ziekenhuis was vermoord en dat er nog geen enkele vooruitgang was geboekt in het onderzoek naar die moorden. Hij heeft bedacht dat Lilian zogenaamd met spoed kon worden opgenomen. Het was inderdaad allemaal fake.'

'Het ging bijna mis toen jij het kantoor in kwam en nauwelijks kon geloven dat ik zélf 112 had gebeld. Toen was ik wel even bang dat je dat nummer ook zou gaan bellen. En dan was er misschien een ambulance komen opdraven die van niets wist.'

Ivo staart haar met open mond aan. 'Niet te geloven,' kreunt hij. 'Mijn moeder als actrice in een moorddadig drama. Een nepdrama, ook dat nog.'

'Mijn vriend stelde voor om haar zogenaamd een infuus te geven,' gaat Christina verder. 'De naald onder het verband op haar arm zat niet in haar ader. De vloeistof uit de infuusfles kwam via een slang onder de mouw van haar nachthemd terecht in een zak op haar heup. Ze was ook niet gedrogeerd. Als Bram aanstalten had gemaakt om de injectiespuit rechtstreeks in haar arm te zetten, had ze geschreeuwd en was ze uit bed gesprongen.'

'Nee,' zegt Lilian.

'Wat bedoel je met: nee? Dat was toch de afspraak? Dat hebben we toch uitgebreid gerepeteerd?'

'Nee,' herhaalt Lilian. 'Ik zou niet uit bed zijn gesprongen en ik zou ook niet hebben kunnen schreeuwen. Ik was verlamd van schrik. Hij had met me kunnen doen wat hij wilde. Echt waar. Ik weet niet hoe het me lukte om die kaliumdood te acteren. Het gebeurde buiten mij om. Ik dacht dat ik écht ging sterven.' Ze begint te beven. Haar tanden klapperen.

Christina pakt haar bij haar schouders. 'Geen paniek,' zegt ze kort. 'Het is voorbij. Goed ademhalen. Rustig doorademen. Goed zo.' Haar stem trilt even. 'Mens, ik schrik me een ongeluk. Je leek zo rustig. Ik maakte me alleen zorgen over het feit dat je maar naar die klok bleef kijken. Er zat een camera in de klok boven de deur,' legt ze uit aan Ivo en Annemiek. 'En er hing een microfoon boven het bed. We konden precies zien en horen wat er gebeurde. Ze leek heel stoïcijns. Heel nadrukkelijk kalm. Ze zei precies wat we hadden afgesproken.'

'Hij had alles met me kunnen doen,' zegt Lilian nog een keer. 'Hij had me gewoon kunnen vermoorden.'

'Maar dat is niet gebeurd, mam.' Ivo neemt haar in zijn armen. Hij drukt haar stevig tegen zich aan. 'Laten we verder maar niet meer stilstaan bij wat er had kunnen gebeuren, daar schiet niemand iets mee op. Je leeft. En hij zit vast.'

'We kunnen voor je regelen dat je met iemand praat van onze afdeling slachtofferhulp,' stelt Christina aan Lilian voor. 'Ik denk dat je dit nodig hebt. Het spijt me dat ik niet in de gaten had hoe je je voelde, toen je daar lag. Ik moet er niet aan denken...' Ze schudt haar hoofd. 'Ivo heeft gelijk. Het is niet gebeurd.'

'Maar ze moet wél met iemand praten,' beslist Annemiek. 'Dat gaan we regelen.'

101

Het hele huis staat vol bloemen en bloemstukken. Madeleine heeft vazen gebracht en ook Annemiek heeft er drie meegenomen. Maar toch moet Ivo er nog een paar gaan kopen. Lilian leest de kaartjes die aan de boeketten hangen en de teksten ontroeren haar. Er zijn goede wensen bij van totaal onbekende mensen, die in de krant hebben gelezen wat er is gebeurd en die heel veel waardering hebben voor haar moed.

'Wie is Jort K?' wil Ivo weten. 'Toch niet Jort Kelder? Ken jij Jort Kélder?'

Lilian glimlacht. 'Welnee. Dat is iemand die ik pas heb leren kennen.'

Ivo gaat er eens uitgebreid voor zitten. 'Juist, ja. Maar dat is mij dan blijkbaar ontgaan. Vertél.'

'Hij heet Jort Kostverloren. Het is die vriend van Christina. De directeur van het ziekenhuis waar je vader...'

'De man die jou heeft voorgedaan hoe je sterft door kaliumchloride. Hm.' Hij tuurt op het kaartje. 'Ik ben trots op je. Hoop je gauw weer te zien,' leest hij voor. Hij kijkt naar Lilian. 'Je bloost, mam.'

Ze weert verdere opmerkingen af met haar handen. 'Ik ben nog niet zover, Ivo. En ik weet ook niet of ik ooit nog eens zover kom.'

'Ik hoop het wel, mam. Jij moet niet alleen blijven. Dan ga je je veel te veel met mij bemoeien.' Hij grinnikt. 'Maar nu serieus. Ik hoop het echt, mam. En papa zou dat goed vinden. Dat weet ik zeker.'

'Hoe weet je dat?'

'Ik voel het. Ik voel hem soms om me heen. Annemiek zegt dat dit komt doordat ik hem nog niet kan loslaten. Dat had zij ook, toen haar moeder overleed. Misschien heeft ze gelijk. Maar ik vraag het me af. Ik denk eerder dat hij óns nog niet kan loslaten.'

'Ik voel hem niet,' zegt Lilian kortaf.

'Omdat je er niet voor openstaat, volgens mij. Ik luister sinds hij dood is veel naar zijn favoriete muziek. Beethoven.'

'Het eerste pianoconcert. Dat vond hij het mooiste. Ik wist niet dat jij van Beethoven houdt.'

'Ik heb het gevoel dat ik er van ben gaan houden toen papa stierf. In zijn plaats. Die muziek zoekt me op. En als ik ernaar luister, is hij dichter bij me.'

Lilian kijkt hem peinzend aan. 'Ik luisterde naar een van de pianoconcerten in de laatste nacht bij Bram. Het derde. Ik kon niet slapen. Ik zette de televisie aan en toen viel ik er midden in. En opeens liep ik naar de zolder. Zomaar. Zonder reden. Iets dreef me er naartoe.'

'Zou papa...?' Ivo aarzelt.

'Nee,' beslist Lilian, 'ik geloof niet in zulke dingen.' Ze denkt even na.

'Wat is er, mam?'

'Ik moet het je zeggen. Het zit me dwars. Ik meende het niet. Maar... ik was in de war, jongen.'

'Zeg het maar.'

'Ik dacht een paar keer dat jij iets wist over je vaders dood.' Ze slaat een hand voor haar mond. Dit had ik niet moeten zeggen, denkt ze. Wat is dit een foute opmerking.

'Dat is niet erg, mam. Ik dacht hetzelfde over jou. Wat een puinhoop, hè?'

'Zeg dat nóg eens.'

Ivo herhaalt wat hij net gezegd heeft. 'Ik begreep niets van je,' voegt hij eraan toe. 'Je was zo stoïcijns. Het leek of het je allemaal nauwelijks raakte. Maar ik vroeg je niet genoeg, ik oordeelde veel te snel.'

Ze strekt haar armen naar hem uit, hij kruipt dicht tegen haar aan. *'No hard feelings?'* vraagt ze.

'Absoluut niet, mam. Jij was niet de enige die in de war was, ik ook. Zand erover.'

'Ik heb iets besloten,' zegt Lilian. Ze laat Ivo los en kijkt hem recht aan. 'Toen ik daar lag en ik wist dat hij elk moment zou kunnen komen binnensluipen, heb ik iets besloten. Mijn hele leven flitste aan me voorbij. En toen heb ik met mezelf iets afgesproken. Als ik hier zonder problemen uitkom, ga ik het doen, heb ik mezelf voorgenomen. Ik moet het weten. Ik ga het onderzoek laten doen. Naar dat kankergen, je weet wel. Ik wil weten of ik het heb. Ik moet zorgen dat ik die verstikkende angst kwijtraak.'

Ivo smoort haar bijna in zijn omhelzing.

102

Ik doe mijn bek niet open tegen die lui. Ik moet eerst nadenken. Een plan maken.

Alles tegen elkaar afwegen.

Ze heeft me er ingeluisd. Ze is dus toch als al die andere wijven. Die snollen.

Ik haat ze stuk voor stuk.

Moeder is weg. Spoorloos verdwenen. Ik roep haar niet meer. Ze kan doodvallen, wat mij betreft.

Ik denk veel aan vroeger. Aan toen we nog samen in het huis woonden waar ik geboren ben. Ze hoefde geen vrienden te hebben, zei ze altijd. Ze had genoeg aan mij. Ik was alles voor haar. Alles waar ze ooit naar had verlangd. Haar droom. Haar prins. Haar leven. 'Jij komt uit mij,' zei ze. 'Wij hebben hetzelfde bloed. Jij bent van mij.'

Soms zeiden vrouwen tegen me dat ik een ziekelijke relatie met mijn moeder had. Zulke vrouwen liet ik acuut vallen.

Lilian was anders. Lilian stelde geen eisen. Ze viel me niet lastig met vragen. Ze was openhartig en nam me in vertrouwen.

Ik hield van Lilian. Ze was de eerste vrouw van wie ik écht kon houden na de dood van moeder. Ik deinsde soms terug van mijn eigen gevoel. Ik wist niet wat ik moest beginnen met mijn liefde. Daarom liet ik het maar gewoon over me heenkomen.

Ik weet wél wat ik moet doen met de haat die ervoor in de plaats is gekomen.

Koesteren. Voeden.
Laten groeien.

Ik zit hier zo vast als een huis. Grote kans dat ze me nooit meer loslaten. Ik denk na. Ik denk na over mijn plan. Mijn nieuwe missie.

Lilian vernietigen. Ik weet al precies hoe ik dat ga doen.

Ooit komt de dag dat iemand even niet oplet. Nu nog niet. Voorlopig houden ze me elke minuut van de dag in de gaten. Overal hangen camera's, ze zien zelfs op welke manier ik mijn kont afveeg. Laat ze maar kijken. Ik let niet op hen.

Ik bereid voor.

Het kan heel lang duren maar ik heb de tijd. Het zal in een flits moeten gebeuren. Ook bewaken is mensenwerk. Mensen maken fouten. Vertel mij wat. En van die fouten maken andere mensen gebruik.

Ik let op.

Ooit maakt iemand een fout en dan ben ik weg. Naar Lilian.

Ooit.

103

Het is een uitzonderlijk warm voorjaar. Iedere avond na het achtuurjournaal heeft de weerman het erover. De temperaturen worden vergeleken met eerdere pieken in eerdere lentes en er worden jaartallen genoemd die al van meer dan een eeuw geleden dateren.

Toch heeft Lilian het steeds koud. Terwijl anderen lopen te puffen, trekt zij een extra trui aan.

'Je bent veel te mager,' moppert Madeleine. 'Daardoor heb je het zo koud. Je eet echt te weinig.'

Ze heeft gelijk. Lilian probeert gehoorzaam alle lekkere hapjes op te eten die Madeleine haar regelmatig komt brengen. Maar ze heeft al heel snel het gevoel dat ze vol zit. Haar begeleidster van bureau slachtofferhulp zegt dat ze last heeft van een posttraumatische stress stoornis. PTSS. Ze heeft tijd nodig om alles wat er is gebeurd te verwerken. Hoeveel tijd staat hiervoor? zou Lilian haar willen vragen. Kan het een beetje opschieten? Ik wil mijn oude leven terug.

Christina komt regelmatig langs. Er is weinig nieuws over Bram. Hij wil nog niet praten. En zolang hij zwijgt, valt er geen proces te voeren. Maar ze verwacht wel dat hij op den duur iets gaat zeggen. En ze rekent erop dat hij niet meer vrijkomt. Er zijn aanwijzingen dat hij ook iets te maken heeft met drie onopgeloste moorzaken in Groningen. Volgens Christina krijgt hij minstens twintig jaar en tbs.

'Maar die lui mogen op een bepaald moment toch op

proefverlof?' vroeg Lilian de laatste keer dat Christina bij haar was.

'Die tbs kan steeds opnieuw verlengd worden. Je hoeft niet bang te zijn. Die komt nooit meer buiten.'

'En als hij ontsnapt?'

'Nauwelijks mogelijk. En áls dat gebeurt met de nadruk op áls, reken er maar niet op, dan gaan in het hele land alle alarmbellen rinkelen en weet jij het direct. Tegenwoordig mag je van iemand die tbs heeft als hij ontsnapt alle persoonlijke gegevens op de televisie vertonen. Die komt niet ver. Geloof me, het lukt hem nooit om ongemerkt in jouw buurt te komen.'

Lilian wil verhuizen. Dat heeft ze kortgeleden met Ivo besproken. Hij begreep het, zei hij. Hij kon zich heel goed voorstellen dat ze ergens opnieuw wil beginnen. Maar hij heeft haar geadviseerd om geen overhaaste besluiten te nemen. 'Neem de tijd,' zei hij. 'Zoek eerst uit waar je zou willen wonen.'

'Ergens waar ik me veilig voel.'

'Wat is er nodig om je veilig te voelen?'

Dat hij sterft, had ze willen zeggen. Dat er een bericht komt uit de gevangenis over zijn plotselinge overlijden. Dat ze me komen halen om met eigen ogen te kunnen vaststellen dat hij dood is. Dat ik erbij mag zijn als hij in zijn graf wordt gelegd. Dat ik persoonlijk de eerste schep aarde op zijn kist mag gooien. Pas dan voel ik me veilig.

Maar dat heeft ze niet gezegd. Ze heeft alleen gezegd dat dit huis voor haar besmet is geraakt, doordat ze Bram heeft binnengelaten.

'Denk niet meer aan die man. Denk liever aan fijne dingen,' adviseert Ivo steeds. 'Er zijn genoeg fijne dingen. Je hebt mij. Cadeautje. Je hebt een leuke schoondochter. Ze is dol op jou. Je hebt een zorgzame vriendin, iedereen die voor je werkt vindt je aardig. Je bent gezond. Mens, schreeuw het van de daken: ik heb me laten onderzoeken en ik heb NIET dat vreselijke kankergen. Ik ben jarenlang voor niets bang geweest. Ga leven, mam. Kijk naar de toekomst. Denk aan die leuke man die je steeds bloemen stuurt.'

Als het gesprek die kant op gaat, haakt Lilian af. Ze geniet van de bloemen van Jort, dat valt niet te ontkennen. Hij belt haar regelmatig en ze vindt het fijn om met hem te praten. Maar verder komt ze niet. Nog niet. Later, misschien.

Ivo heeft voor haar gekookt. 'Ik kook altijd op zondag maar als mijn vriendin het in haar hoofd haalt om op zondag naar een schoolreünie te gaan, zal ik een ander slachtoffer nodig hebben om mijn prutje op te eten,' beweerde hij toen hij Lilian overviel. 'Voor vandaag staat er tagliatelle verde met tonijn en pittige saus op het menu.'

Het is heerlijk, moet Lilian bekennen. Ze heeft nog nooit meegemaakt dat Ivo iets kookte maar hij kan er wat van. Het lukt haar om een behoorlijke portie naar binnen te werken.

'Goed zo, mam. Je gaat vooruit,' prijst hij. 'Ik kom je vaker te eten geven.'

Ze geniet van zijn vrolijkheid. Hij straalt. 'Je bent gelukkig,' stelt ze vast.

'Reken maar. En ik zou nóg gelukkiger zijn als jij het ook weer werd.'

Er valt een diepe stilte. 'Denk je nog steeds aan papa, mam?'

'Ja. Ik mis hem. Het is niet af. Het komt door die brief. Ik blijf hem herlezen. En ik blijf me afvragen waarom het mij niet is opgevallen dat hij het wilde goedmaken.'

'Misschien heeft hij het gewoon niet duidelijk genoeg laten merken. Jullie waren allebei experts op het gebied van een pokerface opzetten. Het spijt me voor je, mam. En voor hem. Het is doodjammer dat jullie het zover hebben laten komen. Maar er is niets meer aan te doen. En je hebt die brief. Je weet nu wat hij voor je voelde.'

'Daar zal ik het mee moeten doen, bedoel je? Met letters op papier en dan maar wennen aan het feit dat ik het hem niet meer vóél zeggen?'

'Zo cru zou ik het niet willen stellen. Maar ik denk wél dat je het moet afsluiten. Het is voorbij. Jullie hebben het geluk door je vingers laten glippen. Maar jullie zijn ondanks alles veel van elkaar blijven houden. Dat weet je. Koester dat. Wees trots op die liefde. Bewaar hem in je hart. Maar leef verder, mam. Ik weet écht zeker dat papa dat wil. En ik weet ook zeker dat hij nog bij je is.'

'Heb je nog steeds het gevoel dat je contact met hem hebt?'

'Ja. Zelfs nu, op dit moment. Hier. Wij praten hier niet zomaar over. Hij is niet weg. Ik weet het zeker. Hij hoeft ook niet weg. Laat hem binnen.'

'Luister je nog steeds naar die pianoconcerten?'

'Ja. Vaak. Ik ga ze steeds mooier vinden. En Annemiek is er ook dol op.'

Lilian overweegt even om nu een van de pianoconcerten van Beethoven op te zetten. Maar ze doet het niet. Ze is bang dat ze dan geëmotioneerd wordt. 'Ik wacht nog een tijdje met het huis verkopen,' zegt ze. 'Maar ik ga het wél doen. Later. En dan delen we de winst. Daar heb je recht op.'

'Ik zou hier wel willen wonen,' zegt Ivo. 'Ik zou hier samen met Annemiek willen wonen, kinderen willen krijgen en ze net zo'n fijne jeugd willen geven als ik zelf heb gehad.'

Lilian schrikt. 'Meen je dat?'

'Ja. Wil je dat niet?'

'Dat weet ik niet. Je overvalt me ermee. Ik zal erover nadenken.' Maar ze weet al dat ze er totaal geen bezwaar tegen heeft. Ze houdt van dit huis. Hier ligt een groot deel van haar leven. Maar ze zal hier nooit meer zo rustig wonen als ze deed. Ze zal er hier altijd rekening mee houden dat Bram opeens voor haar neus staat. Ze kan zich hier nooit meer volledig veilig voelen. Ze moet een ander huis gaan zoeken. Afstand nemen. Als Ivo hier gaat wonen, wordt het alleen afstand en geen afscheid. 'Het is goed,' zegt ze eenvoudig. 'Ik weet het al.'

Het wordt tijd dat ze naar bed gaat. Maar ze zit nog steeds na te denken over wat er vanavond allemaal is gebeurd. Toen Ivo vertrok heeft hij haar stevig vastgepakt en gezegd dat hij verschrikkelijk veel van haar houdt. 'Dat ga ik de rest van mijn leven regelmatig tegen je zeggen, mam.'

'Ik hou ook van jou,' zei Lilian. 'Je weet niet half hoeveel.'

Het huis is stil. Het voelt eenzaam aan. Ik voel mijzelf, denkt Lilian. Mijn eigen alleen zijn. Het verlaten gevoel in mij.

Ze ruimt de kranten op en geeft de planten water. Ze kijkt om zich heen.

Wat zoek ik toch, denkt ze. Wat mis ik toch?

'Jullie hebben het geluk door je vingers laten glippen,' zei Ivo.

Ik zoek Rob, realiseert ze zich. Nog steeds. Ik wil hem in mijn buurt voelen. Gewoon even voelen. Meer niet.

Ze kan nog niet naar de lege grote slaapkamer. Ze huivert als ze aan het koude bed denkt. Het koude, lege bed. Het is te groot voor haar alleen.

Haar oog valt op de afstandsbediening van de radio. Ze pakt het ding op en drukt op On. De kamer komt in één klap tot leven door de muziek die binnenstroomt. Lilian gaat op de bank zitten. Ze vraagt zich af of ze écht hoort wat ze denkt te horen. Ze gaat liggen en trekt een van de losse kussens in haar nek.

Het lijkt of er iemand naast haar ligt.

Dat voelt goed.

Ze sluit haar ogen en herinnert zich hoe Rob altijd bijna eerbiedig de maat sloeg als ze samen luisterden. En hoe zij heel zachtjes ging neuriën.

Ze spitst haar oren. Er klinkt een geluid.

Dat ben ik zelf, stelt ze vast. En ze neuriet verder mee met de klanken van het eerste pianoconcert van Beethoven.